LUMIÈRE NOIRE

Lisa Gardner

LUMIÈRE NOIRE

ROMAN

Traduit de l'anglais (États-Unis)
par Cécile Deniard

Albin Michel

Aux survivants du monde entier

1

Voici ce que j'ignorais :

Quand on se réveille pour la première fois enfermée dans une caisse, dans le noir complet, on se dit que ce n'est pas possible. On essaie de repousser le couvercle, bien sûr. Normal. On frappe les côtés avec ses poings, on martèle le fond avec ses talons. On donne des coups de tête, encore et encore, même si ça fait mal. Et on hurle. On hurle, on hurle, on hurle, indéfiniment. Nez qui coule. Torrents de larmes. Jusqu'à ce que les cris s'enrouent, se réduisent à des hoquets. Alors on entend des bruits étranges, tristes, pitoyables, et c'est au moment où l'on réalise que ces bruits viennent de soi qu'on comprend la situation, qu'on comprend vraiment ce qui se passe : hé, je suis enfermée dans une caisse.

Les parois des caisses en pin ne sont pas tout à fait lisses. Par exemple, il se peut qu'on y ait grossièrement percé des trous pour l'aération. Et quand on suit les contours de ces trous du bout du doigt, quand on les y enfonce en cherchant désespérément... n'importe quoi... on se plante des échardes. On les retire comme on peut avec les dents et ensuite on se lèche le doigt, on suce le sang qui perle en poussant encore des gémissements de chiot blessé.

Être seule là-dedans. C'est terrifiant. Oppressant. Effroyable. Surtout qu'on ne sait pas encore à quel point on devrait avoir peur.

On apprend à bien la connaître, cette caisse, son nouveau chez-soi. On tortille des épaules pour en évaluer la largeur. On en mesure la longueur avec les mains, on essaie de remonter les pieds. Pas assez de place pour plier les genoux. Ni pour se retourner. La caisse fait exactement votre taille. Comme si elle avait été fabriquée tout spécialement à votre intention. Un cercueil rien que pour vous, qui vous étire les reins, qui vous meurtrit les omoplates, qui vous fait mal à la nuque.

Seul et unique élément de confort : le papier journal qui tapisse le fond de la caisse. Détail qu'au début on ne remarque pas, et qu'ensuite on ne comprend pas. Jusqu'au moment où on se fait dessus pour la première fois. Avant de passer des jours dans ses propres immondices. Comme un animal, direz-vous. Sauf que la plupart des animaux sont mieux traités que ça.

La bouche se dessèche, les lèvres gercent. On commence à fourrer ses doigts dans ces fameux trous d'aération, à se lacérer la peau juste pour avoir un goût dans la bouche, quelque chose à avaler, à téter. On se découvre comme on ne s'était jamais vue : une femme brisée. Ramenée à une vie primitive. La puanteur de son urine. Le sel de son sang.

Mais on n'a encore rien vu.

Quand enfin on entend des bruits de pas, on n'y croit pas. On se dit qu'on délire. Qu'on rêve. On n'est qu'une pauvre loque, une minable. La dernière des imbéciles, qui ne peut s'en prendre qu'à elle-même, mais regarde-toi un peu. Et pourtant, le cliquetis d'un cadenas de l'autre côté de la paroi, à quelques centimètres de son oreille...

Peut-être qu'on se remet à pleurer. Ou que du moins on le ferait si on n'était pas complètement déshydratée.

La première fois qu'on voit le visage de celui qui nous a fait ça, on est soulagée. Heureuse, même. On regarde ses joues bouffies, ses yeux de fouine, sa bouche béante, ses dents jaunies, et on se dit : Merci, mon Dieu, merci, mon Dieu, merci, mon Dieu.

Il nous laisse sortir de la caisse. Il nous soulève, en réalité, parce que nos jambes ne fonctionnent plus, nos muscles n'ont plus de force, notre tête dodeline. Cette idée nous fait rire. Dodeliner. Encore un de ces mots qui n'avaient aucun sens en cours de littérature. Mais là, on y est : les têtes dodelinent. Notre tête dodeline.

Mon Dieu, cette odeur. Ail et transpiration, vêtements sales et cheveux crasseux. Est-ce que ça vient de nous ? De lui ? Impossible de réprimer un haut-le-cœur. Et ça le fait marrer. En même temps qu'il brandit une bouteille d'eau en décrivant par le menu ce qu'on va devoir faire pour la mériter. Il est gros. Vieux. Dégoûtant. Repoussant. La barbe négligée, le cheveu gras, une vilaine chemise à carreaux constellée de taches de ketchup.

En temps normal, on serait trop bien pour lui. Fraîche et pimpante, jolie comme un cœur. Le genre de fille auquel aucun garçon ne résiste dans les soirées étudiantes. Le monde nous appartient. Ou plutôt nous appartenait ?

On pleure, on réclame sa mère. Effondrée comme une chiffe molle à ses pieds, on le supplie de nous laisser partir. Pour finalement, avec ce qu'il nous reste de forces, retirer nos vêtements. On le laisse faire ce qu'il veut. On crie, mais on a la gorge trop sèche pour émettre le moindre son. On vomit, mais on a l'estomac trop vide pour rendre quoi que ce soit.

On survit.

Et plus tard, quand il nous donne enfin cette bouteille d'eau, mais pour nous la renverser sur la tête, on n'a pas honte de lever les mains pour récupérer autant de liquide que possible. On le lèche sur ses paumes. On l'aspire dans ses cheveux huileux, répugnants. On attend qu'il soit distrait pour sucer la tache de ketchup sur la chemise qu'il a balancée sur le côté.

Retour dans la caisse. Dans la Caisse, avec un grand C.

Le couvercle retombe lourdement. Le cadenas se referme avec un bruit sec. L'homme abject s'en va. Et il nous laisse de nouveau seule. Nue. Meurtrie. En sang. Sachant désormais des choses qu'on n'aurait jamais eu envie de savoir.

On murmure : « Maman. »

Mais ce monstre-là est bien réel. Et plus personne ne peut rien faire pour nous sauver.

Voilà ce que j'ai appris :

Il n'y a pas grand-chose à faire, enfermée jour après jour dans une caisse en forme de cercueil. En fait, il n'y a qu'une chose qui vaille la peine d'être imaginée, ressassée, méditée à chaque minute qui passe, une heure de cauchemar après l'autre. Une idée qui vous permet de tenir. Une obsession qui vous donne de la force. Vous la trouverez. Vous l'affinerez. Et ensuite, si vous me ressemblez un tant soit peu, vous ne la lâcherez plus.

La vengeance.

Mais faites attention que vos désirs ne se retournent pas contre vous, surtout si vous n'êtes qu'une pauvre idiote enfermée dans un cercueil.

2

Elle avait commencé par un Martini grenade. Hors de prix, bien entendu, les bars de Boston sont très chers, et le jus de grenade très tendance. Mais on était vendredi soir ; elle avait survécu à une semaine de plus et, bon sang, ça valait bien un petit cocktail fruité payé à prix d'or.

D'ailleurs, elle se faisait confiance. Il suffisait qu'elle ouvre un bouton de son chemisier blanc moulant, qu'elle retire quelques épingles de ses cheveux blonds mi-longs... Elle avait vingt-sept ans, une ligne impeccable et le genre de fessier qui ne passait pas inaperçu. Elle se payait peut-être son premier verre, mais il y avait des chances qu'elle ne paie pas le deuxième.

Elle prit une gorgée. Fraîche. Sucrée. Âpre. Elle la réchauffa sur sa langue avant de laisser la vodka glisser dans sa gorge. Ça valait ses quatorze dollars jusqu'au dernier.

Elle ferma un instant les yeux. Le bar disparut. Le sol poisseux, les stroboscopes, les couinements aigus du groupe qui allait ouvrir la soirée et qui se chauffait encore.

Elle était dans un abîme de silence. Un refuge qui n'appartenait qu'à elle.

Et lorsqu'elle rouvrit les yeux, il se tenait devant elle.

Il lui offrit son deuxième verre. Puis un troisième, et en proposa même un quatrième. Mais à ce moment-là, la vodka associée aux lumières de la piste de danse lui promettait déjà un réveil pas très frais. Et puis, elle n'était pas idiote : pendant que Monsieur On-ne-se-serait-pas-déjà-vus-quelque-part l'abreuvait de Martini, lui-même s'en tenait à la bière.

Physiquement, il n'était pas trop mal, avait-elle décrété vers la fin du deuxième cocktail. Musclé, un type qui s'entretenait. Pas beaucoup de goût en matière vestimentaire, cela dit, avec sa chemise à fines rayures bleues sur un pantalon beige. Il visait le look jeune cadre dynamique, supposa-t-elle, mais elle avait remarqué que l'ourlet de son pantalon était râpé, sa chemise décolorée à force de lavages. Quand elle lui avait demandé ce qu'il faisait dans la vie, il avait voulu lui faire le coup du charme. Oh, un peu de tout, avait-il répondu avec un clin d'œil et un grand sourire. Mais son regard était resté froid, distant même, et elle avait éprouvé un premier soupçon de malaise.

Il était vite remonté en selle. Avait sorti un nouveau Martini de son chapeau. Il ne portait pas de montre, avait-elle remarqué pendant qu'il tentait d'appâter le barman avec un billet de vingt – sans succès parce que d'autres clients brandissaient des billets de cent. Pas d'alliance, non plus. Libre. Bien foutu. Peut-être une bonne soirée en perspective.

Elle sourit, mais c'était un sourire sans joie. Une expression passa sur son visage, de nouveau ce vide, cette prise de conscience qu'après toutes ces semaines, tous ces mois, toutes ces années, elle se sentait toujours seule. Et qu'elle se sentirait toujours seule. Même dans une pièce noire de monde.

Heureusement que le type ne s'était pas retourné à ce moment-là.

Il finit par accrocher le barman (chemise blanche, cravate noire, le genre de pectoraux qui font tomber les gros pourboires) et lui commanda un nouveau cocktail.

Elle était mûre pour un quatrième Martini à ce moment-là. Pourquoi pas ? Cela lui permettait de parler de choses et d'autres avec un clin d'œil et un grand sourire pour aller avec la lueur dans ses yeux. Et quand le regard du type s'attarda sur son décolleté, sur ce bouton qu'elle venait justement de défaire, elle ne recula pas. Elle le laissa reluquer le haut de son soutien-gorge rose indien en dentelle. Elle le laissa admirer ses seins.

Pourquoi pas ? Vendredi soir. La fin de la semaine. Elle l'avait bien mérité.

Lui aurait voulu quitter le bar à minuit. Elle l'obligea à patienter jusqu'à la fermeture. Le groupe était étonnamment bon. Elle aimait la sensation que la musique lui procurait, comme si son sang battait encore dans ses veines et son cœur dans sa poitrine. Son cavalier n'était manifestement pas à l'aise sur la piste de danse, mais cela n'avait aucune importance ; elle bougeait assez bien pour deux.

Elle avait noué son chemisier blanc sous sa poitrine, façon Daisy Duke. Son jean noir taille basse sculptait toutes ses courbes, les talons de ses grandes bottes en cuir marquaient chaque temps. Au bout d'un moment, il ne se donna même plus la peine de danser et se contenta de tanguer sur place en la regardant. Elle levait les bras en l'air et cela soulevait sa poitrine. Elle roulait des hanches, la peau de son ventre plat luisante de sueur.

Elle remarqua qu'il avait les yeux marron. Un regard sombre. Impénétrable. Aux aguets. Un regard de rapace, pensa-t-elle. Mais cette fois-ci, au lieu d'en être effrayée, elle ressentit une pointe d'excitation. Le barman à la musculature avantageuse l'observait aussi. Elle fit un tour de piste pour tous les deux. Après ce quatrième Martini, elle avait dans la bouche un goût sucré et violet, son corps était de la glace liquide.

Elle aurait pu danser toute la nuit. Régner sur cette piste, régner sur ce bar, régner sur la ville.

Mais ce n'était pas ce que voulait le type. Aucun homme ne paie trois verres hors de prix à une fille pour le seul privilège de la regarder danser.

Le groupe avait terminé sa prestation, il rangeait ses instruments. La musique lui manquait cruellement. Elle avait comme un bleu à l'âme. Plus de basses entraînantes pour électriser ses pieds, pour masquer sa douleur. Non, il n'y avait plus qu'elle, Monsieur On-ne-se-serait-pas-déjà-vus-quelque-part et la perspective d'une gueule de bois carabinée.

Il lui demanda si elle voulait sortir prendre l'air. Elle eut envie de rire. De lui répondre qu'il n'imaginait pas à quel point.

Mais elle le suivit dans la petite rue jonchée de mégots. Il lui proposa une cigarette. Elle refusa. Il lui prit la main, puis il la plaqua contre le côté d'une benne à ordures bleue en lui palpant déjà un sein à pleine paume.

Ses yeux n'étaient plus impénétrables. Ils étaient en fusion. Le prédateur tenait sa proie.

« Chez toi ou chez moi ? » demanda-t-il.

Elle ne put retenir un éclat de rire.

Et ce fut à ce moment-là que la soirée tourna vraiment mal.

Monsieur On-ne-se-serait-pas-déjà-vus-quelque-part n'appréciait pas qu'on lui rie au nez. La gifle partit vite. Une main s'abattit sur la joue de la fille et sa tête heurta la benne métallique derrière elle. Elle entendit le fracas. Ressentit la douleur. Mais dans la brume de ses quatre Martini, tout lui paraissait lointain, comme si c'était une autre qui passait une sale soirée.

« T'es qu'une allumeuse ? » hurla-t-il en lui écrasant le sein d'une main, le visage à quelques centimètres du sien.

D'aussi près, elle sentit l'odeur de bière de son haleine et remarqua le réseau de veines éclatées bien visible sur les ailes du nez. Un poivrot qui buvait en cachette. Elle aurait dû s'en rendre compte plus tôt. Le genre de type qui se pintait avant de venir au bar parce que ça coûtait moins cher. Ce qui signifiait qu'il n'était pas du tout là pour picoler, mais pour brancher une nana. Pour trouver une fille comme elle et la ramener chez lui.

Exactement ce qu'elle cherchait, autrement dit.

Elle aurait dû protester. Lui écraser le pied avec son talon. Ou lui attraper le petit doigt (pas toute la main, juste le petit doigt) et le tordre en arrière jusqu'au poignet.

Il aurait hurlé. Il l'aurait lâchée.

Il l'aurait regardée droit dans les yeux et il aurait compris son erreur. Parce que les grandes villes comme Boston sont peuplées de types comme lui.

Mais aussi de filles comme elle.

Elle n'eut pas l'occasion de le faire.

Il gueulait. Elle souriait. Peut-être même qu'elle riait encore. La tête bourdonnante, un goût de sang salé dans la bouche. Et Monsieur On-ne-se-serait-pas-déjà-vus-quelque-part cessa d'exister.

Il était là. Et d'un seul coup, il disparut, remplacé par le barman bodybuildé aux pectoraux incroyables, l'air très inquiet.

« Ça va ? demanda-t-il. Il vous a fait mal ? Vous avez besoin d'aide ? Vous voulez qu'on appelle la police ? »

Il lui offrit son bras. Elle le prit pour enjamber l'autre, K.-O. sur le trottoir, la bouche grande ouverte.

« Il n'aurait pas dû lever la main sur vous », déclara sobrement le barman en éloignant la fille de l'attroupement qui commençait à se former. En l'entraînant vers des ténèbres que ne dissipaient plus les néons clignotants du bar.

« Tout va bien. Je vais m'occuper de vous maintenant. »

Alors elle prit conscience que le barman lui serrait le bras plus fort que nécessaire. Qu'il ne la lâchait plus.

Elle essaya d'abord de l'amadouer. Même sans être naïve, c'est logique de commencer par là. Holà, mon grand, où est-ce qu'on est si pressés d'aller ? On ne pourrait pas ralentir un peu ? Hé, vous me faites mal. Mais bien sûr, jamais il ne ralentit l'allure, ni ne desserra l'étau qui lui meurtrissait le bras.

Il marchait bizarrement, en la tenant serrée contre lui, comme s'ils étaient deux amoureux qui se promenaient au pas de course, mais en gardant la tête baissée et penchée sur le côté. Pour que son visage reste dans l'obscurité, comprit-elle. Pour que personne ne puisse le voir.

Alors elle fit le rapprochement. Cette attitude, cette démarche. Elle avait déjà vu ce type. Pas son visage, non, mais ce dos rond, cette nuque courbée. Trois ou quatre mois plus tôt, au journal du soir, quand une étudiante de Boston sortie prendre un verre une nuit d'été n'était jamais rentrée chez elle. Les chaînes locales avaient passé en boucle les images d'une caméra de surveillance qui avait filmé les derniers instants connus de la jeune fille, entraînée de force par un individu qui dissimulait son visage.

« Non », souffla-t-elle.

Il fit la sourde oreille. Ils étaient arrivés à un carrefour. Sans hésiter, il la tira brutalement vers la gauche et s'engagea dans une ruelle plus sombre, plus étroite, qui puait l'urine, les poubelles et les scènes sordides dont on ne reparlait plus jamais.

Elle freina des quatre fers, vite dessoûlée, et fit de son mieux pour résister. Mais avec ses cinquante-cinq kilos contre les quatre-vingt-quinze du type, ses efforts ne servaient pas à grand-chose. Il la serra violemment contre lui, le bras droit en étau autour de sa taille, et continua.

« Arrêtez ! » voulut-elle crier.

Mais rien ne sortit. Sa voix resta coincée dans sa gorge. Elle avait la respiration coupée, les poumons trop comprimés pour crier. Alors elle n'émit qu'un faible gémissement, dont elle avait honte de reconnaître qu'il venait d'elle, mais savait par de précédentes expériences que c'était bien le cas.

« J'ai une famille », finit-elle par lâcher, à bout de souffle.

Il ne réagit pas. Nouveau carrefour, encore un virage. Ils filaient entre les hauts immeubles de brique, à l'abri des regards. Elle n'avait déjà plus la moindre idée de l'endroit où ils se trouvaient.

« Je vous en prie… arrêtez… », parvint-elle à articuler. Le bras du barman, trop serré autour de sa taille, lui meurtrissait les côtes. Elle allait vomir. Elle eut envie que ça se produise, peut-être que ça le dégoûterait, que ça le convaincrait de la laisser partir.

Penses-tu. Son estomac se souleva d'un seul coup, un jet de liquide violet jaillit de sa bouche et arrosa ses pieds et le pantalon du type. Il grimaça, s'écarta par réflexe, mais se reprit aussitôt et l'entraîna de nouveau vers l'avant en la tenant par le coude.

« Je vais encore vomir », gémit-elle en s'emmêlant les pieds, ce qui eut enfin pour effet de ralentir la course du type.

« Vous avez trop bu, dit-il avec mépris.

– Vous ne comprenez pas. Vous ne savez pas qui je suis. »

Il s'arrêta le temps d'ajuster sa prise sur son bras. « Pas très malin de venir au bar toute seule.

– Mais je suis toujours toute seule. »

Il ne comprit pas. Ou peut-être s'en fichait-il. Il se tourna vers elle, le regard terne, l'air inexpressif. Puis il lança son poing et lui colla une beigne dans l'œil.

La tête de la fille partit d'un seul coup en arrière.

Sa joue explosa. Ses yeux se remplirent de larmes.

Une idée lui traversa l'esprit. Fugace. Vague. Peut-être la clé du mystère de l'univers ? Mais elle lui échappa.

Et, comme Monsieur On-ne-se-serait-pas-déjà-vus-quelque part, elle cessa d'exister.

Vendredi soir. La fin d'une longue semaine. Elle l'avait bien mérité.

Il l'avait transportée. À pied, en voiture, elle ne savait pas. Quand elle reprit connaissance, elle n'était plus dans un quartier malfamé de Boston, mais enfermée dans un lieu sombre et humide. Le sol était froid sous ses pieds nus. Du ciment. Fissuré et inégal. Un sous-sol, se dit-elle, ou peut-être un garage.

Elle y voyait un peu. Trois petites fenêtres en haut d'un mur donnaient suffisamment de lumière. Pas la lumière du jour, mais un faible poudroiement jaune. Comme la lueur d'un réverbère dans la rue.

Elle profita de cette clarté diffuse pour faire plusieurs constats : ses mains étaient attachées devant elle par un lien en plastique ; on l'avait complètement déshabillée ; et, pour le moment en tout cas, elle était seule.

Son pouls s'accéléra. Elle avait mal à la tête, la peau hérissée de chair de poule, et pourtant il y avait fort à parier qu'elle regretterait bientôt ce moment de relative sécurité. Quand un type assomme une fille et lui retire jusqu'à son dernier vêtement, il n'est pas du genre à la laisser tranquille bien longtemps. À l'instant même, il était certainement en train de se préparer pour les festivités de la nuit. En fredonnant. En imaginant les jeux auxquels il allait pouvoir se livrer avec son nouveau jouet. En se prenant pour le plus grand des caïds de la ville.

Alors elle sourit. Mais une fois de plus, ce sourire n'avait rien de gai.

Première chose : l'inventaire. Qui dit sous-sol ou garage dit forcément stockage et, comme le rappelle l'adage, les déchets des uns font le bonheur des autres.

Quelle erreur de la part du barman de ne pas lui avoir ligoté les pieds. Pas aussi expérimenté qu'il le croyait. Pas aussi futé, et il n'allait pas tarder à s'en mordre les doigts. Mais les gens ne voient que ce qu'ils ont envie de voir. Elle-même avait bien été aveuglée par ses pectoraux. Aucun doute que lui n'avait vu en elle qu'une blonde facile. Eh bien, la nuit leur aurait réservé des surprises à tous les deux.

Elle trouva un établi, massif. Levant ses poignets liés, elle fit courir ses doigts sur le plateau en bois et repéra un gros étau métallique fixé à un coin. Elle continua plus rapidement dans l'espoir de découvrir un jeu d'outils. Mais non, il n'était pas stupide à ce point-là, et elle pas aussi vernie.

Pas d'objet tranchant qui traînait, pas de tenailles, pas de marteau. Elle fit ensuite le tour de la pièce, faillit trébucher sur une poubelle métallique qu'elle rattrapa avant qu'elle ne tombe. Inutile d'informer le type plus tôt que nécessaire qu'elle était réveillée. Le couvercle stabilisé, les nerfs encore ébranlés, elle s'obligea à poursuivre son exploration.

Dans la poubelle, elle trouva un sac plein. Elle le mit de côté pour l'instant, puis longea les deux derniers murs. Elle repéra une collection de jerricans vides et deux bidons en plastique. À l'odeur, le premier contenait un fond de lave-glace, l'autre de l'antigel. Donc elle était certainement dans un garage. Et puisqu'on était à Boston, il y avait de fortes chances qu'il soit indépendant de la maison, ce qui donnait encore plus d'intimité au barman.

Elle ne s'attarda pas sur le sort qui l'attendait peut-être, ni sur les raisons pour lesquelles un homme comme lui avait tellement besoin d'intimité. De même, elle refusa de paniquer à cause de la tache poisseuse qu'elle découvrit au sol dans le coin du fond. Ou de l'odeur qui devenait presque impossible à ignorer. Une odeur qui faisait la paire avec le goût de sang qu'elle avait dans la bouche.

Elle prit le bidon d'antigel et le posa sur l'établi. Un point à zéro pour elle.

Ensuite, elle trouva une pelle contre le mur. Ragaillardie, elle mit son lien en plastique contre la lame et frotta avec énergie. Au bout d'une ou deux minutes, elle était essoufflée et la sueur piquait son œil enflé, mais le lien donnait l'impression de... de rien, en fait. La lame de la pelle n'était pas assez aiguisée ou le plastique était trop résistant. Elle insista encore un peu, puis renonça à contrecœur.

Pas facile, les liens en plastique. Franchement, elle aurait préféré des menottes métalliques. Mais au moins il avait eu la bonté de lui attacher les mains devant elle, où elle en avait encore amplement l'usage, surtout qu'il n'avait pas serré au point de lui engourdir les doigts.

Elle pouvait bouger les jambes ; elle pouvait bouger les bras. Elle pouvait aussi se tenir parfaitement immobile et sentir le vide, juste là. Les ténèbres, réconfortantes. Le silence.

Seule au milieu d'une pièce noire de monde, pensa-t-elle, et l'espace d'un instant son corps oscilla au rythme d'une musique qu'elle était la seule à entendre.

Puis elle reprit son sérieux. La poubelle. Plus de temps à perdre.

Du bout des doigts, elle déchira le mince film de plastique et fut aussitôt prise au nez par la puanteur. Nourriture en putréfaction, viande avariée, pire encore. Son estomac se souleva, elle sentit les larmes lui monter aux yeux et ravala un flot de bile. Ce n'était pas le moment de faire la chochotte et elle se força à plonger ses doigts au milieu des déchets suintants qu'elle palpait à l'aveuglette. Serviettes en papier. Monceaux humides de Dieu sait quoi. Emballages alimentaires. Boîtes de repas à emporter. Consommés dans la maison ou apportés ici pour les partager avec sa proie, voire les engloutir égoïstement pendant qu'il faisait une pause dans ses petits plaisirs. Au milieu du sac, elle tomba sur une nouvelle odeur de pourriture, plus végétale cette fois-ci. Ses doigts accélérèrent le mouvement. Des pétales complètement secs. Des tiges visqueuses. Des fleurs. Un bouquet jeté à la poubelle. Parce que en plus de les nourrir, il avait de charmantes attentions pour ses jouets ?

Plutôt la dernière ruse employée pour attirer une victime sans méfiance dans ses filets. Et d'un seul coup une idée lui vint : qui dit bouquet de fleurs bon marché...

Ses mains liées redoublèrent d'ardeur. Elles s'enfonçaient au milieu des immondices. Fourrageaient avec détermination dans les plats chinois rancis, la sauce de canard collante. Elle jeta sur le côté des gobelets de café vides, encore des cadavres de fleurs gluants. Du plastique, elle voulait sentir sous ses doigts un mince sachet en plastique. Petit, carré, le bord effilé...

Bang.

Une détonation venait de retentir derrière elle. Une main, ou un pied, avait donné contre la porte métallique du garage. Ce fut plus fort qu'elle : elle s'immobilisa. Nue. Frissonnante. Plongée jusqu'aux coudes dans les déchets. Et elle l'écouta annoncer une nouvelle fois son arrivée.

Parce qu'il voulait qu'elle sache qu'il venait. Il la voulait tremblante, terrifiée, recroquevillée, redoutant le pire. Voilà quel genre d'homme il était.

Elle sourit.

Mais cette fois-ci, c'était un sourire de joie. Parce qu'elle l'avait dans la main, ce mince sachet de nourriture pour fleurs généreusement offert avec la plupart des bouquets. Tout juste ce qu'elle cherchait.

Elle ne lui avait pas menti, tout à l'heure : il ne savait pas qui elle était. Ç'avait été sa première erreur et ce serait la dernière.

Derrière elle, la porte du garage commença à remonter en vibrant. Il faisait durer le suspense, ouvrait lentement.

Plus le temps d'attendre, ni de faire des projets. Elle coinça le sachet entre ses paumes et attrapa le bidon d'antigel presque vide. Puis, filant à pas vifs sur le ciment craquelé, elle alla se placer sous la série de fenêtres hautes. La faible lumière qui en tombait baignait le centre de la pièce d'une lueur diffuse tout en la laissant elle-même dans l'ombre.

La porte du garage. Ouverte au quart. Au tiers. À moitié.

Elle lâcha le sachet, reprit le bidon d'antigel, le coinça entre ses pieds, puis, à deux mains, appuya sur le bouchon de sécurité et tourna. Le morceau de plastique tomba par terre, mais le fracas métallique de la porte couvrit le bruit.

La porte était aux deux tiers ouverte. Aux trois quarts. Suffisamment pour laisser passer un adulte.

Elle reposa l'antigel sur le côté. S'obligea à prendre le temps de secouer le sachet pour faire tomber les cristaux au fond. Si elle voulait que ça marche, elle ne pouvait pas se permettre d'en perdre une miette.

Il entra dans le garage.

Le barman aux pectoraux de compétition. Déjà torse nu. Le clair de lune mettait en valeur sa musculature. Un beau spécimen.

Elle aurait dû se sentir coupable de ce qu'elle allait faire. Mais non.

Elle s'avança dans le faisceau de lumière diffuse. Sa nudité clairement exposée. Les poignets visiblement liés.

Le barman sourit et porta la main à la ceinture de son jean.

« Vous ne savez pas qui je suis », dit-elle à haute et intelligible voix.

Il s'arrêta et la regarda d'un air interrogateur, comme si elle venait de lui poser une colle.

Puis... il s'avança vers elle.

Elle déchira le sachet en plastique, fit trois pas rapides vers le barman et lui en jeta le contenu au visage.

Il eut un mouvement de recul et toussa, cligna des paupières lorsque la poudre atteignit ses yeux, son nez, sa bouche.

« Mais qu'est-ce que... »

Elle attrapa le bidon d'antigel, fit tourner le liquide trois fois et...

Le temps s'arrêta. Il la regarda. Attentivement. Et enfin ils se virent tels qu'ils étaient. Pas un barman aux muscles d'acier. Pas une blonde écervelée. Un cœur noir et une âme égarée.

Elle lui jeta l'antigel au visage. Elle en aspergea sa peau nue et les granules de permanganate de potassium qui s'y étaient accrochés.

Encore une fraction de seconde et...

Les premiers filets de fumée montèrent de ses cheveux. De ses joues. De ses sourcils. Il leva les mains à son visage.

Puis la réaction chimique fit son œuvre et la peau du barman s'embrasa.

Il hurla. Il courut. Il se frappa la tête, comme si cela pouvait changer quelque chose. La panique aidant, il fit tout sauf s'immobiliser et se rouler par terre pour étouffer les flammes.

Elle resta là. Sans lever le petit doigt. Sans dire un mot. Elle le regarda jusqu'à ce qu'il s'effondre en une épave fumante. D'autres bruits lui parvinrent. Des voisins qui appelaient dans la nuit, qui venaient aux nouvelles. Un hurlement de sirènes au loin : apparemment, le plus futé avait déjà prévenu les secours.

Elle s'avança finalement. Baissa les yeux vers ce qui restait de son agresseur et regarda les fumerolles monter de sa peau noircie.

Vendredi soir, se dit-elle. Elle l'avait bien mérité.

3

« Qui c'est, cette fille ?

– On ne sait pas. La voisine, là-bas, Kyle Petrakis, a déclaré l'avoir trouvée debout devant le cadavre. Nue comme un ver, les mains liées et le visage en compote.

– Elle a fait tout ça les mains liées ? »

Le commandant D.D. Warren s'accroupit pour examiner la dépouille calcinée de leur... quoi ? Victime ? Agresseur ? Le corps était recroquevillé en position quasi fœtale, les mains sur le visage. Geste de protection qui, à en juger par l'étendue des brûlures sur le crâne, les épaules et le visage du jeune homme, n'avait pas servi à grand-chose.

« Feu chimique, indiqua une autre enquêtrice. Tu mélanges du permanganate de potassium à de l'antigel, et pouf. »

D.D. ignora sa collègue et se tourna vers Phil. « Alors, qu'est-ce qu'on sait ?

– La maison est au nom d'Allen et Joyce Goulding, répondit son ancien coéquipier. Un couple de retraités descendus en Floride pour y attendre les beaux jours. Mais ils ont laissé le petit dernier derrière eux, Devon Goulding, vingt-huit ans, bodybuilder le jour et barman la nuit.

– C'est Devon ? demanda D.D. en montrant le corps.

– Euh, sur ce coup-là, il va falloir attendre les empreintes digitales. »

D.D. fit la grimace, commit l'erreur de respirer par le nez et grimaça de plus belle.

« Où est notre victime pyromane ?

– À l'arrière d'une voiture de patrouille. Elle a refusé d'être examinée par un médecin. Elle attend les fédéraux, qu'elle a elle-même appelés.

– Les fédéraux ? s'offusqua D.D. en se relevant. Tu veux dire qu'elle a pris sur elle d'inviter les fédéraux à notre petite fête ? Mais *qui* est cette fille ? »

L'autre enquêtrice répondit obligeamment : « Elle a appelé le bureau du FBI à Boston en demandant à parler au docteur Samuel Keynes. Je dirais même plus : elle a fait le numéro de tête. Tu crois vraiment qu'on peut appeler ça une petite fête ? continua-t-elle pour bavarder. Ce serait plutôt un barbecue, non ? »

D.D. prit le large. Elle tourna les talons, s'éloigna du cadavre, sortit du garage. Elle pouvait se permettre une attitude aussi dédaigneuse, maintenant qu'elle était montée au grade de superviseuse. Ou alors parce qu'elle relevait de blessure.

Si D.D. snobait cette nouvelle recrue de trente-cinq ans, ce n'était en aucun cas parce que celle-ci avait repris son poste au sein de son ancienne équipe (poste que D.D. elle-même ne pouvait plus occuper en raison de sa blessure). Non, ce que D.D. retenait contre elle, c'était son prénom. Carol. *Carol Manley.* Un nom de courtier en assurances. De mère au foyer, éventuellement. Mais en aucun cas d'officier de police. Aucune enquêtrice un peu sérieuse ne pouvait se promener sous un nom pareil.

Évidemment, aucun commandant de la criminelle un peu sérieux ne faisait une fixette sur le nom d'une nouvelle collègue ni n'était assez mesquin pour lui en tenir rigueur. Possible.

Un an plus tôt, D.D. ne se souciait pas des femmes qui s'appelaient Carol. Elle ne s'inquiétait pas pour l'avenir de l'équipe qu'elle formait avec deux de ses collègues, ni pour son propre rôle au sein de la brigade criminelle. Les enquêtes pour homicide étaient son pain quotidien et cela lui allait très bien. Jusqu'à cette fin de soirée où elle était retournée examiner une scène de crime et où elle avait surpris l'assassin qui rôdait encore sur les lieux. Une brève rencontre plus tard, elle basculait à la renverse dans les escaliers et se retrouvait avec une fracture par arrachement de l'épaule gauche. Plus question de pointer un pistolet. Plus question de porter son petit garçon.

Pendant six mois, elle avait dû rester chez elle. Elle avait soigné ses blessures, elle s'était fait du mouron pour son avenir et, oui, elle était devenue dingue. Mais petit à petit, comme son kiné le lui avait promis, ses efforts avaient porté leurs fruits. Au point qu'un jour elle avait pu hausser l'épaule et qu'un autre elle avait pu lever le bras.

Elle n'avait pas encore retrouvé toute sa force musculaire, ni toute sa mobilité. Elle ne pouvait pas, par exemple, se mettre en position de Weaver pour tirer à deux mains. Mais la douleur était gérable, la lésion en voie de guérison et son état de santé général excellent. Assez pour avoir convaincu la hiérarchie de l'autoriser à reprendre le service, mais avec restriction d'aptitude. Ce qui signifiait qu'elle passait désormais le plus clair de son temps à superviser ses collègues plutôt qu'à enquêter sur le terrain. Elle se disait qu'elle pouvait s'en accommoder. C'était toujours du travail et, dans un cas comme dans l'autre, elle élucidait des crimes.

Bien sûr, elle continuait ses séances d'ergothérapie trois fois par semaine et elle s'y servait d'un haltère en guise d'arme de poing pour s'entraîner inlassablement à ouvrir son étui, dégainer, faire feu. Elle allait aussi au club de tir. Pour tirer à une main. Ce n'était pas une technique aussi fiable, ce n'était pas académique, mais il fallait bien commencer quelque part.

Autrement Phil et Neil, deux des plus fins limiers de la brigade, se retrouveraient encombrés d'une débutante *ad vitam æternam*.

Le garage simple des Goulding était un bâtiment indépendant situé au fond de la propriété. D.D. en ressortit à grandes enjambées, traversa le modeste jardin et gagna la rue. Le soleil se levait. Une aube grise et froide qui contrastait singulièrement avec l'effervescence ambiante. Des voitures de patrouille étaient rangées pare-chocs contre pare-chocs des deux côtés de cette petite rue passante, de même que le fourgon du légiste et plusieurs camionnettes de télévision, d'un volume plus imposant.

Les premiers agents dépêchés sur place avaient admirablement travaillé pour interdire l'accès à la propriété. De la petite maison coloniale grise jusqu'au garage décrépit, ils l'avaient entièrement bouclée avec du ruban de scène de crime jaune, délimitant un périmètre strict qui faciliterait grandement la tâche de D.D. Cantonner les voisins trop curieux sur le trottoir d'en face ? Fait. Maintenir ces enragés de journalistes à cinquante mètres du policier le plus proche ? Fait. Et pour la passe de trois…

D.D. découvrit la femme à l'arrière de la troisième voiture de patrouille, les épaules secouées de légers frissons sous une couverture bleue fournie par les services de police, le regard fixé droit devant elle. Une enquêtrice du commissariat de quartier était assise à côté d'elle. La portière était ouverte, comme si elles attendaient quelque chose ou quelqu'un. Ni l'une ni l'autre ne disait un mot.

« Margaret », dit D.D. en saluant sa collègue assise à l'autre bout de la banquette. D'aussi près, elle comprit pourquoi la portière avait été laissée ouverte. Sur la scène de crime, les enquêteurs avaient étiqueté un sac de nourriture en putré-faction qui avait été sorti d'une poubelle et éventré. Cette femme avait dû se plonger au moins jusqu'aux coudes dans ces cochonneries à en juger par l'odeur de viande avariée et de lait tourné qui se dégageait de sa peau, sans parler des traînées visqueuses qui maculaient ses joues et imprégnaient ses cheveux.

« D.D., la salua en retour l'enquêtrice, stoïque. J'ai appris que vous aviez repris le service. Félicitations.

– Merci », répondit D.D. sans quitter l'autre des yeux. Leur assassin présumé. Leur victime présumée. Elle avait l'air jeune. Entre vingt-cinq et trente ans, estima D.D. Des cheveux blonds, mi-longs, et des traits délicats qui auraient sans doute été séduisants sans cette collection de bleus, d'éclaboussures de sang et de traces de pourriture. Elle ne regardait pas D.D., toujours concentrée sur le dossier du siège conducteur.

Émoussement affectif, nota D.D., un symptôme qu'on ren-contrait le plus souvent chez les enquêteurs de la criminelle et les victimes de maltraitances chroniques.

Toujours de l'extérieur de la voiture, D.D. se pencha vers la femme jusqu'à ce que leurs visages soient à la même hau-teur. « Commandant D.D. Warren, se présenta-t-elle. Et vous êtes ? »

La femme tourna enfin la tête. Elle dévisagea D.D., parut l'étudier comme si elle cherchait quelque chose, puis reprit sa contemplation du siège avant.

D.D. réfléchit un instant et dit : « Pas beau à voir, votre travail dans le garage. Feu chimique, à ce qu'il paraît. Si je résume, vous avez brûlé ce type en mélangeant un agent de conservation à de l'antigel. Vous avez appris ça chez les jeannettes ? »

Rien.

« Laissez-moi deviner : Devon avait l'air sympa quand vous l'avez rencontré. Beau gosse, travailleur. Vous avez décidé de donner sa chance à l'amour.

– Devon ? »

La femme, le regard toujours fixe, venait enfin de parler. D'une voix enrouée. Comme si elle avait trop fumé. Ou trop crié.

« C'est le nom de la victime. Devon Goulding. Comment ça, vous n'avez jamais eu l'occasion de lui demander ? »

Des yeux bleus impassibles. Ou gris, plutôt, pensa D.D. quand la fille lui décocha un regard.

« Je ne le connaissais pas, on ne s'était jamais vus.

– Pourtant, regardez où on en est.

– Il est barman », indiqua la fille, comme si D.D. devait comprendre la suite toute seule. Ce fut le cas, d'ailleurs.

« Vous êtes sortie hier soir. Dans le bar où travaillait Devon. C'est comme ça que vous vous êtes rencontrés.

– On ne s'est pas rencontrés, s'entêta la fille. J'étais avec un autre type là-bas. Le barman... il nous a suivis à la sortie. » Elle regarda de nouveau D.D. « Il n'en était pas à son premier coup, affirma-t-elle posément. En août. Cette fille qui a disparu, Stacey Summers. La façon qu'il a eue de m'attraper, de baisser la tête pour dissimuler son visage en m'entraînant dans des petites rues... Il ressemble au type sur la vidéo de l'enlèvement. À votre place, je fouillerais sa maison de fond en comble. »

Stacey Summers était une étudiante de l'université de Boston qui avait disparu en août. Jeune, belle, blonde, elle avait sur ses magnifiques portraits le genre de sourire éclatant avec lequel on était sûr de faire les gros titres dans tout le pays. Ce qui avait été le cas de cette affaire. Malheureusement, trois mois plus tard, tout ce qu'avait la police, c'était des images de mauvaise qualité où on la voyait entraînée à la sortie d'un bar par une mystérieuse grande brute. Point final. Pas de témoins. Pas de suspects. Pas d'indices. La piste s'était refroidie, même si on ne pouvait pas en dire autant de l'intérêt des médias.

« Vous connaissiez Stacey Summers ? » demanda D.D.

La fille fit signe que non.

« Vous êtes une amie de la famille ? Vous étudiez à la même université ? Vous l'aviez rencontrée dans un bar ?

– Non.

– Vous travaillez dans la police ?

– Non.

– Au FBI ? »

Toujours non.

« Alors l'intérêt que vous portez à l'affaire Stacey Summers…

– Je lis les journaux.

– Évidemment. » D.D. pencha la tête sur le côté, étudia son sujet. « Vous êtes en relation avec un agent fédéral, fit-elle remarquer. C'est un ami de la famille ? Un voisin ? En tout cas, quelqu'un que vous connaissez suffisamment bien pour l'appeler sur sa ligne directe.

– Ce n'est pas un ami.

– Alors qui est-ce ? »

Un vague sourire. « Je ne sais pas. Il faudra lui poser la question.

– Comment vous appelez-vous ? » dit D.D. en se redres-sant. Son épaule gauche commençait à lui faire des misères. Sans parler du fait que cette conversation mettait sa patience à rude épreuve.

« Il ne connaissait pas mon nom, dit la fille. Le barman. Devon ? Il s'en fichait de savoir qui j'étais. J'étais arrivée au bar toute seule. D'après lui, ça a suffi à faire de moi une victime.

– Vous étiez seule dans ce bar ? Vous avez bu seule ?

– Seulement le premier verre. C'est généralement comme ça que ça se passe.

– Et vous en avez pris combien, des verres ?

– Pourquoi ? Parce que si j'étais saoule, c'était bien fait pour moi ?

– Non, parce que si vous étiez saoule, votre témoignage est moins fiable.

– J'ai dansé avec un type presque toute la soirée. D'autres personnes nous ont vus. Elles pourront corroborer. »

D.D. tiqua : elle n'aimait toujours pas les réponses de cette femme, ni le fait qu'elle emploie le terme « corroborer », qui appartenait au vocabulaire des forces de l'ordre plutôt qu'à celui du commun des mortels. « Le nom de votre cavalier ?

– Monsieur On-ne-se-serait-pas-déjà-vus-quelque-part ? » murmura la fille.

Au bout de la banquette, l'enquêtrice de quartier leva les yeux au ciel. Manifestement, D.D. n'était pas la première à poser ces questions, ni à obtenir ce genre de réponses.

« Est-ce qu'il pourra *corroborer* ? demanda-t-elle en insistant sur le terme juridique.

– S'il a repris connaissance.

– Ma belle…

– Vous devriez fouiller le garage. Il y a une tache de sang dans le coin au fond à gauche. J'ai senti l'odeur pendant que je faisais les poubelles à la recherche d'une arme.

– C'est à ce moment-là que vous avez trouvé le permanganate de potassium ?

– C'est le barman qui avait jeté le bouquet, sans doute après s'en être servi pour piéger une autre victime. Je ne suis pas la première. C'est certain. Il était beaucoup trop sûr de lui, trop bien préparé. Si c'est sa maison, fouillez sa chambre. Il y aura des trophées. Les prédateurs comme lui aiment bien se faire des frissons tout seuls avec le souvenir de leurs anciennes conquêtes. »

D.D. la regarda. Depuis qu'elle travaillait à la brigade criminelle, elle en avait interrogé, des victimes hystériques. Des victimes en état de choc. Face au crime, les émotions n'obéissent à aucune norme. Mais jamais elle n'avait rencontré une victime comme celle-là. Ses réactions sortaient totalement de l'ordinaire. En fait, elles sortaient même de ce qu'on pouvait attendre d'une personne saine d'esprit.

« Saviez-vous ce que Devon...

– Le barman.

– Ce que le barman avait fait à d'autres femmes ? Une amie vous a raconté sa mésaventure ? Qu'elle s'était fait peur avec lui ? Ou bien vous avez entendu des rumeurs sur ce qui serait arrivé à une amie d'amie ?

– Non.

– Mais vous aviez des soupçons ? insista D.D. d'une voix sévère. Au minimum, vous pensez qu'il est impliqué dans la disparition d'une autre fille dont l'affaire a fait la une de tous les journaux. Alors quoi ? Vous avez décidé de prendre les choses en main, de jouer les héroïnes et d'écrire vous-même les gros titres ?

– Je n'avais jamais vu ce barman avant hier soir. J'ai quitté la boîte avec un autre naze. C'était lui que j'essayais de piéger. » La fille haussa les épaules, le regard de nouveau rivé sur le dossier du siège. « La soirée aura été riche en surprises. Ça arrive, même à une fille comme moi.

– Mais *qui* êtes-vous ? »

De nouveau ce sourire qui n'en était pas un, cette expression encore plus troublante sur le visage de la fille. « Je ne connaissais pas ce barman. J'avais entendu parler de l'affaire Stacey Summers, qui n'en a pas entendu parler ? Mais jamais je n'aurais pensé… Disons simplement que je n'avais pas prévu qu'un Monsieur Muscles de boîte de nuit allait m'assommer et m'embarquer pour faire de moi son jouet. Mais quand ça s'est produit… Je m'y connais en techniques de survie. En autodéfense. J'ai utilisé les ressources à ma disposition…

– Vous avez fouillé ses poubelles.

– Vous n'en auriez pas fait autant ? »

La fille l'interrogeait du regard. Pour une fois, ce fut D.D. qui détourna les yeux.

« Il avait déclaré la guerre, expliqua la fille. Je n'ai fait que la terminer.

– Et ensuite vous avez appelé le FBI.

– Je n'avais pas le choix, en l'occurrence. »

D.D. eut soudain un vague soupçon. Assez désagréable. Elle étudia sa victime, une jeune femme d'une bonne vingtaine d'années qui s'y connaissait manifestement en matière de police et d'autodéfense. « Cet agent spécial ? C'est votre père ? »

La fille la prit enfin au sérieux.

« Pire », répondit-elle.

4

Au début, j'ai pleuré. Et petit à petit, je me suis mise à fredonner comme une demeurée, à faire du bruit pour le simple plaisir de faire du bruit parce que c'est dur d'être seule dans une caisse noire. Privation sensorielle. Le genre de torture qu'on utilise pour briser les assassins endurcis et les terroristes radicalisés. Parce que ça marche.

Le pire était la douleur. La planche, d'une dureté implacable, meurtrissait la zone sensible à l'arrière de mon crâne, m'étirait les reins, blessait mes talons décharnés. Ces tourments me brûlaient comme au fer rouge, jusqu'au point où tout mon système nerveux hurlait sa révolte. Mais il n'y avait rien que je puisse faire. Aucune position nouvelle que je puisse adopter. Pas moyen de me contorsionner ici, de me plier là, pour alléger la pression. Piégée, littéralement clouée sur une planche de pin raide, sans répit.

Je crois qu'il y a eu des moments, surtout au début, où je n'avais plus toute ma tête.

Mais les êtres humains sont des créatures intéressantes. Notre capacité d'adaptation est réellement impressionnante. Notre colère devant nos souffrances. Notre indomptable besoin de trouver une échappatoire, de faire quelque chose, n'importe quoi, pour adoucir notre sort.

C'est par hasard que j'ai trouvé le premier moyen d'amé-liorer mon existence. Dans un accès de rage contre la douleur qui me vrillait l'arrière du crâne, j'ai relevé la tête et je me suis violemment cogné le front contre le couvercle. Peut-être que j'espérais m'assommer. Ça n'aurait rien eu de surprenant.

Au lieu de ça, j'ai ressenti une douleur cuisante au coin de la tempe droite, qui a, au moins temporairement, soulagé la douleur à l'arrière de la tête. S'ensuivirent d'autres découvertes. Vous avez mal au dos ? Frappez-vous le genou. Mal au genou ? Cognez-vous un orteil. Mal à l'orteil ? Coincez-vous un doigt.

La douleur est comme une symphonie. Une mélodie où d'in-nombrables notes peuvent résonner à des intensités variables. J'ai appris à en jouer. Je n'étais plus une victime sans défense dans un océan de souffrance, j'étais un chef d'orchestre génial et dément qui dirigeait la musique de sa propre vie.

Seule, enfermée dans une caisse en forme de cercueil, je tra-quais la moindre petite trace d'inconfort et je m'en rendais maîtresse.

J'ai même fini par faire des levers de jambes, des rotations d'épaules et les plus petites flexions de biceps du monde.

Il venait. Il ouvrait le cadenas. Il retirait le couvercle. Il m'extirpait des ténèbres et jouissait de ses pouvoirs de démiurge. Ensuite, une petite aumône de boisson, voire un peu de nour-riture, comme on jette un os à son chien. Il restait pour me regarder, riait en me voyant casser l'aile de poulet desséchée pour en sucer la moelle avec avidité.

Ensuite, retour dans la caisse. Il partait. Et je m'appartenais de nouveau.

Seule dans le noir.

Maîtresse de ma douleur.

Je pleurais. Je maudissais Dieu. J'implorais que quelqu'un, n'importe qui, vienne me sauver.

Mais seulement au début.

Petit à petit, d'abord vaguement puis de manière plus précise, j'ai commencé à réfléchir, à comploter, à échafauder des plans.

D'une manière ou d'une autre, j'allais m'en sortir. J'allais faire ce qu'il faudrait pour survivre.

Et ensuite...

Je rentrerais chez moi.

5

D.D. découvrit Neil à l'étage de la maison, dans la chambre sur jardin. Benjamin de l'équipe, Neil était connu pour sa tignasse de cheveux roux et son visage d'éternel jeune homme. La plupart des suspects le traitaient avec légèreté comme une nouvelle recrue et D.D. et Phil n'avaient jamais cessé d'en user à leur avantage.

Depuis quelque temps, Neil avait gagné en assurance. Ces dernières années, D.D. et Phil l'avaient poussé à s'affirmer, à prendre la direction des opérations. Cela n'avait pas été sans mal, étant donné que Neil passait le plus clair de son temps au QG pour superviser les autopsies de la morgue. Mais D.D. aimait à penser qu'elle l'avait bien élevé. En tout cas, maintenant qu'elle n'était plus là et que Phil dirigeait l'équipe, Neil avait intérêt à tenir la dragée haute à Carol. Il lui devait au moins ça.

Il leva les yeux à son arrivée. À genoux à côté d'un grand lit double défait, il tenait à la main une boîte à chaussures tirée de sous le matelas. D.D. fit trois pas dans la pièce étriquée et humide avant de plisser le nez. Ça sentait les draps pas lavés, l'eau de Cologne bon marché et la chaussette de sport. Autrement dit, la piaule de célibataire.

« C'est la chambre de Devon Goulding ?

– On dirait bien.

– Un ado attardé, grommela-t-elle.

– On ne peut pas tous être comme Alex », fit remarquer Neil, le sourcil railleur.

Alex était le mari de D.D. Spécialiste de la reconstitution de scènes de crime et instructeur à l'école de police, il était aux yeux de son épouse un des représentants les plus raffinés de l'espèce ; il avait un goût irréprochable en matière d'habillement, de cuisine et, naturellement, de femmes. Par ailleurs, il avait plutôt belle allure avec des Cheerios en bouillie collés sur la joue, ce qui lui arrivait plus souvent qu'à son tour après un petit déjeuner avec leur fils de quatre ans. Et Alex prenait un réel plaisir à s'occuper du linge. Tandis que Devon Goulding...

« Tu as trouvé quelque chose ? demanda D.D. en désignant la boîte à chaussures. Une planque avec les trophées de ses précédentes victimes, par exemple ? D'après notre femme fatale, qui n'avait pourtant jamais rencontré M. Goulding avant ce soir, il n'en était pas à son coup d'essai et pourrait même avoir enlevé cette étudiante en août dernier. »

Neil fut surpris. « Stacey Summers ?

– À ce qu'elle dit.

– La femme qui a cramé Devon dans son garage alors qu'elle avait encore les mains liées ?

– La seule et l'unique.

– Qui c'est, cette fille, déjà ?

– Bizarrement, elle s'est montrée plus loquace sur les crimes supposés de Devon que sur le sien. Mais elle est convaincue que c'était un assassin en série et que nous devrions chercher des trophées.

– Son visage me dit quelque chose. Je n'arrive pas à la situer, mais quand je l'ai aperçue en arrivant... j'ai eu l'impression de l'avoir déjà vue quelque part.

– À Quantico ? » suggéra D.D. Neil y avait récemment suivi une formation et ç'aurait expliqué que cette femme s'y connaisse en criminologie.

Mais Neil secouait la tête. « Je ne crois pas. N'empêche...

– Tu avais déjà entendu parler de cette histoire de feu chimique ? »

Elle posait la question parce que Neil était le plus calé de son équipe en sciences. De son *ancienne* équipe.

« Oui. Ça fait partie des trucs qu'on t'apprend pour le cas où tu serais perdu en pleine cambrousse, tu vois. Mais je dois reconnaître que si je me réveillais enfermé dans un garage avec les mains liées... pas sûr que ce serait la première idée qui me traverserait l'esprit.

– Ça dénote des capacités d'autodéfense au-dessus de la moyenne.

– Il y a quand même un truc bizarre, continua Neil en se relevant. Ça n'aurait pas dû tuer Goulding. Le neutraliser, l'amocher, le traumatiser, certainement. Mais une brûlure localisée, à relativement faible température... Tu serais étonnée de voir tout ce que le corps humain peut endurer sans passer l'arme à gauche. J'ai vu des victimes extraites de carcasses embrasées avec les deux tiers de la peau grillés et qui, avec suffisamment de temps et de soins, s'en sortaient quand même. »

D.D. fut parcourue d'un frisson. Elle n'aimait pas les brûlures. Un jour, on l'avait envoyée interroger un rescapé dans une unité pour grands brûlés. On était littéralement en train de racler la peau morte de son dos. À entendre ses hurlements, elle avait cru le type à l'article de la mort, mais on lui avait expliqué que ce traitement était censé le guérir. On ne pouvait pas assommer tout le monde à coups de morphine, avait aimablement expliqué l'infirmière en lui décapant le dos de plus belle.

« Bon, il est possible que Devon ait inhalé de l'air chaud et de la fumée, continuait Neil, que ça lui ait brûlé l'œsophage et que ça ait déclenché un œdème qui aurait obstrué les voies respiratoires. Mais ce que décrit le témoin semble plus soudain. Ça me fait penser qu'il a peut-être eu un choc qui aurait provoqué un arrêt cardiaque.

— D'accord », dit D.D. Elle ne comprenait pas encore très bien où il voulait en venir, mais Neil avait été ambulancier avant d'entrer dans la police. Il voyait souvent des choses qui leur échappaient, à Phil et à elle.

« Cela dit, le mort était un jeune homme manifestement sportif. Culturiste, on dirait.

— Tu as réussi à voir ça ? demanda D.D. avec incrédulité en repensant au cadavre recroquevillé et calciné.

— Pas toi ?

— Laisse tomber.

— D'où l'idée suivante : on sait que les bodybuilders prennent des anabolisants, ce qui peut entraîner toute une série de symptômes, notamment une hypertension artérielle et une hypertrophie cardiaque.

— Et une atrophie des testicules, ajouta D.D. Pour l'hypertension, tu me l'apprends, mais sur l'atrophie des testicules, je suis relativement sûre de moi. »

Neil leva les yeux au ciel. « On va laisser au légiste le soin de mesurer ça. Mais vu ce qu'il y a là-dedans, on a probablement tous les deux raison. » Il secoua la boîte à chaussures et D.D. entendit des flacons de verre s'entrechoquer.

« Aucun doute que Devon Goulding s'est envoyé des stéroïdes. Je ne saurais pas te dire pendant combien de temps, mais même une utilisation de courte durée peut lui avoir abîmé le cœur et avoir contribué à son décès.

– Et les accès de colère associés aux stéroïdes ? réfléchissait D.D. J'ai toujours pensé que ça consistait à piquer des crises de rage, mais est-ce que ç'aurait pu le conduire à enlever une fille dans un bar ?

– Là, ça sort de mes compétences. En théorie, la consommation prolongée de stéroïdes anabolisants provoque une baisse de la libido, donc on se demande même pourquoi il aurait eu *envie* de kidnapper une fille.

– Céder à ses pulsions les plus sordides était la seule chose qui l'excitait encore ? La violence comme ultime aphrodisiaque ?

– Toutes les hypothèses sont permises, répondit Neil. Vu cette boîte, je crois qu'on peut estimer à coup sûr que Devon Goulding prenait des stéroïdes et que ça a sans doute joué un rôle dans sa mort. Quant aux preuves de l'existence d'autres crimes, d'autres victimes, il n'y a qu'une seule manière de les découvrir. » Neil reposa la boîte, se dirigea vers la commode étroite collée au mur et entreprit d'en ouvrir les tiroirs.

D.D. le laissa faire. Après tout, elle était en restriction d'aptitude. Que Neil mette donc la chambre sens dessus dessous. Elle s'approcha du lit et examina le contenu de la boîte à chaussures. En plus de divers flacons aux étiquettes colorées, il s'y trouvait de nombreux sacs de cachets dépourvus d'inscription – compléments, hormones, Dieu seul le savait. L'abus de stéroïdes avait-il pu faire basculer Goulding dans le crime ? La seule rescapée affirmait qu'elle ne le connaissait ni d'Ève ni d'Adam, qu'elle se trouvait dans le bar avec un autre jusqu'au moment où il avait assommé le prétendant numéro 1 pour la kidnapper. Un comportement non seulement primitif, mais aussi impulsif, raisonnait D.D. En règle générale, les prédateurs en série épient leurs victimes, planifient l'enlèvement. Au contraire, kidnapper une fille comme ça à la sortie d'un bar...

« Tiens, tiens ! » Neil interrompit le cours de ses pensées. Ayant délaissé les tiroirs, il se trouvait de nouveau à quatre pattes et tâtait sous le meuble avec sa main gantée.

« Tu trouves quelque chose ?

– Ça se pourrait. »

Il lui fallut donner plusieurs secousses, mais il retira une grande enveloppe en kraft jaune qui était scotchée sous la commode. Il l'agita, et D.D. vit plusieurs petits objets de forme rectangulaire se déplacer contre la paroi en papier.

Neil porta l'enveloppe jusqu'au lit. Le rabat n'était pas collé, mais maintenu par des trombones. Il les défit, ouvrit l'enveloppe et en renversa le contenu sur le lit.

D.D. découvrit deux documents de la taille d'une carte de crédit. Sauf qu'il ne s'agissait pas de cartes de crédit.

« Des permis de conduire, constata Neil. Deux femmes. Kristy Kilker. Natalie Draga.

– Mais pas Stacey Summers ?

– Pas Stacey Summers. Cela dit, reprit Neil en prenant un des permis pour lui montrer une trace de doigt ensanglantée, je crois que notre amie Jeannette la Terreur était peut-être dans le vrai, en fin de compte. »

Ils retournèrent toute la pièce. D.D. commença par le lit, Neil termina la commode. Ils agissaient avec méthode et efficacité, en collègues qui n'en étaient pas à leur première fouille commune. Par la suite, les techniciens de scène de crime viendraient avec de la poudre à empreintes, du luminol et différentes sources de lumière. Ils relèveraient les empreintes digitales, les traces de fluides corporels et, avec un peu de chance, de minuscules mèches de cheveux, des fibres.

En attendant, D.D. et Neil cherchaient les indices visibles à l'œil nu : des vêtements de femme, des bijoux, tout ce qui permettrait d'établir un lien avec d'autres victimes. Des fiches de paie, des notes de bar qui leur indiqueraient d'autres terrains de chasse. Voire, soyons fous, le journal de bord d'un assassin. On ne sait jamais quand la chance peut sourire.

D.D. eut besoin d'aide pour soulever le matelas. Son épaule la lançait déjà, son bras gauche était trop faible. Sans un mot, Neil la rejoignit. Ensemble, ils le soulevèrent ; puis il retourna dans son coin et elle reprit sa fouille.

Elle savait gré à son coéquipier… à son ancien coéquipier… d'avoir gardé le silence. De n'avoir fait aucun commentaire sur la sueur qui commençait à luire sur son front, sur son souffle déjà court. Les superviseurs n'étaient pas exactement censés fouiller les scènes de crime, se rappela D.D. Demander des rapports, parcourir toutes les notes, oui. Mais mettre la main à la pâte… Non, elle était censée rester bien au chaud au QG, où son inaptitude à porter une arme ne mettait personne en danger.

Elle examina jusqu'au moindre centimètre carré de l'envers du matelas, puis s'attaqua au sommier à ressorts. Ce soir, il faudrait qu'elle mette de la glace sur son épaule, sous le regard lourd de sous-entendus d'Alex. Mais on ne la changerait pas. Il le savait. Neil le savait. Il n'y avait que la hiérarchie qu'elle était déterminée à duper.

« J'ai quelque chose. » Elle sentait un truc. Un bloc dur près du coin supérieur droit. De près, elle vit que la couture entre le solide coutil latéral et le tissu plus fin du dessus était déchirée. Elle explora l'intérieur du sommier de sa main gantée et la trouva, coincée entre deux ressorts : « Une boîte. Attends. Ça glisse, ce machin. Voilà… je la tiens ! »

Elle extirpa la boîte métallique avec précaution. Tout son bras gauche tremblait de fatigue. Il fallait faire plus de musculation, songea-t-elle vaguement. Plus de musculation, plus de sport, n'importe quoi pour ne pas se sentir aussi faible, pour ne pas *être* aussi faible devant témoin.

Mais cette fois encore, Neil ne fit aucun commentaire. Il prit simplement le petit coffre de ses mains tremblantes et l'emporta vers le bureau d'angle, où ils auraient plus de lumière.

Le coffret était d'un modèle assez banal. Vert-de-gris. Une quinzaine de centimètres de long, six de haut. Prévu pour conserver quelques souvenirs précieux ou personnels, mais pas grand-chose d'autre.

« Des photos, annonça Neil.

– De quoi ? »

D.D. se pencha sur la pile pour mieux les observer sous la lampe de bureau.

« Une femme aux cheveux noirs. Encore et encore. » Neil passa le tas en revue. Sur toutes les photos, la même femme. En train de se promener dans un parc, de prendre un café, de lire un livre, de rire avec quelqu'un qui était hors cadre. Elle avait l'air d'avoir la petite trentaine et elle était belle dans le genre sensuelle et ténébreuse. « Une ex, peut-être ?

– Planquée dans une boîte à l'intérieur du sommier ? contesta D.D. Ça m'étonnerait. Elle ressemble à quelqu'un que tu connais ? Stacey Summers ? Attends, non, Stacey Summers est petite et blonde, alors que cette fille…

– Ce n'est pas Stacey Summers, confirma Neil. Et notre victime d'aujourd'hui ? La dernière fois que je l'ai vue, elle était couverte d'ordures. Et je ne me souviens pas de la couleur de ses cheveux.

– Blonde aussi, les yeux gris clair. Ce n'est pas elle non plus.

– D.D. », reprit Neil d'une voix égale. Il venait d'arriver aux derniers clichés. Tous deux se figèrent. Toujours la même femme. Sauf qu'elle ne souriait plus, elle ne riait plus. Ses yeux noirs étaient immenses, la détresse se lisait sur son visage blême. Elle regardait droit vers l'objectif et elle avait l'air...

À présent, c'était la main de Neil qui tremblait légèrement et D.D. qui ne disait plus rien.

Neil reposa les photos et revint avec les deux permis trouvés sous la commode.

« Natalie Draga », conclut-il. Il posa la pièce d'identité à côté de la photo, et quand tous les deux eurent comparé l'une avec l'autre, ils hochèrent la tête. « Trente et un ans, domiciliée à Chelsea.

– Mais pas de photos de la deuxième victime ?

– Non. Juste de Natalie.

– Lien personnel, murmura D.D. Il tenait à elle. D'où le nombre d'images.

– Il la vénérait de loin ? supposa Neil.

– Peut-être même qu'il était sorti avec elle. Mais ça s'est mal terminé. Peut-être qu'elle l'a rejeté et il s'est retourné contre elle.

– Et la deuxième victime, Kristy ? Et celle d'en bas ? »

Ils avaient vu tout le contenu de la boîte, il n'y avait plus de photos.

« Peut-être que ça lui a plu ? raisonna D.D. à voix haute. La première fois, il avait un compte personnel à régler. La deuxième et la troisième fois, c'était pour le plaisir.

– Il n'y a aucun moyen de savoir où ces photos ont été prises. Le cadrage est trop serré, ça manque d'arrière-plan.

– Notre rescapée affirme qu'il y a du sang dans le garage.

– J'ai senti comme une odeur, confirma Neil.

– Demande aux techniciens de prélever des échantillons. Et envoie d'autres agents dans le bar où travaillait Devon Goulding, avec des photos des trois victimes connues. Pour voir s'il chassait en terrain familier. Prenez aussi une photo de Stacey Summers, histoire de savoir si elle fréquentait ce bar.

– La dernière fois qu'elle a été vue, c'était dans un autre établissement : le Birches, sur Lexington Avenue.

– Je sais. Mais si jamais il lui arrivait aussi d'aller dans le bar de Goulding... la malheureuse n'a quand même pas pu croiser des milliards de psychopathes. »

D.D. se redressa, puis grimaça ; le mouvement avait tiré sur son épaule, sur son dos de plus en plus douloureux.

« Tu devrais rentrer chez toi, dit Neil. C'est notre boulot de nous occuper de tout ça ; le tien, c'est de nous expliquer comment on aurait pu mieux le faire. »

Mais D.D. ne l'écoutait pas. Elle réfléchissait. Au garage, à Devon Goulding, à sa dernière victime, qui l'avait battu à son propre jeu et qui attendait maintenant à l'arrière d'une voiture de police. Une blonde qui avait des relations au FBI et qui savait comment déclencher un feu chimique. Une femme que Neil avait cru reconnaître.

Elle aurait dû savoir, pensa-t-elle. Elle avait un vague souvenir.

On frappa à la porte derrière elle ; Carol Manley, la petite nouvelle, passa une tête dans la chambre.

« D.D., l'agent du FBI que notre victime a appelé : il est là. »

6

Autrefois, j'aurais pu tout vous dire sur moi.

Je vous aurais dit avec certitude que je m'appelais Florence Dane. Ma mère, qui avait de l'ambition pour ses enfants, m'avait nommée d'après Florence Nightingale, tandis que mon grand frère portait le nom de Charles Darwin.

Je vous aurais dit que le plus bel endroit du monde était la ferme de ma mère, au cœur du Maine. Des montagnes de myrtilles en été, des hectares de pommes de terre en automne. J'ai appris dans mon enfance à aimer l'odeur de la terre fraîchement retournée. La sensation de l'humus sous mes doigts. Le soupir de contentement de ma mère en fin de journée, quand elle regardait tout ce qu'elle avait accompli et qu'elle en tirait satisfaction.

Nous avions plusieurs renards parmi nos voisins, de même que des ours et des orignaux. Ces vagabonds ne dérangeaient pas ma mère, en revanche elle était intimement convaincue qu'il ne fallait pas nourrir les animaux sauvages. Nous devions coexister avec la nature, pas la corrompre. Ma mère avait grandi dans une communauté. Elle avait de nombreuses théories sur la vie, que mon frère et moi ne comprenions pas toujours.

Personnellement, c'étaient les renards que je préférais. Je pouvais guetter des heures devant leur terrier en espérant apercevoir les renardeaux. Ils sont joueurs, un croisement de chaton et de chiot. Ils adorent donner des coups de patte dans les balles de golf ou lancer de petits jouets en l'air. J'ai découvert ça comme les enfants découvraient les choses autrefois, en traînant dehors, le visage au soleil, en m'essayant à tout. Je leur ai apporté une vieille balle en caoutchouc, une souris bourrée d'herbe à chat et même un petit canard en plastique. Les adultes reniflaient ces offrandes d'un air circonspect, mais les petits bondissaient hors du terrier et se jetaient sur les nouveaux jouets sans l'ombre d'une hésitation. Parfois, je leur laissais une ou deux carottes. Ou, si ma mère était particulièrement débordée et qu'elle ne faisait pas attention, des restes de hot dog.

C'était juste pour être une bonne voisine, essayai-je d'expliquer à ma mère le premier après-midi où elle m'avait surprise à déchiqueter du fromage à l'entrée du terrier. Ça ne l'a pas convaincue : « Tous les êtres vivants doivent apprendre à se débrouiller seuls. Encourager la dépendance n'est pas un service à leur rendre, Flora. »

Mais plus tard, après une tempête de neige particulièrement violente début novembre, je l'ai vue porter des rogatons de notre dîner au même terrier.

Elle n'a rien dit et moi non plus. C'est devenu notre secret, parce qu'à l'époque nous n'imaginions rien de plus scandaleux que de domestiquer des renards sauvages.

Ainsi, autrefois, j'aurais pu vous donner cette information à mon sujet : j'adore les renards. Du moins, je les adorais. Ce n'est pas le genre de chose qu'on peut facilement enlever à quelqu'un. Mais je ne m'amuse plus à les observer, je ne leur apporte plus de jouets, je ne leur fais plus passer de friandises

de contrebande. Après quatre cent soixante-douze jours...
J'essaie de trouver la paix dans la forêt. Je préfère de loin
les grands espaces en plein air aux petits intérieurs confinés.

Mais il y a des parties de moi, des sentiments... Ce n'est
plus pareil. Je peux refaire les mêmes gestes, me rendre dans
les mêmes lieux, voir les mêmes gens, mais je ne ressens plus
la même chose. Il y a des jours où je ne suis pas certaine de
ressentir quoi que ce soit.

Le mois d'avril est mon mois préféré. Je suis relativement
certaine que c'est encore vrai. Il y avait dans la ferme une
vieille serre toute branlante. Comment elle parvenait à survivre à chaque long hiver de bourrasques, mystère. Mais vers
la fin avril, quand la neige fondait enfin, nous prenions le
chemin de la serre dans la boue, nous ouvrions à l'arraché
sa porte gauchie, et toute la structure protestait en grinçant.
Seul homme et protecteur autoproclamé de la famille, Darwin
menait l'assaut.

Ma mère suivait avec une brouette pleine de sacs de terreau
et de terre végétale. Je fermais la marche avec des plateaux
en plastique et, ça va de soi, des paquets de semence.

Mon frère Darwin ne traînait pas. Il jetait les poignées de
terreau à la volée, enfonçait les graines à la va-vite. Déjà à
l'époque, il était impatient, il aurait voulu être n'importe où
sauf là. Ma mère l'avait bien nommé : il nous aimait, mais
dès son plus jeune âge, nous voyions bien toutes les deux que
rester à la maison ne serait pas sa tasse de thé. Si les profondeurs de la forêt nous attiraient comme le chant des sirènes,
lui c'était le monde entier qui l'appelait. Alors il travaillait à
nos côtés, rapide, efficace, mais toujours la tête ailleurs. Ma
mère l'observait en soupirant. Il faut que jeunesse se passe,
se disait-elle avec tendresse.

Elle s'inquiétait pour lui. Mais jamais pour moi. J'étais d'une nature heureuse. Du moins, c'est ce qu'on dit.

Mon frère est revenu de l'université à la seconde où il a appris ma disparition. Il est resté aux côtés de ma mère, d'abord pour la soutenir. Et ensuite, quand la première carte postale est arrivée et qu'il est devenu clair que j'avais été kidnappée, mon frère l'aventurier s'est mué en guerrier. Facebook, Twitter, voilà quels étaient ses champs de bataille de prédilection. Il a monté des campagnes entières pour recruter de parfaits inconnus désireux d'aider à me retrouver. Et il m'a donné vie, il a montré la personnalité de sa petite sœur au grand public, des photos de mon premier anniversaire, moi dans la ferme et, oui, moi assise sur un monticule avec des renardeaux. Sauf qu'en réalité ces photos n'étaient pas destinées au grand public, mais à mon ravisseur, pour qu'il me voie comme une enfant, une sœur, une fille. Mon frère s'était donné pour mission de m'humaniser pour me sauver la vie.

C'est pour ça, je pense, que c'est lui qui a le plus durement accusé le coup quand, à mon retour, je n'étais plus la jeune femme de toutes ces photos. Je ne souriais pas. Je ne riais pas. Je ne jouais pas dans la boue et je ne partais pas à la recherche de renards. C'est que, voyez-vous, mon ravisseur aussi s'était donné une mission : m'ôter jusqu'à ma dernière parcelle d'humanité. Me vider, me briser, m'anéantir.

On croit qu'on va se battre ou du moins tenir le coup. On se promet d'être forte. Mais quatre cent soixante-douze jours plus tard…

Quand je suis revenue, mon frère a dû quitter la ferme. Il fallait qu'il s'éloigne de cette sœur qui n'était plus que l'ombre d'elle-même. Lorsqu'il est parti, j'ai surtout éprouvé du soulagement. Une paire d'yeux en moins pour me traquer partout où j'allais. Une personne de moins déconcertée par cette nouvelle Flora Dane, qui n'était certainement pas un progrès par rapport à l'ancienne.

Autrefois, j'aurais été triste du départ de mon frère. Je vous aurais dit que je l'aimais, qu'il me manquait, que j'avais hâte de le revoir.

Autrefois, je vous aurais dit que j'aimais ma mère. Que c'était la meilleure amie que j'avais sur cette terre et que, même si c'était excitant de partir pour l'université, j'attendais avec impatience les week-ends où je rentrais à la maison.

Autrefois, j'étais comme ça. J'aimais le grand air, j'aimais m'amuser, j'étais épanouie.

Aujourd'hui, il y a des choses que je ne peux toujours pas vous dire à mon sujet.

Des choses qu'il me reste à découvrir au fur et à mesure.

Le soleil est levé à présent. Assise à l'arrière de la voiture de patrouille, la couverture serrée autour de mes épaules, des ordures séchées sur le visage, je sens le ciel s'éclaircir. Je ne regarde pas au-dessus de moi. Ni autour de moi. Je n'ai pas besoin de voir pour savoir ce qui se passe.

À ma gauche, dans la maison de celui qui a voulu m'agresser, les techniciens de scène de crime examinent le moindre centimètre carré à la loupe. Une poignée d'enquêteurs explorent aussi le bâtiment pièce par pièce, font l'inventaire des appareils électroniques, jettent un œil aux piles de courrier, passent la chambre du barman au peigne fin.

Je n'ai pas menti, tout à l'heure. Je ne suis ni policière ni agent du FBI. Et je n'ai jamais rencontré cette fille qui a disparu il y a trois mois, Stacey Summers. Comme tout Boston, ou comme tout le pays en l'occurrence, j'ai simplement suivi l'affaire dans la presse.

Et en même temps... je la connais. Je reconnais son sourire radieux sur ses photos de terminale, ses longs cheveux blonds, ses yeux bleus de poupée. Je reconnais son exubérance sur tous ses portraits de pom-pom girl, les pompons rouges levés bien haut. Et puis ces images sinistres : celles qui montraient une blondinette emmenée de force par un malabar. Matin, midi et soir : dans l'esprit des rédacteurs en chef, l'heure était toujours bonne pour passer la vidéo sensationnelle d'une gamine de dix-neuf ans un peu éméchée entraînée dans une ruelle sombre.

J'ai lu tous les articles sur son enlèvement. Je suis restée fascinée devant ses parents, invités d'une matinale, alors qu'en théorie je m'étais juré de ne plus regarder ce genre d'émissions. J'ai vu son père, un cadre d'entreprise sûr de lui, lutter pour conserver son calme, pendant que sa mère, une femme entre deux âges mais encore belle, la main serrée dans celle de son mari, suppliait qu'on lui rende sa fille saine et sauve.

Stacey Summers, une jeune fille belle, joyeuse, pétillante. Qui, d'après ses parents, n'aurait pas fait de mal à une mouche.

Je me demande ce qu'elle ignorait et ce qu'elle a déjà dû apprendre.

La vérité, c'est que je connais Stacey Summers. Je préférerais que ce ne soit pas le cas. Je ne le fais pas exprès. Mais je la connais. Pas besoin d'être docteur en psychologie pour comprendre que chaque fois que je regarde sa photo ou que je lis un article, c'est moi-même que je regarde.

Personne n'a appelé ma mère pendant les vingt-quatre heures qui ont suivi mon enlèvement. Personne ne savait que j'avais disparu. Au lieu de ça, elle a reçu un message confus de ma camarade de chambre quatre jours après le début des vacances : Est-ce que Flora est bien chez vous ? Pourquoi ne nous a-t-elle pas prévenues qu'elle rentrait plus tôt ?

Évidemment, ma mère ne voyait pas du tout de quoi Stella voulait parler et il lui a fallu vingt bonnes minutes pour comprendre que je n'étais ni en Floride avec Stella, ni dans notre ferme du Maine, ni par miracle retournée dans ma chambre d'étudiante. En fait, personne ne m'avait vue depuis plusieurs jours.

Ma mère n'est pas du genre à paniquer. Elle a raccroché et procédé aux vérifications d'usage. Elle a appelé mon grand frère. Elle a consulté sa messagerie électronique. Elle a jeté un œil à ma page Facebook. Son pouls s'est légèrement accéléré. Ses mains ont commencé à trembler.

Elle a pris sa voiture pour se rendre au commissariat. Plus tard, elle m'a raconté qu'il lui paraissait important de parler à quelqu'un en personne. Mais même faire part de ses inquiétudes était compliqué : ma mère vit dans le Maine, mais je faisais mes études à Boston et, en théorie, j'avais disparu pendant des vacances en Floride. Le policier se montra assez aimable. Il écouta tout ce que ma mère avait à dire, sembla convenir que je n'étais pas le genre de fille à faire une fugue, même si, eu égard aux circonstances, on ne pouvait pas exclure un écart de conduite lié à l'alcool. Il l'encouragea à engager une procédure en remplissant un signalement de disparition, qui fut faxé au commissariat de quartier en Floride.

Et ensuite… rien.

Le soleil se leva ; le soleil se coucha. Mes amies étudiantes furent interrogées par la police de Floride, puis elles rentrèrent à Boston, reprirent les cours. Pendant que ma mère attendait à côté d'un téléphone qui ne sonnait toujours pas.

Jusqu'à ce coup de théâtre : une carte postale déposée dans la boîte aux lettres. Mon écriture, mais les mots d'un autre. Et d'un seul coup, je suis passée du statut d'étudiante portée disparue à celui de victime présumée d'enlèvement, à laquelle son ravisseur avait fait franchir les frontières d'un État. Du jour au lendemain, mon affaire s'est retrouvée sous les feux de l'actualité et l'univers de ma famille a volé en éclats.

Quand on est parent, on aimerait penser qu'on a un minimum de prise sur l'enquête qui concerne l'enlèvement de son enfant, m'expliqua plus tard ma mère. Mais ça ne marche pas comme ça. Le premier principe que posèrent les policiers, c'était qu'elle ne devait en aucun cas les appeler ; eux l'appelleraient. En fait, ma mère ne rencontra un grand nombre des agents du FBI qui travaillaient sur mon affaire que lors de la première conférence de presse.

En revanche, elle fit la connaissance de ses nouveaux meilleurs amis : les avocats des victimes. Vu leur titre, vous pourriez faire l'erreur de croire qu'ils agissaient en son nom à elle, la victime. Mais non, les avocats des victimes travaillent pour le compte des forces de l'ordre ou des services du procureur général. Ça dépend des endroits. Ma mère a eu affaire à six d'entre eux pendant ma captivité. Police locale, police d'État, police fédérale. Ils se relayaient. Parce qu'on ne laisse jamais les proches des victimes seuls, surtout les premières semaines.

Les avocats lui ont expliqué que c'était pour son bien. Et quand ils ont commencé à répondre à son portable qui n'arrêtait pas de sonner, elle les a remerciés. Quand ils ont planté dans son jardin une pancarte « Propriété privée, entrée interdite » à l'intention des journalistes, elle leur en a été reconnaissante. Et quand, ô merveille, ils lui ont fourni un énième repas tout en la dirigeant avec tact vers une chambre d'hôtel prépayée pour qu'elle puisse au moins prendre une bonne nuit de sommeil, elle s'est demandé comment elle aurait survécu à cette épreuve sans eux.

Mais ma mère n'est pas naïve.

Il ne lui a pas fallu longtemps pour s'apercevoir que les avocats des victimes avaient en permanence des questions à la bouche. Sur la vie de ses enfants, sur leurs histoires d'amour. Sur sa vie à elle, sur ses histoires d'amour. Et, au fait, maintenant qu'elle avait mangé un morceau, pourquoi ne pas tailler une petite bavette avec les enquêteurs ? Au début, elle a cru que c'était pour qu'ils puissent la tenir au courant de leurs démarches pour me retrouver, mais elle a fini par comprendre qu'il s'agissait surtout de la cuisiner davantage. Et puis, tiens, ce matin son avocat tellement gentil et compatissant allait faire le tour de la maison avec elle pour rassembler des objets susceptibles de leur apporter des informations : téléphones portables, tablettes, journaux intimes. Et le lendemain, le même dirait d'une voix enjouée : Et si on allait faire un petit test au détecteur de mensonge ? à peu près sur le même ton que celui qu'employaient autrefois ses amies pour l'inviter à une séance de manucure.

J'avais disparu en Floride. Et ma mère s'est retrouvée au cœur d'un feuilleton policier médiatisé à outrance, sous la férule permanente de nounous. J'imagine que nous avons toutes les deux dû apprendre à survivre. Et nous savons encore des choses que nous préférerions ignorer.

Par exemple, je sais qu'un avocat des victimes va se pointer à la porte de Stacey Summers ce matin. Sans doute un proche de l'enquête. Peut-être que, comme moi, ses parents apprécient réellement leur avocat et qu'un lien s'est tissé. Ou peut-être que, comme ma mère, ils tolèrent simplement cette relation, une intrusion supplémentaire dans des vies qui ne leur appartiennent plus.

L'avocat aura sur lui une photo de Devon Goulding, mon défunt agresseur, qui n'en était sûrement pas à son premier coup. Il leur demandera s'ils reconnaissent cet homme, s'il y a une chance que Stacey ait pu le connaître. Aussitôt, les Summers auront l'audace, la folie, d'avoir à leur tour des questions : Est-ce que c'est lui, l'homme qui a enlevé leur fille ? Qu'est-il arrivé à Stacey ? Où est-elle ? Quand pourront-ils la voir ?

L'avocat restera bouche cousue. Et pour finir, les Summers retomberont dans un silence dérouté, chaque bribe d'information n'engendrant que de nouvelles questions. Des questions qu'ils ne pourront pas poser à Devon Goulding. Par ma faute. Mais pour ce qui est de voir l'enquête aboutir et de retrouver leur fille...

Je lance un regard vers la maison. J'espère que ces enquêteurs pourront trouver les réponses que je n'ai pas eu l'occasion de chercher. Par exemple : à qui appartient le sang dans le coin du garage ? Devon est-il coupable de l'enlèvement de Stacey Summers, cette étudiante si belle et épanouie ? Et qu'a-t-il fait d'elle ensuite ?

Je sais que j'ai regardé les images de l'enlèvement de Stacey plus souvent que je ne l'aurais dû. Que je dors dans une chambre aux murs tapissés d'articles sur des personnes disparues qui n'ont pas encore réussi à rentrer chez elles. Je sais que, quand je suis sortie hier soir, je cherchais des choses dont j'aurais sans doute dû me tenir éloignée.

Autrefois, j'aurais su tout vous dire à mon sujet. Les renards. Le printemps. La famille.

Mais maintenant...

J'espère que Stacey Summers est plus solide que moi.

J'aimerais dormir. Poser ma tête sur la banquette de la voiture de police et rêver de l'époque où je ne pensais même pas à l'université ni au charme trompeur des vacances de printemps, à la promesse d'une plage sous le soleil de Floride.

L'époque où je n'étais pas encore seule à tout jamais.

Une nouvelle clameur monte du trottoir d'en face. Je sens les remous de la foule qui ouvre un passage pour le nouvel intervenant sur la scène de crime. Inutile de lever la tête pour savoir de qui il s'agit. Je l'ai appelé, alors il est venu. C'est comme ça entre nous. Ma mère avait ses nounous, mais de mon côté cette relation a toujours représenté beaucoup plus pour moi.

Une minute s'écoule. Deux. Trois.

Puis il se présente à la portière toujours ouverte, tiré comme d'habitude à quatre épingles, avec son long manteau croisé boutonné jusqu'en haut pour se protéger du froid.

« Allons, Flora, dit Samuel Keynes avec un gros soupir. Qu'est-ce que tu as fait ? »

7

Le temps que D.D. descende les escaliers et rejoigne le perron des Goulding, son portable avait déjà sonné trois fois et on l'avait arrêtée deux fois en chemin. Elle avait de bonnes nouvelles, des mauvaises, et un mal de tête grandissant devant cette affaire qui évoluait à vitesse grand V alors qu'elle sortait d'une nuit blanche.

Elle avait reçu l'ordre formel du commissaire adjoint de la brigade criminelle, autrement dit son patron, de terminer les constatations sur la scène de crime et de plier bagage avant que ses enquêteurs épuisés ne laissent immanquablement échapper des informations devant les reporters à l'affût et que toute l'affaire leur explose à la figure. D.D. était bien d'accord : boucler une enquête pour homicide vite fait bien fait n'était jamais une mauvaise idée. Malheureusement, elle avait comme l'impression qu'ils n'auraient pas cette chance aujourd'hui.

Elle descendit enfin le perron. Un rugissement monta de la meute de journalistes massés sur le trottoir d'en face. On aurait cru que le quarterback vedette venait de faire son entrée sur le terrain et non qu'une enquêtrice surmenée avait pointé le bout de son nez, songea-t-elle avec humour.

D'instinct, elle leva la main. Nul besoin de faire barrage à une rafale de flashs en cette radieuse matinée de novembre, elle voulait simplement les dissuader de lancer des questions.

Elle se dirigea droit vers la voiture de patrouille où elle avait vu la victime revancharde sagement assise sur la banquette arrière et découvrit... Elle s'arrêta net.

Un grand et bel homme noir. Non, un grand et *sublime* homme noir. Des pommettes parfaitement dessinées. Un crâne lisse ponctué par un bouc impeccable. Des yeux bruns frangés de cils d'une longueur invraisemblable. Il portait un manteau noir croisé, de ceux qu'affectionnent les cadres supérieurs et les agents du FBI. Sauf que, à y regarder de plus près, D.D. n'était pas certaine que ce soit de la laine. On aurait plutôt dit un manteau en cachemire, porté avec une écharpe rouge bordeaux en soie. Ce qui, sur le coup, lui parut parfaitement logique : un homme aussi séduisant avec un visage aussi intelligent et un regard aussi perçant ne pouvait que porter un manteau à mille dollars. Et sa voiture, celle qui n'était pas fournie par le FBI, devait être une Bentley.

Elle se rendit compte un peu tard qu'elle le regardait fixement, la mâchoire pendante. Aussitôt, elle referma la bouche, redressa ses épaules douloureuses et, rêvons un peu, fit semblant d'être une pro.

Il lui tendit la main lorsqu'elle s'approcha. « Docteur Samuel Keynes. Victimologue. FBI.

– Han-han. » Elle lui rendit sa poignée de main. Qu'il avait ferme. Forcément.

« Et vous êtes ? » Il attendit patiemment sa réponse. Avec des yeux d'une profondeur infinie. Comme du chocolat fondu. Qui la regardaient manifestement comme si elle était cinglée.

« Commandant D.D. Warren, réussit-elle à articuler. Super-viseuse. À la criminelle. Pour ce meurtre. Attendez une seconde. » Elle fronça les sourcils, reprit contenance. « Victimologue. On ne se serait pas déjà croisés ? Les attentats du marathon de Boston...

– Je suis intervenu auprès de plusieurs familles, oui. »

D.D. hocha la tête. Ça lui revenait, à présent. La police municipale avait prêté main-forte au FBI pour l'enquête sur les attentats à la bombe d'avril 2013. Étant donné le grand nombre de témoins, D.D. avait personnellement conduit plusieurs interrogatoires. Lors des briefings du groupe de travail, elle avait repéré le docteur Keynes, ainsi que plusieurs de ses collègues, mais les circonstances ne se prêtaient pas à des présentations. Ils avaient tous trop à faire, entre l'horreur des attentats et une enquête d'une extrême complexité.

« Vous connaissez notre témoin ? demanda-t-elle en désignant leur victime et/ou suspecte, toujours silencieuse à l'arrière de la voiture.

– Flora ? »

Interpellée, cette dernière leva les yeux. L'hématome autour de son œil commençait à foncer, sa peau tournait aubergine et l'arête de son nez était rouge vif.

Le pic d'adrénaline était retombé, observa D.D. et elle accusait sévèrement le coup.

« Autant lui dire », répondit la fille. Enveloppée dans la couverture bleue, elle haussa les épaules sans chercher leurs regards. « Si ça vient de toi, elle le croira peut-être. Tandis que tout ce que je pourrai dire...

– ... sera susceptible d'être retenu contre vous ? » suggéra obligeamment D.D.

La fille la fusilla du regard. « Exactement.

– Commandant Warren, dit le docteur Keynes.

– D.D.

– D.D., est-ce qu'on pourrait faire un tour ? Dans un endroit plus tranquille ? » Inutile de préciser qu'il voulait s'éloigner des reporters. Le brouhaha était retombé, mais il ne leur serait que plus facile d'écouter les conversations.

D.D. s'accorda un instant de réflexion, puis désigna la maison des Goulding d'un signe de tête. Elle grouillait de techniciens de scène de crime, mais pas de journalistes ; c'était ce qu'ils pouvaient espérer de mieux en matière de tranquillité.

Elle prit les devants et le docteur Keynes lui emboîta le pas. « Beau manteau, dit-elle. Cachemire ?

– Oui.

– Écharpe en soie ?

– Oui.

– Je dois dire que la police municipale n'est pas aussi généreuse. En même temps, je ne peux pas me vanter d'être docteur.

– Mon grand-père était cireur de chaussures, expliqua-t-il sur un ton dégagé. Mais mon père est chirurgien cardio-thoracique. Diplômé de Harvard.

– Et vous, vous poursuivez l'ascension sociale de la famille... au FBI ? » conclut D.D. d'un air dubitatif.

Ils étaient arrivés à la porte d'entrée. Le docteur Keynes la tint ouverte, galanterie qui ne s'imposait guère sur une scène de crime.

« J'aime mon travail. Et j'ai la chance d'être à un moment de ma vie où je peux me permettre de faire ce qui me plaît.

– Je commence à comprendre ce que la demoiselle de la voiture et vous avez en commun : le don de ne jamais vraiment répondre à mes questions. »

La porte d'entrée donnait sur un modeste vestibule et l'escalier montait droit devant eux. Comme deux techniciens étaient en train de relever les empreintes digitales sur les boiseries et sur la rampe, D.D. tourna à gauche pour fuir ce capharnaüm. Le bon docteur et elle se retrouvèrent dans un salon meublé d'un canapé, d'une table basse couverte de magazines de travaux pratiques et d'un panier de pelotes de laine. Il fallait croire que quelqu'un, sans doute Mme Goulding, aimait le tricot. Ce petit détail chagrina D.D. Qu'est-ce que ça ferait à une femme connue pour ses écharpes tricotées main de devenir la mère d'un violeur présumé ?

D.D. s'arrêta devant la table basse. Il lui aurait paru trop intrusif de s'asseoir, alors elle resta debout et le docteur Keynes en fit autant. La petite pièce était beaucoup plus chaude que la rue, l'atmosphère étouffante. Le docteur déboutonna son manteau, dénoua son écharpe. En dessous, il portait un costume sombre. Tenue de travail classique, pensa-t-elle, sauf que cette fois encore, la coupe et le tissu semblaient beaucoup plus luxueux que tout ce que pouvait porter l'agent moyen.

« Docteur Keynes », commença-t-elle, avant de marquer un temps pour voir s'il lui donnerait son prénom. Mais non.

« Il ne m'est pas souvent arrivé de travailler avec des avocats des victimes, reprit-elle finalement. Mais si mon souvenir est exact, vous n'avez pas fonction d'agent. Quel est votre rôle au FBI... ?

– Je suis victimologue. Je rends compte au service d'aide aux victimes.

– Et vous êtes docteur.

– En psychologie.

– Quelle spécialité ?

– Psychotraumatologie. J'interviens essentiellement auprès des victimes d'enlèvement, depuis le rapt d'enfant jusqu'au cadre de l'industrie pétrolière kidnappé au Nigeria pour demande de rançon. »

D.D. le regarda attentivement. « Je ne crois pas que… "Flora" ? soit cadre dans l'industrie pétrolière.

– Florence Dane », lui indiqua-t-il en la regardant comme s'il attendait une réaction.

Ce nom disait quelque chose à D.D. Vu la tête de Keynes, c'était normal. Et Neil, tout à l'heure, qui disait que le visage de cette femme lui était familier…

Enfin, elle eut le déclic. « Il y a sept ans. Cette étudiante de l'université du Massachusetts était partie en vacances de printemps à Palm Beach et elle a disparu. C'est le FBI qui a mené l'enquête… » Elle s'interrompit pour réfléchir. « À cause de cartes postales, c'est ça ? Que la mère avait reçues, soi-disant écrites par sa fille, mais toutes postées dans des États différents. La mère est passée à la télé, elle a tenu plusieurs conférences de presse pour inciter le ravisseur à se manifester.

– Il y a eu plus que des cartes postales. Il a envoyé des e-mails et même quelques vidéos. Contacter la mère pour la torturer était apparemment aussi gratifiant pour le criminel que l'enlèvement lui-même. »

D.D. tiqua. « Florence Dane n'a été retrouvée que beaucoup plus tard.

– Au bout de quatre cent soixante-douze jours.

– La vache. » Malgré elle, D.D. était soufflée. Très peu de victimes sont retrouvées vivantes après une aussi longue captivité. Et celles qu'on retrouve… « Un routier longue distance ? demanda-t-elle. Qui se déplaçait pour son travail, transport de marchandises, c'est ça ?

– Oui. Jacob Ness. Il avait fabriqué un coffre à l'arrière de sa cabine pour pouvoir garder sa victime auprès de lui en permanence. Il est fort probable que Flora n'ait pas été la première.

– Il est mort, si je me souviens bien. Vos enquêteurs ont eu un tuyau. Les équipes d'intervention ont donné l'assaut. Florence s'en est sortie, mais pas Jacob Ness. »

Le docteur Keynes ne fit pas de commentaire. Typique d'un fédéral, se dit D.D. Elle n'avait pas posé de question, donc il n'avait pas répondu.

« D'accord, constata-t-elle d'une voix énergique. Ma suspecte, Flora, Florence, est votre victime. À l'époque, elle a été enlevée par un taré psychopathe et maintenant... quoi ? Elle les traque jusque dans les bars ?

– Il n'y a que Flora qui puisse répondre à cette question.

– Et pourtant elle s'y est refusée. Tout ce que je peux tirer d'elle jusqu'à présent, ce sont des théories sur les crimes de Devon Goulding, pas sur les siens.

– C'est le barman ? Celui qui l'aurait agressée ?

– C'est la victime, rectifia D.D. L'homme qui hier encore était en pleine forme et qui aujourd'hui se retrouve carbonisé dans son garage parce que votre petite protégée est une spécialiste du feu chimique. »

Le docteur Keynes l'observa, détendu, les mains dans les poches de son manteau ridiculement luxueux. « Je suis sûr que vous avez déjà pris vos premiers renseignements.

– Deux agents ont regardé les images de la vidéosurveillance du bar. Ils ont pu confirmer que Devon Goulding travaillait hier soir. D'après la vidéo et les témoins oculaires, Flora était aussi présente, mais elle a passé l'essentiel de la soirée à danser avec un autre, Mark Zeilan. Lequel M. Zeilan a d'ailleurs porté plainte peu après trois heures du matin au motif qu'un barman du Tonic l'aurait agressé à la sortie de l'établissement.

– Ça concorde avec les dires de Flora, fit remarquer le docteur Keynes.

– La caméra d'un distributeur de billets à une rue du bar montre Goulding entraînant Flora en la tenant par le bras. Était-elle consentante ? Les images ne permettent pas de trancher.

– Et on en arrive à ce qui s'est passé ici...

– Mais avec plaisir. Arrivons-en au garage des Goulding.

– Les premiers intervenants ont découvert Flora nue, les mains attachées devant elle.

– Vous semblez bien au fait des détails. »

Il ne releva pas et fit observer : « Ces poignets liés semblent indiquer une absence de consentement.

– Désolée, mais avec le succès de *Cinquante Nuances de Grey*, je ne peux pas partir de ce principe. Dites-moi une chose, docteur Keynes : vous êtes le victimologue de Flora ou son psy ?

– Je suis spécialiste de l'aide aux victimes, confirma Keynes sans ambiguïté. Pas psy.

– Mais elle vous a appelé. Pas sa mère. Pas un avocat. Vous. Pourquoi ?

– Il faudrait lui poser la question.

– Il y a quelque chose entre vous, affirma D.D.

– Non.

– Oh que si. Quand ça va mal, c'est vous qu'elle appelle. Et je suis prête à parier que ce n'est pas la première fois. »

Le docteur Keynes pinça les lèvres. Un si bel homme, pensa de nouveau D.D. Beau, riche, brillant. Que de croix à porter. Et pourtant son attitude était empreinte d'une sorte de gravité. Un fond de tristesse ? Elle n'arrivait pas à mettre le doigt dessus, mais il y avait chez lui comme une ombre qui l'empêchait de le haïr.

« Vous devriez poser d'autres questions à Flora, dit-il finalement. Elle préfère la franchise. Une approche directe. Je
pense que vous découvrirez… Elle se sent seule, commandant.
Après le traumatisme qu'elle a subi. C'est une jeune femme
tout à fait hors du commun, très forte, mais aussi très isolée.
Peu de gens ont survécu à une telle épreuve.

– Voilà pourquoi, en cas de coup dur, elle se tourne vers
la seule personne qui, pense-t-elle, la comprend, murmura
D.D. Et ce n'est pas un membre de sa famille. C'est vous.

– Vous devriez lui poser d'autres questions, répéta-t-il. Et
ne traitez pas ses réponses par le mépris. Depuis son retour
il y a cinq ans, Flora a fait du comportement criminel sa
spécialité.

– Vous m'en direz tant !

– Si elle pense que ce barman a enlevé d'autres jeunes
femmes, je ne serais pas surpris de découvrir que c'est le cas.

– Vous intervenez auprès de la famille de Stacey Summers ? » demanda d'un seul coup D.D.

Keynes fit signe que non ; et s'il fut surpris de ce brusque
changement de sujet, il n'en montra rien. « Le dossier a été
confié à Pam Mason, une collègue.

– Est-ce que Flora vous aurait parlé de la disparition de
Stacey ? Est-ce qu'elle a suivi l'affaire dans les médias ?

– Contrairement à ce que vous semblez croire, Flora et
moi ne sommes pas en contact régulièrement.

– Seulement quand elle est aux mains de la police ? suggéra D.D.

– Vu ses hématomes, il y a tout lieu de croire qu'elle dit
la vérité au sujet de son enlèvement par Devon Goulding,
constata le docteur Keynes sans s'engager. Alors ce qu'elle
a pu faire pour se défendre…

– Pourquoi refuse-t-elle les soins médicaux ? Si elle est tellement innocente, pourquoi ne pas laisser un expert médical réaliser un examen officiel qui pourra *corroborer* ses dires ?

– Les victimes de viol et autres violences ont souvent une aversion pour le contact physique.

– Vraiment ? Ça expliquerait pourquoi elle s'est pointée dans un bar, envoyé plusieurs Martini et précipitée sur la piste de danse avec un parfait inconnu ?

– Je ne suis pas votre ennemi dans cette histoire, commandant Warren. Je m'efforce simplement de vous fournir quelques éclairages susceptibles de permettre une élucidation plus rapide de l'affaire.

– Le fond de l'affaire étant quoi ? Que votre victime se met en danger, et dans quel but ? Prendre un prédateur au piège ? Sauver le monde ? Se venger de ce qui lui est arrivé ? »

Le docteur Keynes ne dit rien. D.D. perdit brusquement patience.

« Vous voulez qu'on élucide l'affaire rapidement ? Rendez-nous service à tous les deux et allez droit au but : combien de fois Flora a-t-elle déjà fait ça ? Combien de fois avez-vous dû répondre à un coup de fil en pleine nuit ? Autant me le dire, vous savez que je peux chercher.

– Quatre.

– Quatre fois ? » D.D. n'en revenait pas. « Flora Dane a déjà *tué* quatre fois ? Mais comment...

– Pas tué, corrigea fermement le docteur Keynes. C'est la première fois qu'elle recourt à une telle extrémité pour se défendre.

– Vraiment ? Les autres n'ont été brûlés qu'au premier degré ? Elle leur a roussi le poil au briquet au lieu de déchaîner le feu nucléaire ?

– Flora a déjà été victime d'agressions par le passé. Si vous lisez les rapports, vous verrez qu'elle a réagi avec le niveau de violence approprié et n'a fait l'objet d'aucune poursuite.

– Cette fille se prend pour Zorro. Votre amie, votre protégée...

– Flora Dane est une survivante.

– Flora Dane est une cinglée. Elle va dans ces bars pour y chercher les ennuis et elle les trouve. »

Le docteur Keynes ne répondit pas. Bien vu de sa part, pensa D.D., parce que franchement, à ce stade, qu'y avait-il à dire ?

« Je ne vais pas en rester là », le prévint-elle sans détour. La pièce n'était pas bien grande. Sa voix portait et elle laissa faire. « Peut-être qu'au cas par cas, on peut passer l'éponge sur la conduite de Flora, mais devant ce scénario à répétition ? Avec tout le respect que je vous dois, docteur Keynes, le comportement de Flora Dane est un danger pour elle-même et pour les autres.

– Je serai tout aussi clair, commandant Warren : d'après Flora, elle ne connaissait pas Devon Goulding avant hier soir. Elle n'était pas là dans l'intention de le rencontrer et elle ne s'est livrée à aucune activité qui aurait justifié qu'il l'enlève à la sortie du bar et qu'il la ligote nue dans son garage. Quant à ce qui s'est passé ensuite, méfiez-vous de ne pas rejeter la faute du crime sur la victime. Flora ne m'appelle pas pour que je paie sa caution, elle n'en a jamais eu besoin. Ce dont elle a besoin, c'est que je la raccompagne chez elle. »

D.D. le regarda, ébahie. « Vous voulez rire ? Elle vous appelle, vous, un agent du FBI...

– Un spécialiste de l'aide aux victimes.

– Pour que vous la raccompagniez chez elle.

– C'est plus compliqué que ça.

– Vous voulez dire que, tant qu'à être là, vous pouvez faire diversion auprès de la police ?

– Non, tant qu'à la raccompagner chez elle, je peux faire diversion auprès de sa mère. »

8

Je rêvais de frites. Chaudes, dorées, bien grasses. Un péché salé. Je les léchais, je les écrasais, je les fourrais dans ma bouche. J'en voulais des dizaines. Des sacs entiers. Des cartons entiers. Trempées dans le ketchup. Enrobées de mayonnaise. Recouvertes de sauce ranch.

Et un hamburger dégoulinant de fromage sur un petit pain blanc moelleux comme un coussin, sous une montagne de tomates fraîches, d'oignons et de cornichons. J'en aurais avalé des bouchées d'ogre, voraces, j'y aurais mordu à pleines dents, j'aurais senti ce feu d'artifice de graisse et de féculents sur ma langue.

Je rêvais de nourriture. Et pendant ce temps-là, mon estomac grondait, mes muscles se contractaient et je gémissais de douleur.

Je me suis réveillée.

Et il y avait cette odeur. Là, dans la pièce. Le fast-food dans toute sa splendeur. Cheeseburgers. Frites. Beignets de poulet. Et puis les bruits, aussi : le froufrou des emballages, le bruit sec de la paille qui transperce le couvercle en plastique.

Je crois que j'ai encore gémi. On n'a plus de fierté quand on meurt de faim. Seulement du désespoir.

Des bruits de pas. Qui s'approchaient. Pour une fois, j'ai prié pour qu'il accélère, qu'il arrive plus vite. Qu'il enfonce *la clé dans le cadenas, qu'il la tourne. S'il vous plaît. 'Plaît, 'plaît, 'plaît.*

Tout ce qu'il voudrait. Tout ce dont il aurait besoin.

Pour des frites. L'odeur des frites.

Quand il a soulevé le couvercle, le flot de lumière m'a fait cligner des yeux. Je suis passée de minces rayons qui entraient par les trous fins comme le doigt à un éclairage d'une blancheur aveuglante. Les larmes me sont montées aux yeux. Peut-être à cause de cette stimulation visuelle soudaine et agressive, mais surtout à cause de l'odeur. Merveilleuse, ensorcelante odeur.

Des souvenirs. Vagues. Humanisants. Courir au milieu de jets d'eau sur mes petites jambes potelées, rire avec une allégresse de gamine en essayant de capter des gouttelettes sur ma langue. Et puis une voix, lointaine mais familière : « Tu es fatiguée, ma puce ? Allez, viens, on va prendre un milk-shake... »

Avance rapide de quelques années. Des souvenirs récents : des mains couvertes de taches de vieillesse et qui tremblent en posant le plateau en plastique marron. « Du ketchup ? Non. Le meilleur, avec les frites, c'est la mayonnaise. Alors, voyons voir ça... »

L'espace d'un instant, j'ai quatre ans, ou six, ou huit, ou dix. Je suis une enfant, une jeune fille, une femme. Je suis moi-même. Avec un passé et un présent. Une famille et des amis. Des gens qui m'aiment.

Ensuite il parle et je disparais de nouveau.

Il n'y a plus que la nourriture qui existe et je ferais n'importe quoi pour l'obtenir.

Il a fallu qu'il m'aide à sortir de la caisse. Je m'efforçais de faire autant d'exercice physique que possible dans cet espace réduit, mais le temps passait et je ne me rappelais pas toujours ce que je devais faire, ni si je ne l'avais pas déjà fait. Je dormais énormément. Je dormais, je dormais, je dormais.

Pour moins souffrir.

Quand je me suis enfin redressée, j'avais les jambes flageolantes. Par réflexe, j'ai fait le gros dos, comme si je m'attendais à recevoir un coup, mais je ne pouvais pas mettre ma posture voûtée sur le compte de la caisse. Dans la caisse, je me tenais toujours droite comme un I.

« Tu as faim ? »

Je n'ai pas répondu ; je n'étais pas certaine de devoir le faire. De toute façon, mon ventre grondait de manière suffisamment éloquente.

Il a ri. Il était de bonne humeur. Guilleret, même. Je me suis surprise à me redresser. J'ai remarqué qu'il était plus propre, ce soir. Les cheveux mouillés, comme s'il venait de prendre une douche. Et il était solide sur ses jambes, le regard clair, ce qui n'était pas toujours le cas. Mes yeux se sont posés derrière lui, sur la vieille table de jeu grise. De la nourriture. Plusieurs sacs. McDonald's. KFC. Burger King. Subway. Un festin de malbouffe.

J'ai compris qu'il allait se gaver. Une orgie de nourriture plutôt que de drogue, cette fois-ci. Mais pourquoi ? Et moi ?

« Tu as faim ? » a-t-il répété.

Je ne savais toujours pas quoi dire. Alors j'ai poussé un gémissement.

Il a eu un rire magnanime. Cette pièce était son royaume. Ça, je l'avais compris. Ici, j'étais sa chose, et il se délectait de sa toute-puissance. À l'extérieur de ces murs, il n'était certainement qu'un Loser avec un grand L. Les hommes le méprisaient, les femmes se moquaient de lui. D'où le besoin qu'il avait de cette chambre, de cette caisse, de cette victime à sa merci.

Et maintenant, cet exercice de terrorisme.

J'ai esquissé un pas hésitant. Je savais d'expérience que sa permission était capitale. Que tout ce qu'il donnait pouvait aussi être repris et qu'il me fallait donc agir avec prudence. Comme il n'a manifesté aucune objection, qu'il n'a pas tendu la main pour m'arrêter, je me suis approchée de la table couverte de nourriture. Et je suis restée là, la tête basse, les mains humblement jointes devant moi. J'ai attendu, même si je n'avais jamais connu d'attente aussi pénible. Tous mes muscles tremblaient, mon estomac était tordu de crampes insupportables.

« Qu'est-ce que tu veux ? »

J'ai froncé les sourcils, perplexe. Je ne savais pas ce que je voulais. Toutes ces dernières semaines, j'avais été dressée à n'être personne, à ne rien vouloir. C'était ce qu'on attendait de moi. Et maintenant, j'avais peur. À cause de cette odeur enivrante, irrésistible. Je me sentais à deux doigts de craquer, alors que je ne pouvais pas me permettre de tout gâcher.

Pire que de mourir d'inanition : être entourée de nourriture et toujours crever de faim.

« Tu devrais manger, a-t-il fini par dire en touchant du doigt mon bras squelettique, en pinçant une côte saillante. Tu deviens maigre comme un clou. T'as une sale dégaine, tu sais. »

Il a pris le sac le plus proche de lui. Il l'a ouvert, me l'a agité sous le nez.

Des frites. Chaudes, dorées, salées.

J'entendais encore mon grand-père. «Regarde, minette, le meilleur avec les frites, c'est la mayonnaise. »

Je me suis demandé s'il était venu m'emmener enfin loin d'ici. Sauf que je ne voulais plus partir avec mon grand-père. Je voulais être là où j'étais, dans cette pièce sordide avec cet homme horrible et ces merveilleuses frites grasses. Pitié, pitié, pitié, laissez-moi manger une seule de ces frites...

Je ferai n'importe quoi, je serai n'importe qui...

Il a plongé la main dans le sac pour en sortir une boîte rouge marquée d'un M doré. Les frites s'y bousculaient, certaines pas-

sèrent par-dessus bord. Elles atterrirent par terre, sur la moquette immonde. Je les vis toucher le sol, et mes doigts se pliaient et se dépliaient nerveusement, tout mon corps sous tension.

Il allait les manger. Il allait se planter devant moi et manger l'une après l'autre ces friandises sans pareilles. En riant, en jubilant, en exultant.

Et je n'aurais pas d'autre choix que de le tuer. Je perdrais le contrôle de moi-même, je l'attaquerais et lui... Et lui...

Il m'a tendu la boîte. « Tiens. Sans déconner. Il faut qu'on te remplume, merde. »

Je lui ai arraché les frites, je me suis emparée de la boîte rouge à deux mains. Elle n'était plus chaude. Les frites étaient tièdes, la graisse commençait à figer. Ça m'était égal. J'ai fourré la moitié du contenu dans ma bouche, j'avalais plus vite que je ne pouvais mâcher. Manger, manger, manger. Un besoin impératif, irrépressible. Enfin, enfin, enfin.

Il a éclaté de rire. Je ne le regardais pas, concentrée sur la boîte. Mon estomac, mon corps, la moindre de mes cellules réclamait sa subsistance à cor et à cri.

J'avais la bouche trop sèche, la purée de frites était trop épaisse. J'ai voulu avaler, mais je n'ai réussi qu'à me donner des haut-le-cœur, au point d'en avoir les larmes aux yeux. J'ai cru que j'allais vomir, mais il n'en était pas question : je ne pouvais pas me permettre de gaspiller toutes ces calories. J'ai essayé de me forcer à avaler cette énorme boule de pomme de terre sèche. Mes yeux pleuraient, ma gorge nouée était douloureuse. Mon estomac se soulevait pour protester...

Il a posé une main sur mon bras.

Je l'ai regardé avec épouvante. C'en était fait : il allait sortir les frites macérées de ma bouche. D'un doigt replié en crochet, il allait me retirer la seule nourriture que j'avais reçue depuis *des jours. Et ce serait fini. Il me remettrait dans la caisse en forme de cercueil et j'y mourrais.*

« Ralentis, a-t-il ordonné. Bois un peu d'eau. Prends ton temps. Autrement, tu vas dégueuler. »

Il m'a tendu une bouteille d'eau. J'en ai aspiré un peu, à petites gorgées, pour morceler la boule de nourriture, la faire passer. Quand j'ai finalement tendu la main vers une nouvelle poignée de frites, il m'a pris la boîte et il les a dispersées sur la table à jeu dégoûtante. Une à une, je les ai prises et, sous son regard vigilant, j'ai mâché, avalé, mâché encore.

Quand il n'y a plus eu de frites, il a ouvert une boîte de poulet et m'a tendu un pilon.

Nous avons mangé ensemble. Moi à genoux par terre, lui assis sur une chaise. Mais nous avons mangé ensemble, engloutissant des sacs entiers. J'ai été repue plus vite que je ne l'aurais voulu. J'ai vomi, mon estomac rejetait cette même nourriture qu'il avait si désespérément attendue.

Il ne m'a pas engueulée. Il m'a simplement ordonné de me laver le visage et il m'a tendu un soda.

Il s'est endormi sur le canapé pendant que, sans me laisser abattre, je grignotais encore un sandwich à la dinde. Quand je n'ai pas pu aller plus loin, quand vomir n'a plus soulagé mon estomac douloureusement distendu, je me suis roulée en boule par terre à ses pieds et je me suis assoupie à mon tour.

À mon réveil, il me regardait.

« Ma fille, m'a-t-il dit, tu sens la pisse et le graillon. »

Après quelques secondes, il a croisé les bras, fermé les yeux. « Demain, a-t-il grogné. Demain, il sera temps que tu prennes une douche. »

Et je lui en ai été totalement, immensément reconnaissante.

9

La blonde ne veut pas me laisser partir. Elle menace de demander un mandat qui m'obligerait à me soumettre à un examen médical. Pourquoi pas, si je dis la vérité et que j'ai bien été agressée par Devon Goulding ? Ça ne ferait que *corroborer* ma version.

Je crois qu'elle fait une petite fixette sur le mot *corroborer*.

Personne ne me touchera. Ni un médecin. Ni une infirmière. Ni un véto.

Quand je lui signifie mon refus absolu, ça a enfin l'air d'arriver au cerveau. Elle me lance un regard sans concession, mais accepte mon compromis : des photos de mon visage meurtri.

Je comprends ce qu'elle veut. Ce qu'ils veulent tous. De nos jours, il ne suffit plus à une victime d'affirmer qu'elle a été agressée. Encore faut-il qu'elle le prouve. Par exemple : le diamètre de cette ecchymose sur mon visage est-il approximativement le même que celui du poing de mon agresseur ? Ou encore : cette plaie de deux centimètres sur ma pommette gauche correspond-elle à l'arête tranchante de sa grosse chevalière ?

Concernant la possibilité d'examiner d'autres régions de mon corps, je suis catégorique : inutile de chercher des traces de viol. Devon Goulding peut s'en prendre au contenu de sa poubelle, qui m'a permis d'éviter ce désagrément.

Et je me suis sentie en danger de mort. Je me suis réveillée brutalisée, meurtrie, nue comme un ver, ligotée. Je me suis sentie en danger de mort. Je me suis sentie en danger de mort.

Vous voulez ma déposition officielle ?

Je me suis sentie en danger de mort.

Le docteur Keynes et moi ne parlons pas lorsqu'il me conduit à sa voiture. Franchement, tout vient d'être dit.

Quand j'ai repris connaissance il y a cinq ans, Samuel est la première personne que j'ai vue. Il dormait dans un fauteuil au chevet de mon lit d'hôpital. Il portait un costume gris anthracite, la veste déboutonnée, la cravate rouge de travers, la jambe gauche croisée sur la droite.

Ses belles chaussures noires, bien lustrées, reluisaient littéralement. Je les ai longuement contemplées, avec fascination. Des chaussures en cuir. Des chaussures d'homme en cuir verni. À peine si ce concept avait encore un sens pour moi.

Plus tard, nous en avons discuté. Pendant une de nos nombreuses conversations, à l'époque où je refusais de parler à qui que ce soit d'autre. Du fait que des objets aussi simples que des chaussures puissent être captivants au point qu'il s'est passé une bonne heure après mon réveil sans que je prononce un mot, sans que je signale à quiconque que je venais de faire mon grand retour parmi les vivants. Non, je suis restée immobile, hypnotisée par des chaussures en cuir.

Un symbole de la civilisation, avons-nous finalement conclu. Une touche de beauté, de culture et de raffinement.

Autrement dit, ses chaussures représentaient tout ce que j'avais perdu. Tout ce que je pensais ne jamais retrouver.

Le cerveau est très doué pour ramener des pensées complexes à un symbole simple. Stratégie de survie, disait Samuel. Au début, il m'était trop difficile de mettre des mots sur tout ce que j'avais perdu, tout ce que je redoutais, tout ce que j'avais enduré. Alors à la place, j'ai fait une fixation sur une paire de chaussures de luxe.

« Tu l'as appelée », lui dis-je. Ce n'est pas une question. Nous en sommes trop souvent passés par là.

« Tu savais que je le ferais. »

Samuel tient le volant à deux mains. Elles sont détendues, ses longs doigts élégants. C'est un homme d'une beauté stupéfiante. Déstabilisante, même. Au début, j'ai trouvé que c'était mauvais signe. Comment peut-on prendre qui que ce soit au sérieux, en particulier un médecin, quand il ressemble à un mannequin Calvin Klein ?

Ces dernières années m'ont permis de mieux le comprendre. Nous avons tous nos fardeaux, même un homme aussi agréable à regarder que Samuel.

Pour autant, il ne se permet aucun relâchement vestimentaire. Ni ne fait quoi que ce soit qui pourrait porter atteinte à sa perfection physique. Au contraire. Jamais je ne l'ai vu avec autre chose que des vêtements à la coupe impeccable, des boucs à cent dollars et des ongles impeccablement limés. Même quand il n'est pas en service, on le croirait tout droit sorti d'un numéro de *GQ*.

Je crois que c'est sa manière de tester les gens. Moi, je m'habille en Marie-couche-toi-là sympa et j'attends le prochain connard qui mordra à l'hameçon. Samuel se présente comme le premier beau gosse venu et ensuite il attend que vous le sous-estimiez. Parce qu'à ce moment-là, il vous tient et il le sait. Sa voiture lui ressemble. Une Acura sportive, carrosserie noire, intérieur noir. Des sièges en cuir impeccables, une moquette fraîchement aspirée. Je suis surprise qu'il n'ait pas étalé une serviette avant de m'autoriser à m'asseoir. Je suis peut-être blindée contre les odeurs de poubelle, mais pas lui.

Peut-être a-t-il l'intention de retirer l'assise pour l'incinérer. Venant de Samuel, rien ne m'étonnerait.

« Aucun survivant ne ressemble à un autre », m'a-t-il expliqué le premier jour, à l'hôpital.

Voilà ce que Samuel et moi avons en commun : nous sommes des survivants.

« Elle ne serait pas restée dans le Maine, par hasard ? » demandé-je avec une désinvolture feinte. Je me détourne de Samuel pour regarder par la fenêtre. Voir la lumière du jour me fait toujours un choc. Après toutes ces années, chaque matin est encore une surprise.

« À ton avis ? »

À mon avis, non seulement il a appelé ma mère, mais elle m'attend chez moi en ce moment même. Je crois que je préférerais encore retourner sur la scène de crime pour en découdre avec la blonde.

« Mais qu'est-ce que tu fabriques ? » me demande Samuel.

Je souris, c'est plus fort que moi. Et je garde le visage tourné de l'autre côté. Samuel me connaît trop bien. C'est pour ça que je l'appelle chaque fois. Pour me rappeler qu'il y a quelqu'un quelque part qui sait qui je suis, même s'il m'arrive de l'oublier.

Quand je me suis réveillée ce matin-là à l'hôpital d'Atlanta, ma mère et mon frère étaient encore dans l'avion qu'ils avaient pris à l'aéroport de Boston. Comme je n'avais ni ami ni famille dans la région, Samuel était resté dans la chambre pour me soutenir.

Mais à la minute où les agents du FBI ont commencé à me poser toutes leurs questions… je n'ai pas pu. Impossible de parler ; impossible de me rappeler ce qu'ils voulaient que je me rappelle ; je me refusais absolument à revivre ce dont, à leurs yeux, j'aurais dû me souvenir sur un claquement de doigts. Au lieu de ça, je me suis roulée en boule et fermée comme une huître. Ils ont essayé la gentillesse, l'agacement, puis le harcèlement caractérisé. Rien n'y a fait. Je n'ai pas parlé.

Je ne pouvais pas.

Ils ont fini par partir, le docteur ordonnant qu'on me laisse me reposer.

Seul Samuel est resté. Il s'est assis. Il a croisé sa jambe gauche sur la droite. Tout simplement.

Il n'a pas dit un mot. J'ai fermé les yeux et je me suis endormie. Du moins, j'ai essayé. La pièce disparaissait dans un tourbillon. D'autres images la remplaçaient. Ombres et lumières. Cris et rires. La sensation du shampoing dans mes cheveux. L'odeur d'ammoniaque. La vilaine moquette imbibée de sang.

J'avais vu des choses que je ne voulais pas voir. Je savais trop de choses que je n'avais pas envie de savoir. C'est là que j'ai vraiment commencé à comprendre ce que c'est que d'avoir été victime d'un tel crime. On ne peut pas défaire ce qui a été fait. Impossible de rembobiner, d'effacer, de revenir en arrière. Ce qui s'est passé est désormais indissociable de vous.

Vous pouvez vous en sortir, mais ça ne vous quittera jamais. C'est comme ça.

Alors j'ai pris une décision : j'allais raconter mon histoire une fois et une seule. À Samuel. Et après ça, ce serait fini. Je parlerais, il écouterait et ensuite je garderais à tout jamais le silence. De son côté, Samuel voulut s'assurer que j'avais bien compris qu'il faisait partie des forces de police. Tout ce que je pourrais lui confier serait transmis à l'agent spécial chargé de l'enquête ; il n'était pas mon psy ; pas de secret médical à faire valoir. Mais du moment que j'avais compris ça, il voulait bien écouter tout ce que j'aurais envie ou besoin de lui dire.

Alors j'ai parlé. Un flot, un torrent de mots. Un long et horrible déluge.

J'ai parlé pendant des heures. Des infirmières entraient, contrôlaient mes signes vitaux, réglaient les moniteurs et détalaient. Des agents en noir se présentaient à la porte pour être aussitôt congédiés à la hâte. Je ne sais pas. Je n'enregistrais plus rien, la chambre, les machines, le défilé permanent. Raide comme un piquet, les bras le long du corps, le regard rivé sur les plafonniers, j'ai parlé, parlé, parlé encore.

D'abord dans un murmure. Puis d'une voix plus forte, plus ferme. Et ensuite... il se peut que j'aie terminé dans un hurlement.

Je ne m'en souviens pas vraiment, pour vous dire la vérité. On aurait dit une expérience de sortie du corps. Il fallait que j'expulse toutes ces horreurs de moi et la seule solution était de parler, parler, parler.

Quand je suis enfin arrivée au dénouement, à minuit ou aux petites heures du matin, Samuel s'est levé en chancelant, le visage luisant de sueur. Il n'était plus aussi beau.

Sa respiration était saccadée, comme si lui-même venait de terminer un long et pénible marathon.

Il est allé dans la salle de bains. Je l'ai entendu vomir.

Mais quand il est revenu, son crâne rasé était poli, son visage avait retrouvé sa sérénité.

Il m'a pris la main. Il l'a tenue.

Et j'ai dormi. Pendant des heures et des heures, peut-être même une journée entière. J'ai enfin dormi. Quand je me suis réveillée, mon frère et ma mère étaient là et le vrai travail de retour parmi les vivants a commencé.

J'ai tenu parole. Plus jamais je n'ai raconté mon histoire. Ni aux enquêteurs, ni à cet enragé de procureur, ni même à ma mère. Samuel a dû rendre un rapport ; c'était son boulot, après tout. Je ne lui ai jamais posé la question. Je ne l'ai jamais lu. J'avais dit tout ce que j'avais à dire, tout ce que je pouvais dire, une fois pour toutes.

L'avantage avec le fait que mon ravisseur soit mort, c'est qu'il n'y a personne pour me contredire. Ma version est la seule qui existe.

Et Samuel et moi le savons tous les deux.

« Pourquoi tu es sortie hier soir ? » me demande-t-il. Il lève le pied ; nous arrivons à mon appartement d'Arlington.

« Je suis une jeune femme célibataire. Les gens de mon âge sont censés sortir le soir.

– Seule dans un bar ?

– Les musiciens étaient excellents. »

Il m'a lancé un regard.

« Je n'ai pas menti à la police, lui dis-je. Ce barman m'a prise totalement par surprise. Et si je n'avais pas été là... »

Samuel laisse un temps de silence. Les psys adorent jouer à ces petits jeux de patience.

« Tu as tué un homme.

– Je t'en prie. Ce Goulding en aurait agressé une autre et cette fille serait déjà morte. J'ai sauvé une vie cette nuit.

– Et sauver cette fille abstraite a de l'importance ?

– Exactement !

– Et ta vie à toi ? Elle a de l'importance ? »

Je lève les yeux au ciel. Je lui ai servi cette réplique sur un plateau. « Tu ne peux pas compter cette repartie comme une preuve de ton intelligence supérieure, lui fais-je remarquer. C'est plutôt de l'ordre du réflexe primaire. »

Sans tenir compte de mon sarcasme, il continue d'un air plus grave : « Entre s'inquiéter pour toi et s'inquiéter pour une inconnue, je crois que ta mère préférerait te savoir en sécurité. »

Je n'ai rien à répondre à ça. Ou trop, peut-être. Par exemple : quelle importance ? Même si je restais cloîtrée chez moi pendant le reste de ma vie, ma mère ne serait toujours pas contente. En fait, elle se porterait peut-être mieux si je rencontrais un destin tragique à la fin d'une sortie en boîte. Son attente serait terminée. Parce que ma mère vous dirait qu'il y a pire que de voir sa fille kidnappée.

C'est de la retrouver et de se rendre compte qu'on l'a quand même perdue.

« Tu n'aurais pas dû l'appeler.

— Mais tu savais que je le ferais.

— Je suis capable de me débrouiller toute seule.

— Il n'y a qu'à demander à Devon Goulding ?

— J'ai fait ce que j'avais à faire !

— Non, rétorque Samuel avec autant de véhémence. Tu as créé les conditions de ce que tu voulais voir arriver. C'est différent. »

Je retombe dans le silence. Nous arrivons au pied du petit immeuble où se trouve mon deux-pièces. Samuel s'engage dans l'allée – stationnement de courte durée : il veut me signaler qu'il ne va pas s'attarder, il ne fait que me déposer.

« La police t'a à l'œil, maintenant, fait-il posément remarquer.

— Tu parles, c'était du cinéma. Boucles d'or n'avait pas de vrai coupable à arrêter, alors elle a fait son cinéma avec moi. Mais je te fiche mon billet que quand ils auront fini de retourner la maison, ils trouveront la preuve d'autres crimes.

Là, ils auront vraiment du boulot et ils se désintéresseront de moi, je ne serai plus qu'un curieux détail dans le dossier. »

Samuel me regarde. Il a des yeux brun foncé, frangés de cils épais. J'imagine que tous les jours des femmes doivent tomber amoureuses de lui et fantasmer qu'il leur retourne leurs regards éloquents.

Tous ces efforts en pure perte pour un homme qui ne fait jamais rien d'autre que travailler...

« Tu as survécu en faisant ce qu'il fallait pour cela, me dit-il. En t'adaptant. C'est le principe même de la survie, Flora, tu le sais. »

Je ne réponds pas.

« Tu es forte et ça t'a aidée, mais ce n'est pas pour autant que tu dois te résumer à cela. Tu es jeune, tu as toute la vie devant toi. Ne confonds pas ce que tu as été obligée de faire pour survivre avec la personne que tu es réellement.

– Une femme qui fait la peau aux violeurs ?

– C'est comme ça que tu te vois ? »

Il attend. Il veut une meilleure définition, que je regarde plus profondément en moi-même. Suis-je une justicière ? Un monstre d'autodestruction ? Et pourquoi pas une fervente adepte de l'autodéfense ?

Peut-être que je suis toutes ces choses. Ou aucune.

Peut-être que je suis une jeune fille qui voyait autrefois le monde comme un endroit lumineux et gai.

Alors qu'aujourd'hui...

Je suis une jeune fille portée disparue il y a bien trop d'années. Qui est restée beaucoup trop longtemps loin de chez elle et loin d'elle-même.

« Ma mère m'attend », dis-je.

Ça le fait sourire ; Samuel comprend mieux que personne tout le poids de cette phrase.

« Désolée pour ton siège, dis-je en sortant de la voiture.

– Ne t'inquiète pas, je vais le brûler. »

À mon tour de sourire.

« Tu interviens auprès de la famille de Stacey Summers ? » lui demandé-je d'un seul coup.

Il secoue la tête. « Et toi ? demande-t-il d'une voix égale.

– Tu sais que ce n'est pas mon genre.

– Mais tu suis l'affaire.

– Comme tout le monde, non ? »

Samuel replie ses mains sur le volant. « Tu crois que c'est lui ? demande-t-il. Tu crois que l'homme que tu viens de tuer est celui qui a kidnappé Stacey Summers en août ?

– J'ai envie de le penser.

– Pour soulager ta conscience.

– Non. Tout le contraire, en fait. Si c'est bien lui qui a agressé Stacey... Maintenant qu'il est mort, il ne peut plus vraiment conduire la police à son corps. Mieux vaudrait que ce ne soit pas lui, en réalité. Pour sa famille, en tout cas.

– Alors pourquoi ces questions sur Stacey Summers ? »

J'allais répondre, mais je me ravise. Il y a des choses que je ne peux pas dire, même à Samuel.

Je lève les yeux vers la fenêtre du dernier étage et la silhouette de ma mère qui m'y attend.

« Merci, Samuel. »

Je claque la portière. Il recule dans l'allée.

Et c'est là que commence la véritable épreuve.

10

Cal Horgan, le patron de D.D., se trouvait sur le seuil de son bureau.

« Vous êtes sur un coup intéressant, il paraît.

– On en est encore aux constatations, mais oui, à première vue... Le mort, Devon Goulding, était certainement un criminel en série. On a retrouvé deux permis de conduire et une planque contenant des photos. Ça laisse à penser qu'il y aurait eu d'autres victimes.

– Stacey Summers ? » demanda aussitôt Horgan, car la disparition de cette étudiante occupait tous les esprits au sein des services.

Vu les terribles images de l'enlèvement et l'urgence de la situation, l'affaire Summers avait immédiatement activé l'alerte rouge, ce qui, en langage policier, voulait dire : tout le monde sur le pont. D.D. n'était pas la responsable d'enquête, mais, comme le reste de ses collègues, elle avait passé la première semaine à mener des interrogatoires et éplucher des rapports. Sa principale contribution ? Avoir interrogé le petit ami de la jeune fille. Tout ce qu'elle en avait retiré, c'était que le jeune homme était au comble de l'horreur. Même si Patrick Vaughn ne fréquentait Stacey que depuis quelques mois, il était visiblement fou d'elle. Loin de se donner des airs détachés, il avait craqué à plusieurs reprises. Stacey était une jeune fille tellement douce. Vraiment adorable. Attentionnée, prévenante, le genre de fille qu'on n'imaginerait jamais fuguer ni faire quoi que ce soit qui pourrait peiner sa famille.

Sa disparition signifiait forcément que le pire s'était produit.

Il y avait des jours où c'était sympa de travailler dans la police. Quand on faisait cracher des aveux complets à un connard de bas étage. Et puis il y avait les jours où on faisait pleurer un gosse de dix-neuf ans bien sous tous rapports.

D.D. n'avait pas aimé cette journée-là, ni d'ailleurs, pour être franche, rien de ce qui tournait autour de cette affaire. On savait que la jeune fille s'était rendue dans un bar, une sortie avec une demi-douzaine de copines. Avec deux bières au compteur, et sans doute un peu pompette puisqu'elle n'avait pas l'habitude de boire, elle s'était excusée pour aller aux toilettes.

La seule chose qu'on savait ensuite, c'était que la caméra de surveillance d'un petit commerce avait filmé les images d'une jeune fille blonde entraînée de force par un homme imposant, le visage dissimulé. Et après, rideau.

Pas le moindre témoin, aucune autre image. Dans une ville peuplée de gens curieux et truffée de caméras, Stacey Summers et ses cinquante kilos s'étaient volatilisés.

« On m'a dit que ce Devon Goulding était un costaud, dit Horgan. Des gros biscoteaux. De la gonflette à coups d'anabolisants. Ça ressemblerait au type de la vidéo.

– Le gabarit serait le bon, confirma D.D. Et pour ce qui est du mode opératoire... Hier soir, il a entraîné sa victime en la tenant par le bras. D'après elle, l'attitude de Goulding et sa façon de tourner le dos à la caméra lui ont rappelé les images de l'enlèvement de Summers.

– Donc on tient une piste ? » insista Horgan avec un mélange d'impatience et d'espoir. D.D. compatissait à son sort. Toute la police de Boston était sous pression pour retrouver la jolie, la radieuse, l'angélique Stacey Summers, mais Horgan, en tant que commissaire adjoint, se sentait personnellement responsable du dossier. Les joies du commandement.

« Je n'en suis pas convaincue.

– Pourquoi ?

– À supposer que les deux permis que nous avons retrouvés soient ceux de deux victimes, rien ne le relie à Stacey Summers. Nous avons aussi retrouvé des photos de Natalie Draga, à qui appartenait l'un des permis, mais là encore, rien concernant Stacey Summers.

– Mais vous avez au moins deux victimes potentielles ?

– Natalie Draga et Kristy Kilker. D'après sa mère, Kristy fait actuellement des études en Italie. »

Horgan haussa un sourcil.

« Nous sommes en train de vérifier, lui assura D.D. Même chose pour Natalie Draga. Son permis de conduire a été délivré dans l'Alabama. On cherche à retrouver sa famille là-bas.

– Autrement dit, vous ne savez pas si ces deux femmes ont disparu ou non.

– Exactement.

– Mais vous savez qu'il en a agressé une troisième, celle qui l'a brûlé vif.

– Celle qui l'a assassiné, vous voulez dire ? »

Horgan haussa les épaules. Manifestement, la mort d'un violeur présumé ne l'empêcherait pas de dormir. D.D. en connaissait beaucoup dans la police qui auraient eu la même réaction.

« Je me pose des questions sur cette nouvelle "victime", Florence Dane. »

Horgan fronça les sourcils. Ce nom avait provoqué une étincelle dans sa mémoire et D.D. le regarda refaire le chemin mentalement : « Vous vous fichez de moi ! *Florence Dane* ? L'étudiante qui a été enlevée en Floride ? Celle qui est restée en captivité pendant un an ? Cette fille-là ?

– Il semblerait que, depuis son retour parmi nous, elle ait fait du comportement criminel une sorte de passion. L'agression de cette nuit n'était jamais que son quatrième épisode de soi-disant légitime défense en trois ans. »

Horgan ferma les yeux. « Ça fait désordre. Avec de tels antécédents... La famille de Goulding pourrait l'accuser de lui avoir tendu un piège. Et d'un seul coup, au lieu d'avoir le plaisir d'annoncer qu'il y a un criminel de moins à Boston, peut-être même de clore deux affaires de disparition, il faudrait qu'on ouvre une enquête pour homicide avec le violeur dans le rôle de la victime ?

– Exactement.

– Qu'est-ce que vous avez pour étayer la version de Florence Dane ?

– Les ecchymoses sur son visage. Le témoignage des voisins qui l'ont découverte nue et ligotée dans le garage de Goulding. D'autres témoins dans le bar où travaillait Devon, qui disent que Flora ne lui a même pas parlé hier soir ; elle traînait avec un autre naze à qui Devon a mis son poing dans la figure.

– Bon, ça se présente bien. »

D.D. haussa les épaules. Elle ressentit aussitôt un coup de poignard côté gauche, grimaça, mais se reprit tout de suite. « Ça ne me plaît pas, dit-elle brutalement. Ce comportement à répétition... les exploits de Flora Dane vont nous faire du tort. Surtout si on découvre qu'il n'est rien arrivé aux autres filles et si on n'a que son témoignage sur la prétendue "nature profonde" de Goulding et ses agissements d'hier soir… Les Goulding risquent d'expliquer qu'elle a attiré leur fils dans un piège. Qu'avec le drame qu'elle a vécu, elle voit des prédateurs partout et qu'elle a entrepris de se faire justice elle-même.

– Ça ne vous rappelle pas un film d'Hitchcock ?

– Un épisode de *La Quatrième Dimension*, plutôt. Écoutez, quatre affaires de légitime défense, ça ne s'appelle plus de la malchance, c'est un comportement à risque. Et étant donné que le dernier incident s'est soldé par un homicide, on peut estimer qu'il y a escalade.

– Conclusion ? »

D.D. regarda son supérieur sans ciller. « Conclusion : on devrait l'inculper !

– Pour quel motif ?

– Comportement dangereux. Pourquoi pas ? C'est elle qui a déclenché la suite d'événements qui a conduit à la mort de Goulding. Il faut qu'elle réponde de ses actes.

– Je vois que votre changement de poste ne vous a pas vraiment attendrie.

– Cal, ce n'est pas son boulot de faire la police, c'est le nôtre. Nous savons ce que nous faisons. Alors qu'elle représente un danger pour elle-même et pour les autres. Sans compter qu'hier soir elle a peut-être fichu en l'air au moins deux autres enquêtes criminelles.

– Comment ça ?

– Elle a tué Devon Goulding. Donc, s'il a réellement agressé Natalie Draga et/ou Kristy Kilker, qu'est-ce qui va se passer ? Où sont les corps ? Que sont-elles devenues ? Je poserais bien la question à Devon, mais zut, c'est vrai, il est mort. Alors qu'est-ce qu'on va ramener aux familles ? Tenez, voilà le permis de conduire de votre fille – j'espère que ça vous suffit ? Franchement, Flora Dane aurait dû savoir mieux que personne qu'il ne fallait pas faire ça.

– Vous allez le lui dire ? demanda Horgan d'une voix égale.

– J'attends d'en savoir plus sur ces deux femmes. Et ensuite j'aborderai le sujet.

– Vous comptez bien l'interroger à nouveau.

– De mon point de vue, les réjouissances ne font que commencer.

– D.D… » Son supérieur marqua une hésitation. « Je sais que vous vous faites une fierté de la fermeté de vos opinions. Et c'est en partie pour ça qu'on ne s'ennuie jamais quand on travaille avec vous. Mais Flora Dane… Vous feriez peut-être bien de ressortir son dossier. Il y a une bonne raison, si elle voit des prédateurs partout. Pour ce qui est du comportement criminel, elle a été à l'école d'un maître pendant plus d'un an.

– On croirait entendre son psy. Pardon : son avocat des victimes. Non, mais vous vous rendez compte ? Cette fille se promène pratiquement avec un agent du FBI en laisse. Je n'ai jamais vu un truc pareil.

– D'accord. Plein de questions à creuser. Mais d'abord, si vous me permettez : rentrez chez vous prendre une douche, D.D. Qu'est-ce que c'est que cette odeur, d'ailleurs ?

– Grillade de chair humaine. À moins que ce ne soient les déchets pourris ? »

Son supérieur secoua la tête. « Lavez-vous. Il va falloir qu'on fasse un point presse avant les éditions du soir. Pour l'instant, on fait simple : nous sommes à la recherche d'informations concernant Natalie Draga et Kristy Kilker, ou toute autre personne ayant connu Devon Goulding. Pas un mot de Stacey Summers, ni de Florence Dane. »

D.D. leva les yeux au ciel. « Qui est-ce qui demande l'impossible, là ? »

Horgan lui décocha un sourire et disparut dans le couloir, laissant D.D. avec une montagne de dossiers à traiter et l'odeur d'une scène de crime dans les cheveux.

Elle rentra chez elle. Comme on était samedi, Alex était à la maison avec leur petit garçon de quatre ans. Elle les trouva à plat ventre dans le salon, en plein milieu d'une partie acharnée de Candy Land. Jack cherchait moins à gagner qu'à tirer les cartes des différents personnages. C'était Jolly, son préféré, et il lui arrivait de cacher la carte de la grosse boule de gomme bleue dans sa poche ou dans sa manche.

Alex leva les yeux du plateau de jeu. Il lui lança un sourire de bienvenue, la narine déjà frémissante.

Jack, de son côté, décolla du sol comme une fusée et lui enlaça les jambes avec fougue. « Maman, maman, maman. »

Pas de doute, on ne s'en lassait pas. D.D. lui ébouriffa les cheveux – de la main droite, parce que son bras gauche s'était encore raidi pendant le trajet en voiture. Elle le gardait contre elle pour le protéger et, comme de bien entendu : « Qu'est-ce que tu faisais ? demanda Alex.

– La nuit a été longue », répondit-elle. Jack l'étreignait toujours. Elle lui rendit son câlin.

Alex n'était pas tombé de la dernière pluie. « Le travail administratif n'exige pas de faire de longues nuits. Ça peut généralement attendre le lendemain matin.

– Une grosse affaire, marmonna-t-elle. Un agresseur retrouvé... hors d'état de nuire... dans son garage. On pense qu'il aurait fait d'autres victimes.

– Ça veut dire quoi, hors d'état de nuire ? demanda Jack.

– Ça veut dire qu'il ne pourra plus jamais jouer à Candy Land.

– J'ai Jolly, annonça Jack qui, ô surprise, sortit la carte de la manche de son pull.

– Hé ! s'indigna Alex. Je la voulais, cette carte.

– Non, non. Toi, tu aimes Gramma Nutt. Tout le monde le sait.

– On va plus loin sur le plateau avec Gramma Nutt qu'avec les grosses boules de gomme bleues. Et si je dis que je veux la princesse Frostine, ça fait pervers.

– Je ne suis revenue que pour me laver et manger un bout », annonça D.D. d'un air contrit. Jack parut dépité, mais ne protesta pas ouvertement. Du moins, pas encore. Il n'avait pas été ravi qu'elle retourne au travail, après être restée longtemps à la maison pendant sa convalescence. C'était un enfant, et les enfants aiment avoir leurs parents auprès d'eux. Au rayon des bonnes nouvelles, elle avait des plages de repos conséquentes lorsqu'elle avait travaillé pendant de longues périodes… mais ces dernières semaines, on aurait dit qu'il y avait eu davantage de périodes tendues que d'accalmies, et Jack supportait mal ses absences prolongées. D'ailleurs, elle-même devait encore se réadapter aux exigences d'un travail à temps plein.

« J'ai vu les infos ce matin, répondit Alex. J'ai bien pensé que tu risquais d'être occupée. Un des reporters imaginait déjà que vous pourriez avoir une nouvelle piste dans l'affaire Stacey Summers.

– Quoi ? Mais comment ont-ils… ? Oh, et puis peu importe. Comme si les journalistes avaient besoin d'informations pour nous faire part de leurs opinions. Mais non, aucun lien entre les deux affaires. À ce stade, en tout cas. »

Alex sourit, ce qui plissa le coin de ses yeux bleu foncé. Un bel homme, se dit-elle, comme bien souvent. Des cheveux poivre et sel, un visage distingué. Et il était à elle. Rien qu'à elle. Qui eût cru qu'une enquêtrice obsédée par son travail pourrait avoir autant de chance ?

Elle décrocha Jack de ses jambes en lui promettant un sandwich grillé au fromage. Cela lui donna suffisamment de temps pour prendre une douche et enfiler son pantalon Ann Taylor préféré, le bleu marine, sa tenue de prédilection pour les conférences de presse.

Dans la cuisine, elle servit deux verres de jus d'orange, puis entreprit de couper une brique de cheddar en lamelles. Son épaule se rappela de nouveau à son bon souvenir et elle ne parvint pas totalement à réprimer une grimace.

« Tu en as trop fait, dit Alex en arrivant derrière elle.

– J'ai juste besoin d'un peu de glace.

– Ou d'un peu de repos, ou d'une bonne nuit de sommeil, ou d'un peu moins de stress.

– Et patati et patata.

– Phil s'inquiète pour toi. Il dit que tu as passé presque toute la nuit sur la scène de crime. Ce n'est pas ce qu'on appelle un aménagement de poste.

– Phil est une femme dans un corps d'homme. Et il s'inquiète plus pour moi que ma propre mère.

– Que tu sois sur le pont ou non, il y a des crimes et il y en aura toujours, dit Alex en ouvrant la porte du congélateur pour lui sortir sa poche de glace favorite, celle qui épousait parfaitement la forme de son épaule.

– Surtout si on laisse le champ libre à Flora Dane, grommela D.D.

– Qui ça ?

– Le type qu'on a retrouvé… » Elle regarda autour d'elle, au cas où Jack serait dans la cuisine, mais il était sans doute dans le salon à empiler des Lego. Constatant qu'ils étaient seuls, D.D. poursuivit : « Le type qu'on a retrouvé mort avait commencé la soirée en kidnappant Flora Dane. Laquelle n'en était pas à son premier enlèvement. Elle a retourné la situation et elle l'a brûlé vif grâce à des matières inflammables trouvées dans ses poubelles.

– Sans rire ?

– Ça ne me plaît pas. C'est la quatrième fois qu'elle se met en danger depuis sa libération il y a cinq ans. C'est quoi, l'étape suivante ? Elle s'attaque à toute la mafia russe ?

– J'aimerais autant que ce soit elle que moi, observa Alex. Tu crois qu'elle se prend pour une justicière ?

– Pas toi ? Une femme qui traque inlassablement les criminels ?

– Entendre ça dans la bouche d'une femme en restriction d'aptitude qui s'apprête à retourner bosser…

– Je suis une boulimique du travail, répondit D.D. en allumant le feu sous le premier sandwich au fromage. C'est quoi son excuse, à elle ? »

Alex renonça. Il respectait ses choix. « Assieds-toi et mets de la glace sur ton épaule. Je peux retourner un sandwich. »

Elle s'assit. Mit de la glace sur son épaule. Se détendit. Autant qu'une femme comme elle en était capable. Puis Jack arriva pour une nouvelle tournée de câlins de petit garçon pot de colle et une fouille au corps pour vérifier qu'il n'avait pas planqué d'autres cartes de Candy Land.

La vie normale. La vraie vie. La sienne.

Puis, comme son mari l'avait prédit, elle retourna au travail.

11

La première chose qui me frappe quand je monte les trois volées de marches jusqu'à mon petit deux-pièces, c'est l'odeur de muffins tout chauds. Ma mère... Quand elle stresse, elle cuisine. Des cookies, des brownies, des pains, des barres de céréales, des scones. Il paraît que pendant ma captivité, tout le village, avocats des victimes compris, a pris cinq kilos.

Elle a la clé de mon appartement. Les trois clés, en fait, parce que j'aime bien multiplier les verrous. Mais après être entrée, elle n'a pas refermé derrière elle. Je n'ai plus qu'à pousser la porte pour l'ouvrir. Je sais bien qu'elle ne fait pas ce genre d'erreurs dans le but délibéré de me contrarier, mais je sens tout de même mes épaules se crisper. Je ne suis pas pressée d'avoir la conversation qui va suivre. Elle non plus, sans doute. D'où les muffins.

Au moment où j'entre, elle est dans la cuisine, penchée au-dessus du four pour surveiller la cuisson. La police ne m'a pas rendu mes vrais vêtements après ma mésaventure de cette nuit. Les ont-ils même retrouvés ? Je n'en ai aucune idée. Si oui, ils seront conservés comme pièces à conviction. Quoi qu'il en soit, l'enquêtrice de quartier m'a fourni en catastrophe un pantalon de jogging gris trop grand et un sweat à capuche

bleu marine de la police de Boston, très certainement les vêtements de rechange qu'un agent transportait dans son coffre.
Je nage complètement dedans et je suis obligée de tenir la
ceinture élastique du pantalon pour marcher. Et comme je
suis toujours pieds nus, je ne fais pas beaucoup de bruit en
avançant à pas feutrés sur le parquet.

J'ai choisi cet appartement pour plusieurs raisons. D'abord,
comme il est au deuxième étage, il est plus difficile d'accès
pour un éventuel intrus. Ensuite, ces vieux immeubles en
grès typiques de Boston sont connus pour leur hauteur sous
plafond, leurs moulures et leurs bow-windows. Mon appartement est petit, mais inondé de lumière grâce à ses vieilles
fenêtres, et plein de charme avec son parquet en chêne qui a
vécu et ses belles boiseries. Est-ce qu'il y a des taches d'humidité au plafond ? Bien sûr. Du lino qui se décolle dans
la cuisine (pas la meilleure idée de rénovation qu'aient eue
les propriétaires) ? Évidemment. Une douche qui ne donne
de l'eau chaude qu'après trois ou quatre coups bien placés ?
Disons qu'une fille comme moi n'a pas vraiment les moyens
de se payer ce qu'il y a de mieux.

D'ailleurs, j'aime les défauts de mon appartement. Il a des
cicatrices. Comme moi. Nous sommes faits l'un pour l'autre,
d'autant que le couple de personnes âgées qui me le loue
connaît mon histoire et ne me demande qu'une fraction de ce
qui serait un loyer normal. Comme j'ai refusé de vendre les
inévitables droits d'édition et de cinéma sur mon histoire, un
rabais de loyer est à peu près le seul avantage que je puisse
espérer tirer de mon enlèvement. Et dans la mesure où je
n'ai jamais repris mes études et où je n'ai toujours aucune
idée de ce que je vais faire du reste de ma vie, l'argent est
compté. Depuis quelques mois, je travaille comme serveuse
dans une pizzeria fréquentée par les étudiants et les familles

du quartier. Mon salaire horaire est dérisoire, les pourboires à peine mieux. Mais ce boulot ne me demande pas de réfléchir et c'est appréciable.

Est-ce que c'est la vie que j'aurais imaginé mener à vingt-sept ans ? Non. Mais qu'est-ce que je connaissais quand j'ai quitté la ferme de ma mère pour aller étudier à la grande ville ? Imaginez-vous que je m'étais inscrite en français essentiellement parce que l'idée d'aller à Paris me plaisait. Peut-être que je serais devenue prof. Ou alors je serais rentrée dans le Maine et j'aurais créé ma petite ferme à moi, avec des chèvres. J'aurais vendu du lait de chèvre, du fromage de chèvre, des lotions et des savons au lait de chèvre, qui sait ? Tout ça avec des étiquettes en français. À l'époque, j'étais assez heureuse, assez naïve pour nourrir ce genre de rêves.

Mais les rêves changent toujours, et pas seulement ceux des jeunes filles qui se retrouvent kidnappées pendant quatre cent soixante-douze jours.

Je n'ai pas à m'occuper d'enfants, c'est déjà ça. Parce que ça aussi, ça arrive. Quand on reste suffisamment longtemps en captivité, des grossesses, des bébés, peuvent s'ensuivre. Mais Jacob avait des idées très arrêtées sur la question. Une fois par mois, il m'obligeait à avaler une ignoble mixture maison qu'il disait contraceptive. Elle sentait l'essence de térébenthine et déclenchait immédiatement d'insoutenables crampes d'estomac. L'infirmière spécialisée dans les agressions sexuelles qui a réalisé mon premier examen s'est intéressée à cette potion, mais à son avis, c'étaient mon extrême émaciation et mon absence totale de graisse corporelle qui m'avaient évité de tomber enceinte. De fait, pendant l'essentiel de ma captivité, je n'ai pas eu de règles, tellement j'étais décharnée.

Je regarde ma mère se redresser devant la cuisinière, le moule à muffins dans sa main protégée par une manique. Elle se retourne, me découvre et se fige aussitôt. D'un regard, elle note le jogging démesuré qui n'est évidemment pas à moi, puis les traînées d'ordures sur ma joue, dans mes cheveux.

Elle ne dit rien. Je regarde sa poitrine se gonfler, une inspiration volontaire. Suivie d'une lente expiration : à tous les coups, elle est en train de compter jusqu'à dix. En se demandant une fois de plus comment survivre à une fille comme moi.

Autour de son cou, une chaîne avec un pendentif en argent. Un renard, délicat mais parfaitement dessiné.

Elle l'a acheté après ma disparition. Quand le FBI l'a préparée pour la première conférence de presse en jetant aux orties ses tenues habituelles – larges pantalons de yoga et châles fluides tissés à la main, de ceux qu'affectionnent les anciennes des tribus afghanes. Exit la fermière un peu bohème qui cultivait ses patates bio dans le Maine. Il s'agissait de ressembler à Maman avec un grand M. Une figure maternelle immédiatement reconnaissable, à laquelle on pouvait s'identifier et qui en appellerait aux meilleurs sentiments de mon ravisseur, à supposer qu'il en eût.

Ils l'ont affublée d'un jean et d'une chemise blanche. Probablement la tenue la plus passe-partout qu'elle avait jamais portée de sa vie, surtout si on ajoutait les vraies chaussures en lieu et place de ses Birkenstock habituelles.

Je n'ai pas vu cette première conférence. Ni la deuxième. Je crois que je suis tombée sur la troisième, au moment où la tension montait. Même alors, en voyant ma mère à la télé, derrière un micro entre deux agents du FBI en uniforme, vêtue une fois de plus d'un jean et d'une chemise bleu clair...

C'était ma mère, mais ce n'était pas ma mère. Un moment surréaliste dans une existence qui avait déjà pris un virage totalement, horriblement surréaliste. J'ai failli éteindre la télé, me priver de ce rare divertissement, plutôt que de voir cette mère qui n'était pas la mienne. Mais c'est à ce moment-là que j'ai aperçu le pendentif. Le renard niché au creux de sa gorge.

Je n'ai pas entendu un mot de ce qu'elle a pu dire ce jour-là. Je me suis agenouillée par terre dans cette chambre d'hôtel minable et j'ai posé un doigt sur le pendentif ; ma mère était si minuscule sur le petit poste de télévision et le bout de mon index si large qu'il cachait une bonne partie de sa tête.

Il se peut que j'aie pleuré. Je ne m'en souviens pas vraiment. À ce moment-là, j'avais déjà disparu depuis des mois. Je ne sais pas s'il me restait encore des larmes.

Mais j'ai essayé de la toucher, cette mère qui n'était pas ma mère. Et pendant quelques instants, je suis redevenue une enfant qui faisait les quatre cents coups à la ferme, qui lançait des balles de golf aux renardeaux et qui riait en les voyant donner des coups de patte au milieu des herbes hautes.

Elle pose le moule à muffins sur la cuisinière. Ses mains tremblent un peu.

« Tu as faim ? » demande-t-elle d'une voix presque normale. Sa ferme se trouve à trois heures et demie de route au nord de Boston. À supposer que Samuel l'ait contactée une minute après mon coup de fil, elle a aussitôt sauté en voiture et roulé depuis le point du jour.

« Je devrais me doucher.

– Bien sûr. Prends ton temps. »

Il semble qu'il n'y ait rien d'autre à dire. Je m'éloigne sur la pointe des pieds, toujours en tenant la ceinture du jogging. Quatre grands coups dans la vieille tuyauterie et l'eau devient fumante. Je retire le jogging dix fois trop large. J'entre sous le jet puissant. Et je me laisse ébouillanter.

Un instant, je pourrais presque sentir de nouveau l'odeur de la peau humaine grillée. Comme du porc au barbecue.

Le moment passe et je ferme les yeux. Le vide me remplit et je l'accueille.

Être toujours seule dans une pièce noire de monde.

Les seuls moments désormais où je me sente en sécurité.

Lors de mon retour à la vie après mon enlèvement, une des premières tâches de Samuel a été de mettre sur pied un protocole post-agression. En pratique, il a réalisé une évaluation de ma capacité à me remettre de l'épreuve et il s'est mis en rapport avec les spécialistes qui avaient suivi ma famille afin de mesurer les soutiens dont je bénéficiais déjà.

Samuel a beau être un expert en stress post-traumatique, il n'est pas très fan de cette expression. De son point de vue, on l'utilise à tout bout de champ et sans tenir compte des spécificités de chaque cas. Au fil des années, il a pris en charge des dizaines et des dizaines de victimes : même si nous avons tous subi un traumatisme, seuls quelques-uns peuvent prétendre souffrir d'un authentique syndrome de stress post-traumatique. En fait, il a formellement déconseillé à ma mère de partir du principe que c'était mon cas, voire de me trouver des excuses sous ce prétexte.

Les survivants s'en sortent grâce à leur capacité d'adaptation. C'est leur arme devant l'adversité. C'est leur force.

Ma mère, mon frère et moi ne devions pas nous attendre que je sois faible maintenant, ni favoriser une situation de dépendance. Au contraire, nous devions tous avoir pour priorité de renforcer ma résilience naturelle, celle qui m'avait justement permis de surmonter l'épreuve.

En ce qui me concernait, Samuel m'avait prévenue que la plus grosse erreur qui guette les survivants, c'est de revenir sur ce qu'ils auraient pu faire, maintenant qu'ils sont en sécurité. Donc, interdiction de me demander pourquoi j'avais été dans ce bar le soir de l'enlèvement. Ou pourquoi je ne m'étais pas débattue davantage. Ou pourquoi je ne m'étais pas évadée la première fois où Jacob avait oublié de fermer le camion à clé. Même s'il avait arrêté le poids lourd au milieu de nulle part et qu'il pissait à deux pas de là dans un fossé.

Le passé, c'est le passé. Peu importent les erreurs que j'ai pu commettre. L'important est que je m'en sois sortie.

Le piège de la remise en question... Samuel avait vu juste : je fais moins de cauchemars sur Jacob que je ne me ronge les sangs en repensant aux occasions ratées, à ce que j'aurais dû faire. Quand je me suis inscrite à mon premier cours d'autodéfense, c'était pour calmer cette anxiété, soigner mes états d'âme. Par une ironie du sort, ma mère m'a encouragée dans cette démarche, elle a même suivi ce premier cours avec moi. Samuel approuvait aussi. Renforcer ma confiance en mes capacités : excellent.

C'est quand j'ai attaqué mon quatrième ou cinquième stage d'autodéfense et que mon intérêt pour les armes à feu s'est fait plus marqué que ma mère s'est inquiétée. À l'époque, j'étais revenue vivre à la maison et je l'ai entendue en parler avec Samuel pendant une de ses visites destinées à évaluer comment nous nous en sortions, l'une et l'autre.

Samuel n'est pas thérapeute, et c'est encore moins le mien. Mais il m'avait recommandé de consulter pour « être accompagnée », comme il disait. Je n'ai rien voulu entendre. Ces séances en tête à tête auraient par définition impliqué que je raconte mon histoire, or je n'en démordais pas : je l'avais racontée une fois, comme promis. Plus jamais.

Curieusement, c'est ma mère qui a suivi le conseil de Samuel. Pendant que j'enchaînais des stages de conduite en situation d'urgence, elle s'est mise à voir le pasteur une fois par semaine.

Encore un de ces constats que tous les survivants sont amenés à faire : je n'étais pas la seule victime de mon enlèvement, toute ma famille en avait pâti. Ma mère qui, après la troisième carte postale, avait plus ou moins laissé tomber la ferme pour se consacrer à temps plein à des tentatives pour entrer en contact avec un pervers dans l'espoir fou de revoir sa fille. Mon frère, qui avait arrêté la fac, d'abord pour répondre aux innombrables questions de la police et plus tard parce que, selon ses propres termes, il était incapable de se concentrer en sachant que j'étais là, quelque part, et que j'avais besoin de lui.

Le crime est comme un cancer. Il prend le pouvoir, il accapare toutes les ressources d'une famille. Mon frère est devenu expert en réseaux sociaux, il a créé une page Facebook, alimenté un fil d'actualité sur Twitter. Et essayé de tenir en respect la presse qui a campé dans le jardin pendant des semaines d'affilée, en particulier chaque fois que Jacob envoyait une carte postale contenant de nouveaux appâts.

Ma mère, quant à elle, passait ses journées avec les avocats des victimes et avec d'autres parents d'enfants disparus. Auprès d'eux, elle trouvait du soutien et des conseils, d'autant plus précieux qu'elle voulait se mettre rapidement à niveau sur les méthodes de la police, le comportement criminel, la gestion des médias. Elle a appris à mettre au point des messages pour les conférences de presse stratégiques et à faire la tournée des journaux télévisés du matin comme des talk-shows du soir sur les chaînes câblées. Elle a répondu à la main à des centaines, puis à des milliers de lettres de parfaits inconnus qui formaient des vœux pour mon retour rapide. Et elle a eu à subir d'autres messages, des posts Facebook, selon lesquels la petite dévergondée que j'étais de toute évidence n'avait eu que ce qu'elle méritait.

En théorie, les victimes peuvent prétendre à des aides financières. Les victimologues n'ont pas manqué de donner à ma mère des dossiers qui auraient pu lui permettre de recevoir quelques milliers de dollars par-ci, de demander une allocation par-là. Mais elle vous dirait qu'elle n'avait ni le temps pour les remplir, ni la tête à ça. Non, l'enlèvement d'un enfant est une épreuve dont on ressort passablement appauvri. Le péché que j'avais commis en sortant dans un bar un soir de vacances a entraîné le châtiment de toute ma famille.

Dans notre cas, le village s'est mobilisé. Des voisins sont venus faire tourner la ferme sur leur temps libre. Ils ont préparé les semis, repiqué les plants, puis, comme l'épreuve se prolongeait, ils ont rentré la récolte en automne. La paroisse a organisé des ventes de gâteaux. Les commerçants ont envoyé des chèques. Les restaurants et les traiteurs ont offert des repas.

Jamais ma mère ne quittera sa ferme. Elle ne l'aurait sans doute pas quittée de toute façon, mais cette terre, sa maison, son village, c'est sa consolation, son repère. Ils étaient là au moment où elle en a eu le plus besoin et sans eux je ne sais pas ce qu'elle serait devenue.

Elle a une place dans le monde.

C'est mon frère et moi qui sommes toujours à la dérive.

Darwin est parti. Un an après mon retour, parce que je ne pouvais pas sourire sur commande, d'un coup de baguette magique. Quand j'ai commencé à ne plus supporter l'odeur des pancakes que j'adorais autrefois, la coupe a été pleine. Notre protecteur a pété un câble, il a fait une petite crise pendant laquelle il a conduit beaucoup trop vite tous phares éteints, et ma mère s'est rendu compte que c'était plutôt à lui qu'il faudrait consacrer tout l'amour et toute l'attention que je refusais.

Après de nombreuses discussions à cœur ouvert, elle l'a expédié en Europe. Elle lui a pris un passeport, un billet de train, un sac à dos, et elle l'a serré dans ses bras le jour où il est parti. Trace ta route, jeune homme, trouve ta voie, tout ça.

Darwin n'envoie pas de cartes postales. Il n'est pas fou. Mais de temps à autre, nous recevons un coup de fil. Il est à Londres, en ce moment. Il s'y plaît beaucoup et envisage de s'inscrire à la London School of Economics. Il est certainement assez brillant pour ça et il aurait plein d'expériences à mettre en avant pour étayer son dossier de candidature.

Je crois que c'est ce que je désire le plus au monde : que mon frère s'en sorte. J'aimerais qu'il tombe amoureux, qu'il décroche un super boulot et qu'il construise sa vie. Qu'il cesse de payer pour mon erreur.

Le plus drôle, c'est qu'il dirait sans doute exactement la même chose à mon sujet.

Ma douche a assez duré. Savon. Shampoing. Après-shampoing. J'ai absolument tout fait, sauf me sentir propre.

Cette odeur de chair humaine brûlée.

Pas du porc. Plutôt du rosbif, peut-être.

J'ai sauvé une vie, me répété-je en refermant le vieux robinet d'un grand coup. Une autre fille est hors de danger grâce à moi. Il y a une bête fauve de moins dans les rues.

Le soleil brille. Mon appartement embaume le muffin aux myrtilles. Un de ces instants où je devrais m'arrêter et rendre grâce pour cette belle journée.

Je pense à Jacob. Bien involontairement. C'est plus fort que moi.

Je me souviens de l'homme qui m'a prise, qui m'a brisée et qui m'a ensuite reconstruite pendant quatre cent soixante-douze jours.

Et dans un coin de ma tête, il se fiche de moi.

Ma mère a fait le ménage dans la cuisine. Si je n'avais pas fini par émerger, habillée et fraîchement douchée, je suis pratiquement certaine qu'elle aurait décroché et lavé la cantonnière en toile de Jouy qu'elle a achetée et installée pour moi l'an dernier. Ma mère est agricultrice essentiellement parce qu'il lui faut toujours une occupation. Elle fait partie de ces gens qui ont besoin de longues listes de corvées à accomplir pour que leur vie ait un sens.

Aujourd'hui elle porte une tenue qui lui ressemble : un large pantalon de yoga noir, avec un motif psychédélique sur le revers, et un cache-cœur turquoise informe, du coton cent pour cent bio. Par-dessus, elle a enfilé une chemise d'homme à carreaux grise qu'elle a laissée ouverte. Dans le Maine, elle se fondrait parfaitement dans le décor. À Boston, beaucoup moins.

Quelque chose comme six mois après mon retour, elle a mis dans un carton toutes les tenues que les spécialistes du soutien aux victimes l'avaient aidée à acheter pour les conférences de presse. Et ensemble, nous sommes allées les porter à la brocante caritative installée au sous-sol de l'église du village. Les dames bénévoles ont été ravies de recevoir des vêtements d'aussi bonne qualité à peine portés.

Nous avons baptisé cette étape : la Libération. Une offensive pour reprendre le contrôle de nos vies. Ma mère a donné des vêtements qui ne lui avaient jamais ressemblé. J'ai repeint ma chambre d'enfant en jaune clair et décidé de mieux apprécier la beauté de chaque journée.

Disons que la campagne de ma mère est plus avancée que la mienne.

Lorsque je reparais, elle a empilé les muffins sur une assiette au milieu du billot de boucher à roulettes qui me tient lieu à la fois d'îlot de cuisine et de table pour mes repas. Elle a aussi versé deux verres de jus d'orange et découpé des fruits frais. Vu que mon réfrigérateur contenait essentiellement des bouteilles d'eau et de vieux restes de repas à emporter, elle est allée à l'épicerie du coin pendant que j'étais sous la douche.

Alors je ne peux pas faire autrement que de regarder derrière moi pour vérifier les verrous de la porte d'entrée. Je les referme sèchement. Quand je me retourne vers elle, je sais que j'ai l'air désapprobateur, mais c'est plus fort que moi.

« Un muffin ? » propose-t-elle gaiement en montrant l'assiette.

J'en prends un. D'un seul coup, j'ai une faim de loup. Je dévore deux muffins, puis j'engloutis la moitié de la salade de fruits. Ma mère ne dit rien, mais chipote sa nourriture. Elle a sans doute mangé il y a des heures. Pendant qu'elle m'attendait. Pendant qu'elle se faisait du mauvais sang pour moi.

Maintenant, elle s'efforce de jouer la décontraction.

« Samuel m'a dit que tu avais tué un homme », se résout-elle à lancer. Fin du round d'observation.

Je prends mon assiette pour la poser dans le petit évier. « Légitime défense. Je ne serai pas inculpée.

– Tu crois que c'est ça qui me fait peur ? »

Elle est juste à côté de moi et, malgré ses efforts pour contrôler sa respiration, je vois bien qu'elle est bouleversée.

Ça me fait de la peine. Vraiment. Je ne sais plus comment être sa fille chérie. Je ne sais pas comment remonter le cours du temps et effacer ce qui est arrivé. Ressentir ce que je ne ressens plus. Être ce que je ne suis plus.

Mais ça me blesse de lui voir ce visage, cette inquiétude dans le regard. Ça me tue de savoir que la femme que je suis devenue fait souffrir cette mère qui n'a jamais rien fait d'autre que m'aimer.

J'explique : « Je n'avais pas prévu ce qui s'est passé. Mais j'y étais préparée et j'ai su faire face à la situation. Ce type avait agressé d'autres filles, maman. Mais c'est fini. Il n'est plus là.

– Je me fiche des autres filles, dit-elle. C'est toi qui comptes pour moi. »

Alors elle me serre dans ses bras, farouchement. Comme je sais qu'elle m'a toujours serrée dans ses bras. Et moi, je me fais violence pour ne pas bouger. Ne pas frémir, ne pas me raidir. Me rappeler que ces bras sont ceux de ma mère. Ses cheveux sentent comme dans mon souvenir. Voilà la femme qui me bordait dans mon lit le soir, qui me lisait des histoires, qui me proposait du lait chaud quand je n'arrivais pas à dormir et qui me préparait des toasts à la cannelle quand j'étais malade. Un million de petits moments.

Mais je suis coupée de tout ça à présent. Voilà ce que je ne peux pas lui dire, ce que je ne pourrai jamais totalement expliquer. Ces souvenirs me donnent l'impression de ne plus être les miens. Tout ce qui a été mon passé me fait l'effet d'être arrivé à quelqu'un d'autre, comme les films amateurs d'une autre vie.

Jacob Ness voulait une compagne parfaitement docile, alors il m'a brisée, physiquement, émotionnellement, intellectuellement. Et quand je n'ai plus rien été, juste un bloc d'argile humaine brute et sans défense, il m'a remodelée pour que je corresponde exactement à ses désirs. Il est devenu mon monde, mon univers, ma référence.

Et ensuite… Ce dernier jour. Les derniers moments.

L'épisode que j'ai raconté une fois et sur lequel je ne reviendrai plus.

Il est parti, maintenant.

Et moi je suis perdue. À jamais un chien errant sans collier, au point que l'étreinte réconfortante de ma mère me semble celle d'une inconnue.

Mon propre frère a fui la personne que je suis devenue. Mais ma mère est plus têtue.

« Tu pourrais revenir à la maison », dit-elle. Nous avons déjà eu cette conversation. Ça créerait une relation de dépendance. Elle s'en souvient et s'empresse d'ajouter : « Une simple visite. Quelques jours. On pourrait se faire un petit week-end entre filles.

– Je vais bien.

– Tu sors toute seule dans un bar un vendredi soir.

– Je sais me défendre. Ce n'était pas le but ? »

Elle bat en retraite. Elle ne peut pas me parler quand je suis dans cet état d'esprit, elle le sait. De nouveau, l'inquiétude qui se lit sur son visage m'atteint comme un coup de poing dans le ventre.

« Flora.

– Je sais que tu n'apprécies pas mes choix, mais ils m'appartiennent. »

Dans le monde de ma mère, c'est un argument massue. Je la regarde prendre une grande inspiration. Expirer lentement.

« Si tu ne veux pas venir ce week-end, dis-moi quand tu viendras. »

J'accepte son compromis. Nous fixons une date, dans deux semaines. Maintenant j'ai besoin de me reposer, lui dis-je, mais elle est la bienvenue si elle veut rester.

Elle décline l'invitation. Un appartement en ville n'est pas un endroit pour une fermière du Maine. Elle se prépare à partir, à refaire les trois heures et demie de route dans l'autre sens. Sept heures aller et retour pour passer une heure avec sa fille.

Les mères sont là pour ça, me dit-elle alors que je la regarde s'engager dans les escaliers.

Quand elle a disparu, je referme la porte. Je tourne les verrous. Je me retourne vers mon appartement baigné de soleil, plein de charme et de cicatrices.

Et je fais exactement ce que j'avais annoncé à ma mère : je vais me coucher.

Je m'endors. Ce qui n'est pas toujours le cas. D'habitude, j'ai le sommeil capricieux. Mais là, fraîchement rentrée de ma dernière mise à mort...

Je dors du sommeil du juste.

Quand je me réveille, le soleil a disparu, la chambre est plongée dans le noir et je sens immédiatement que je ne suis pas seule. Le frôlement d'un courant d'air sur ma joue, les pas feutrés d'un intrus qui s'avance sur la pointe des pieds.

Là, juste derrière la porte de ma chambre entrouverte : une ombre, noire et menaçante. Je m'apprête à demander : Qui est là ?

Mais je le sais déjà, en réalité.

Le monde est peuplé de monstres.

Il faut que je réagisse, que je saute du lit, que je me mette en position défensive.

Au lieu de ça, je commets l'erreur d'inspirer.

Et je n'entends plus qu'un rire qui résonne au loin, juste avant que les ténèbres ne se fassent.

12

Ce qu'il y a de plus pénible dans la captivité ? On pourrait croire que c'est la privation de nourriture, les sévices, les humiliations. La soif insupportable, peut-être. Ou la dureté implacable d'une planche en bois qui vous broie les omoplates, qui vous aplatit l'arrière du crâne.

Ou peut-être le moment où on se rend compte qu'on ne sait plus depuis combien de temps on a disparu. Les minutes, les heures, les jours ne sont plus qu'un magma informe, on perd ses repères... Est-ce que ça fait une semaine, deux semaines, trois semaines ? Est-ce qu'on est encore au printemps ou est-ce déjà l'été ? Et Pâques ? Est-ce que Pâques est passé sans vous ? Le déjeuner familial organisé tous les ans chez votre mère ? Est-ce que votre frère a mangé votre lapin en chocolat ?

On essaie de se raccrocher à ces pensées parce qu'elles nous relient à un monde plus vaste, à des morceaux de réalité qui remontent à l'époque où on était encore une vraie personne avec une vraie vie.

Mais la vérité, c'est qu'il est difficile de s'en souvenir, alors fatalement on lâche prise. On pense de moins en moins à la maison, à la personne qu'on a été et qu'on ne sera plus jamais. On se contente d'exister.

On s'ennuie.

Et voilà ce qui devient la pire torture. Pas de discussion entre amis ni de conversation polie. Nulle part où aller. Personne à voir. Pas de télévision pour vous divertir avec ses bavardages abrutissants, pas de radio pour vous distraire avec une chanson entraînante, pas de smartphone pour capter votre attention avec un nouveau texto intéressant.

Vous flottez dans le vide, privée de sensations. Vous fredonnez simplement pour vous donner quelque chose à entendre. Vous comptez de deux en deux, puis de trois en trois, de cinq en cinq, pour vous occuper l'esprit. Vous vous rongez le bout des doigts pour éprouver une sensation tactile. Mais tout ça ne peut guère tuer qu'une heure ou deux par jour.

Vous dormez. Trop. Vous ne le faites pas exprès. Vous savez que ce n'est sans doute pas souhaitable ; mieux vaudrait rester sur le qui-vive. Mais vous êtes fatiguée, faible et surtout vous vous ennuyez. À en mourir. Le sommeil devient votre seul refuge.

Je me racontais des histoires. Des livres pour enfants lus à l'école. Des histoires de la Bible entendues à l'église. Au début, je les murmurais. Mais j'avais la bouche tellement sèche que les mots restaient coincés dans ma gorge. Alors au bout d'un moment, je me suis projeté ces histoires comme des films dans ma tête. Pas des fantasmes où on venait me sauver, ni des images de ma famille et de mes amis – ça m'aurait fait trop mal. Juste des fables, des légendes, des contes de fées. N'importe quoi qui se terminait bien et qui m'aidait à passer le temps dans ma tête.

Mais le plus souvent ces histoires me rendormaient. Alors je flottais dans un demi-sommeil, de plus en plus désorientée, jusqu'à ce qu'enfin des bruits de pas résonnent dans les escaliers. Le grincement d'une porte en face de moi. Le cliquetis du cadenas tout proche, douce musique à mon oreille. Et enfin le couvercle en bois était soulevé. Il apparaissait.

Et je revivais, sauvée de mon ennui par celui qui m'avait mise là.

« *Parle-moi de ton père* », *m'a-t-il un jour demandé. Vautré sur le canapé en sous-vêtements sales, il prenait alternativement une bouffée de cigarette et de longues goulées de bière.*

J'étais nue, assise par terre où, d'une séance à l'autre, j'avais le droit de rester de plus en plus longtemps. Évidemment, la caisse restait bien en évidence. J'y jetais de temps en temps des coups d'œil furtifs, comme on regarde un masque effrayant ou un serpent enroulé sur lui-même. L'objet de ma terreur abjecte. Qui pourtant, vu de l'extérieur, n'était rien d'autre qu'un vulgaire cercueil en bois.

Je n'ai pas répondu tout de suite. J'étais trop occupée à passer mes doigts dans la moquette couleur merde, qui, chose étonnante, comportait non pas une mais plusieurs nuances.

Il m'a donné un coup de pied dans l'épaule pour attirer mon attention. « Parle-moi de ton père.

— Pourquoi ?

— Comment ça, pourquoi ? Je te pose une question, tu réponds. » Nouveau coup de pied, cette fois-ci dans la tête. Ses ongles de pied, épais et jaunes, étaient longs et irréguliers ; l'un d'eux m'a ouvert la joue.

Je ne me suis pas écartée. À ce stade, je savais que c'était inutile. J'ai continué à contempler la moquette. Tous ces fils de couleurs différentes qui, tissés ensemble, se fondaient en une seule. Qui l'eût cru ? Je me suis demandé si c'était difficile de fabriquer une moquette. Et si je pourrais en arracher suffisamment de mèches pour m'étouffer avec.

« Je ne me souviens pas de lui, ai-je fini par répondre.

— Quand est-ce qu'il est mort ?

— J'étais bébé.

– *Qu'est-ce qui s'est passé ?*
– *Un accident. Sa voiture a fait des tonneaux.*
– *Il s'appelait comment ? »*

J'ai enfoncé ce qui me restait d'ongles plus profondément dans la moquette. Sous mes doigts, je sentais de la poussière, de la terre, des gravillons. Les fibres étaient courtes, trop courtes à vrai dire pour se tuer avec. Dommage. Et cependant je ne pouvais pas m'empêcher de les toucher. En matière de divertissement, cette moquette marronnasse était ce que la pièce avait de mieux à offrir.

Je ne savais toujours pas où j'étais. Dans un sous-sol, j'imaginais, parce que les seules fenêtres étaient en hauteur et qu'à l'oreille, j'avais toujours l'impression que quelqu'un descendait des escaliers juste avant qu'il ne déboule dans la pièce.

Il me semblait qu'il n'y avait pas de caves en Floride. Ou alors pas beaucoup. Est-ce que ça voulait dire que je n'y étais plus ? Il y avait des caves dans le Maine. Peut-être qu'il m'y avait ramenée. J'étais à deux pas de chez ma mère. Si j'arrivais à réunir suffisamment de forces, d'énergie et de chance pour sortir par une de ces fenêtres hautes, je n'aurais plus qu'à rentrer à la ferme à pied. Et voilà, je serais chez moi.

Il m'a redonné un coup de pied.

« *Vous avez un père ? lui ai-je demandé.*

– *Bien sûr.*

– *Vous vous souvenez de son nom ?*

– *Non. J'étais trop occupé à l'appeler Connard pour apprendre son vrai prénom. Mais il était routier. Comme moi.*

– *Vous êtes routier ? »* Je n'ai pas pu m'empêcher de lever des yeux étonnés ; la découverte d'une information personnelle avait enfin détourné mon attention du sol immonde.

Surprenant mon expression de stupeur, il s'est mis à rigoler : « *Ben quoi, qu'est-ce que tu croyais que je faisais de* mon temps libre ? Il faut bien bosser pour se payer un petit nid d'amour.

— Est-ce qu'on est encore en Floride ? Est-ce que c'est encore les vacances de Pâques ? »

Après un nouveau rire, il a pris une autre gorgée de bière. « Il va bientôt falloir que je décolle, m'a-t-il informée sur un ton badin. Une grosse mission, ce coup-ci. Il se pourrait que je reste absent une semaine. »

Il me regardait d'un air calculateur. Mais je n'y ai pas prêté attention. Mon sang s'était glacé dans mes veines. Une semaine ? Sept longues journées ? Seule dans la caisse ? Mon cerveau cessa de fonctionner. Mes bouts de doigts ensanglantés s'enfoncèrent à en avoir mal dans la moquette. Une semaine ?

« Molly », a-t-il dit. Il ne fumait plus, la cigarette rougeoyante pendait mollement entre ses doigts et il me regardait.

« Quoi ?

— Tu t'appelles Molly. Comment tu t'appelles ? »

J'aurais voulu répondre, mais franchement je ne comprenais pas. Tous mes muscles, tous mes os me faisaient mal. J'aurais voulu fuir cette douleur dans le sommeil. Mais je ne pouvais pas dormir. Parce qu'il était là et que j'étais hors de la caisse, que la moquette comprenait une demi-douzaine de teintes de brun différentes et que sa contemplation était l'expérience la plus excitante qu'il me serait donné de vivre. Mieux qu'un film, un jeu vidéo ou des textos : la sensation de la moquette crasseuse sous mes doigts. Un vrai parc d'attractions.

« Comment tu t'appelles ? a-t-il répété d'une voix autoritaire.

— Hein ? Molly ?

— Pas sur ce ton. C'est une réponse, pas une question. Allez, merde : Comment tu t'appelles ?

— Molly. » J'avais répondu avec plus de conviction, me prenant au jeu. Alors comme ça, il avait envie de m'appeler Molly.

Pourquoi pas ? Franchement, ce n'était pas ce qui m'était arrivé de pire.

« *OK. Et comment s'appelle ton père ?* »

J'ai hésité. Et l'espace d'un instant...

Un dimanche après-midi. Je porte ma plus belle robe. Je suis devant la tombe de mon père et je tiens la main de ma mère qui pleure en silence pendant que mon frère se tient, stoïque, de l'autre côté.

« Il vous aimait, mes chéris, disait ma mère, ses doigts serrés sur les miens. Il serait tellement fier... »

Et voilà que je ne pouvais plus dire son nom. Je pouvais le revoir gravé sur la stèle en granite noir, mais je ne pouvais pas y renoncer. Mon père n'était qu'un personnage de légende, un mythe que m'avait raconté ma mère. Mais il était à moi et il me restait si peu de choses.

Le type m'a redonné un coup, dans la nuque. J'ai murmuré : « *Edgar.* »

En réaction, il m'a redonné un coup, plus fort, dans l'oreille. « *Menteuse.*

— Je ne...

— Espèce d'abrutie. » *Il me menaçait de sa cigarette. J'en ai regardé le bout luisant avec inquiétude. Je savais combien ça faisait souffrir.* « *Le nom de ton père. Je ne plaisante pas !*

— Edgar, ai-je répété tout bas.

— Sale menteuse ! a-t-il rugi en se levant du canapé. Son nom, son nom, son nom, tu vas me le donner, connasse ?

— Molly, Molly, Molly », *ai-je essayé.*

Il m'a frappée des deux côtés de la tête pendant que j'étais recroquevillée, le visage enfoui dans la moquette. Je me suis dit, éperdue, à moitié folle, que je devrais arracher un petit paquet de ces fils marron. Les coincer entre mes doigts et tourner. Je pourrais les planquer derrière mes oreilles, les emporter avec moi dans la caisse. Oh, quelles belles heures de distraction j'aurais devant moi.

« Donne-moi son putain de nom ! gueulait toujours l'autre. Dernière chance, ma fille ! Ou alors je me casse et tu ne me revois plus jamais. Tu ne revois plus jamais personne, d'ailleurs. Tu as disparu, tu n'as pas encore pigé ? Tu n'es qu'une idiote ivre qui a disparu pendant les vacances de Pâques. Tu crois que quelqu'un sait où tu es ? Tu crois que quelqu'un en a quelque chose à foutre ? »

Ma mère, j'ai pensé. Mais je n'ai rien dit. J'ai gardé ma mère pour moi. Comme le nom de mon père, comme le visage de mon frère.

« Je te recolle dans cette caisse, menaçait-il à présent. Je referme le couvercle et ce sera fini. Tu crèveras là-dedans. Tu te décomposeras. Un truc de plus qui chlinguera dans cette pièce. Et personne n'en saura jamais rien. Ta famille ne te reverra jamais. On n'identifiera même pas ton corps. »

Je pleurais. Il m'a frappée plus fort. Mais ce n'étaient pas les coups qui me démolissaient. C'était l'idée qu'il m'enferme dans la caisse et s'en aille. L'idée de mourir toute seule dans un cercueil.

Comme mon père qui s'était décomposé sous terre.

Quand j'étais petite, je pensais que mon père pouvait tout voir. Comme le Père Noël, ou Dieu, j'imagine. Mon père n'était pas un vrai père, mais un fantôme omniscient, et je le cherchais dans les taches de soleil des sous-bois, dans la pénombre de la forêt profonde.

« Papa », je murmurais. Et toujours, toujours, toujours, je savais qu'il était là. Parce que, d'après ma mère, mon père avait toujours aimé la forêt.

Mais là où je ne pouvais pas le trouver, c'était dans le silence d'une caisse en forme de cercueil.

« *Ernesto* », *j'ai soufflé.*

Mais l'autre était maintenant trop occupé à me rouer de coups pour m'entendre.

Je me suis encore recroquevillée sur la moquette marronnasse. « *Edgar* », *j'ai lancé d'un seul coup.* « *Evan. Ernesto. Eli. Earl.* » *Je les inventais en rafale, désespérée. Un nouveau jeu pour passer le temps. Les prénoms qui commencent par E.*

Je répétais ces noms en boucle. Parce que la moquette était composée d'un nombre fini de fils et moi aussi. Je ne pouvais plus me permettre de renoncer à quoi que ce soit. Il restait de moi si peu de choses désormais, et le prénom de mon père en faisait partie. Une stèle de granite soigneusement polie, plantée dans le sol. Un petit souvenir, mais précieux.

Pour finir, il s'est épuisé. Il a arrêté de me battre et s'est laissé tomber par terre. Allongé à côté de moi, il était hors d'haleine après cette séance de sport. Nous sommes restés côte à côte en silence.

« *Sacrément dommage* », *a-t-il dit.*

Je n'ai rien répondu.

« *Je veux dire, vu que j'avais l'intention d'être gentil et tout. Faut voir, putain, j'allais t'emmener avec moi.* »

Je n'ai pas pu me retenir : j'ai réagi, j'ai fait un petit mouvement sur la moquette dégoûtante.

« *Une semaine dans un poids lourd. Ce n'est peut-être pas pour tout le monde. Bon, c'est sûr qu'il faudrait que j'emporte la caisse, vu que ce serait ta première sortie et tout. Mais quand même. Tu serais sur la route. Je pourrais peut-être te laisser sortir le soir. Tu vois, plutôt que d'être enfermée ici toute seule pendant sept jours. Peut-être même huit, neuf, dix jours. On ne sait jamais le temps que prend une livraison. Il faut bien aller au bout de la mission.*

– *Et l'eau ?* »

Je n'ai pas pu m'empêcher de poser la question. Sept jours de solitude étaient déjà une perspective assez terrifiante, mais dix jours sans eau ? Je n'avais jamais bien suivi mes cours de science, mais j'étais relativement certaine que personne ne pouvait survivre aussi longtemps.

« Raison de plus pour venir avec moi, a-t-il souligné. Raison de plus pour me donner ce prénom. »

J'ai finalement levé la tête. Je l'ai regardé. Son visage dur. Ses joues mal rasées, ses dents de travers, tachées par le tabac. Il était répugnant et ignoble. Il était puissant et divin, plus encore qu'un fantôme de père qui errait dans les sous-bois.

Et j'ai su, tout comme lui-même le savait certainement depuis le début, ce que j'allais dire.

« Everett. Everett Robert Dane. »

Il m'a souri.

« Alors, c'était si dur que ça ? »

Je n'ai rien répondu.

Il s'est relevé et s'est mis à fouiller dans le bazar de la table basse.

« Alors… on va écrire un petit mot, hein ? Si tu te sauves avec moi, tu devrais au moins prévenir ta mère, pas vrai ? »

13

Pour D.D., la matinée du dimanche commença par un coup de fil. Elle entrait dans son bureau (pas de repos pour les braves, ni pour une superviseuse de la criminelle à qui venait d'échoir une grosse affaire) et jonglait entre son café dans une main et sa besace en cuir dans l'autre. Elle arriva tout juste à poser son gobelet à temps pour décrocher.

« Commandant D.D. Warren.

– Est-ce que c'est vrai ? C'est cet homme qui a enlevé ma fille ? Vous savez ce qui lui est arrivé ? Pour l'amour de Dieu, pourquoi faut-il que nous apprenions tout cela par la presse ? Comment pouvez-vous être de tels monstres d'insensibilité ? »

D.D. prit son temps. Elle ne reconnaissait pas la voix, mais le degré d'anxiété lui laissait penser qu'elle était en communication avec le père de Stacey Summers. Étant donné la volée de bois vert que la police de Boston avait reçue dans les journaux de la veille (un individu qu'on soupçonnait d'avoir enlevé une étudiante avait été retrouvé sans vie et la police refusait de commenter les circonstances du décès), ça ne l'aurait pas étonnée. Mais par précaution :

« Monsieur ? À qui ai-je l'honneur ?

– Colin Summers. À votre avis ?

– Je suis navrée, mais je me dois de poser la question. Comme vous avez certainement appris à le savoir, les journalistes ne sont pas à un stratagème près pour obtenir des informations de première main. »

Soupir exaspéré au bout du fil : celui d'un homme qui s'efforçait de reprendre le contrôle de lui-même. D.D. profita de ce répit pour poser sa besace, tirer sa chaise et s'asseoir à son bureau.

« C'est vrai ? répéta finalement Colin Summers dans un souffle.

– À l'heure qu'il est, aucun élément ne permet d'établir un lien entre Devon Goulding et la disparition de votre fille.

– Épargnez-moi la langue de bois. C'est de ma fille qu'on parle. Dites-moi juste la vérité.

– Monsieur, je me suis personnellement rendue sur la scène de crime. Voilà plus de vingt-quatre heures que nous fouillons la maison des Goulding de fond en comble. Je vous dis la vérité : nous n'avons rien retrouvé qui permette d'établir un lien avec votre fille.

– Mais aux infos… ils disent que c'était un type costaud. Comme sur la vidéo…

– C'est vrai.

– Et qu'il était barman. C'est peut-être ça, le lien. La dernière fois qu'on a vu Stacey, c'était au Birches. Il y a peut-être travaillé.

– Nous avons vérifié : Devon Goulding n'a jamais été employé au Birches.

– Mais si Stacey l'avait rencontré dans le bar où il travaillait ? Peut-être qu'il l'a repérée. Et… qu'elle lui a tapé dans l'œil. Ça se passe parfois comme ça, non ? Un regard sur elle et elle est devenue sa cible. »

D.D. hésita. Les relations avec les familles plongées dans la douleur étaient ce qu'elle appréciait le moins dans son métier. Il était tentant de répondre à toutes leurs questions, d'apaiser, d'expliquer. Mais la vérité, c'était qu'elle se devait en priorité non pas à Colin Summers et son épouse, mais à Stacey. Or dans une enquête, il importait tout autant de savoir garder pour soi certains détails cruciaux que d'en découvrir de nouveaux. Elle ne pouvait pas prendre le risque de dire à M. Summers tout ce qu'ils savaient sur Devon Goulding. On avait trop souvent vu un père éploré partager de précieuses informations avec son épouse ou avec son meilleur ami, lesquels fatalement les avaient partagées avec une autre personne, puis une autre, si bien qu'avant que la police ait eu le temps de se retourner, tous les éléments du dossier qu'ils ne pouvaient pas se permettre de voir exposés au grand jour devenaient matière à reportage dans les journaux du soir.

En général, les proches d'une personne disparue vous diront qu'ils feraient n'importe quoi pour aider à la retrouver. Malheureusement, et pour leur propre bien, les enquêteurs ont surtout besoin qu'ils restent le plus possible sur la retenue.

D.D. demanda : « Est-ce que Stacey fréquentait le Tonic Bar ?

– Je ne sais pas. Elle ne buvait pas beaucoup et ce n'était pas une fêtarde. Cela dit... elle était sociable, concéda-t-il. Pour peu que ses amis aient voulu y aller, elle aura suivi. »

D.D. hocha la tête. Cela concordait avec ce qu'ils avaient établi à ce stade. Au cours de l'après-midi de la veille, Phil s'était rendu sur le lieu de travail de Devon Goulding, le Tonic, avec une photo de Stacey Summers. Plusieurs barmen avaient reconnu la fille dont parlaient les médias, mais aucun ne se rappelait l'avoir vue dans l'établissement. Bien sûr, on ne pouvait pas exclure pour autant que Devon Goulding ait croisé son chemin là-bas ou dans un autre endroit. Boston n'était pas à court de lieux de rendez-vous pour les étudiants. On n'avait que l'embarras du choix.

Par ailleurs, comme le montrait l'enlèvement de Flora Dane, on ne pouvait pas dire que Goulding ne trouvait pas les blondes à son goût.

« Vous connaissez Florence Dane ? » demanda-t-elle sans préambule.

Un silence à l'autre bout de la ligne. Qui se prolongea indéniablement quelques secondes de trop.

« Pourquoi cette question ? finit par répondre Colin Summers.

— Est-ce qu'elle est venue chez vous ? Vous l'avez rencontrée ?

— Nous avons rencontré sa mère.

— Pardon ?

— Quand votre enfant disparaît... il existe un programme, dirigé par le Centre national pour les enfants disparus et exploités : un autre parent qui a aussi traversé cette épreuve vous appelle pour vous proposer son soutien. Rosa Dane a été choisie pour être notre mentor. Elle a appelé dès le premier jour et elle est restée au téléphone avec ma femme en pleurs.

— L'avez-vous personnellement rencontrée ?

— Elle est venue chez nous à plusieurs reprises. Elle nous a beaucoup apporté, commandant. Après ce qu'elle a vécu... elle comprend. Elle écoute et elle aide. On ne peut pas en dire autant de vous et de vos collègues. »

D.D. grimaça en entendant l'amertume de son interlocuteur, se rappela qu'il ne fallait pas le prendre personnellement. Les Summers voulaient des réponses. Ils voulaient qu'on leur rende leur fille. Or, tout ce que les enquêteurs avaient eu pour eux jusqu'à présent, c'était au mieux de nouvelles questions et au pire de nouveaux soupçons.

« Et sa fille, Florence ? insista D.D.

– Je connais bien son affaire, dit Colin Summers, répondant à côté de la question.

– Elle a accompagné sa mère pendant l'une de ses visites ? suggéra D.D.

– Non.

– Elle vous a contactés par téléphone, par e-mail, via Facebook ? Vous la connaissez, n'est-ce pas, monsieur Summers ? Vous avez personnellement discuté du cas de votre fille avec elle.

– Non. »

Mais D.D. ne le croyait plus. Il y avait anguille sous roche. Une information qu'il n'était pas encore prêt à révéler. Et là...

« C'est elle qui l'a tué ? demanda-t-il.

– Qui ça ?

– Flora. Est-ce qu'elle a tué le barman, le ravisseur présumé ? Est-ce que c'est pour ça que vous me posez toutes ces questions ? »

D.D. ne répondit pas. Jusque-là, ils avaient réussi à éviter que le nom de Florence Dane apparaisse dans les médias. Essentiellement en n'engageant aucune poursuite contre elle afin que les journalistes trop zélés n'aient rien à découvrir.

« Qu'est-ce qui vous fait penser ça, monsieur Summers ?

– Les enquêteurs ont leurs sources, les familles des victimes ont les leurs. Et vu l'empressement que vous mettez à nous communiquer les informations...

– Nous sommes tous dans le même camp, monsieur Summers. Nous faisons tous le maximum pour vous ramener votre fille.

– Alors pourquoi n'est-elle pas à la maison ? »

Un déclic dans l'oreille de D.D. : Colin Summers venait de raccrocher, en s'arrangeant pour avoir le dernier mot. D.D. resta un instant le combiné à la main, sonnée par la colère de son interlocuteur. C'était vrai, quoi : pourquoi n'avaient-ils pas retrouvé Stacey au bout de trois mois ?

Et que savait Flora Dane sur l'enlèvement de cette étudiante qu'eux-mêmes semblaient ignorer ?

Huit heures trente. D.D. avait des montagnes de rapports à décortiquer et avaliser, ceux des enquêteurs de nuit étant venus s'ajouter à la pile. Les joies du travail d'encadrement, la rançon de sa restriction d'aptitude. À l'époque où elle était enquêtrice de terrain, la nécessité de rendre compte de ses actions dans les moindres détails la faisait toujours râler. Et pourtant ces rapports étaient importants. Ils formaient la base d'un dossier d'accusation susceptible d'être porté devant les tribunaux, et quel était l'intérêt de démasquer des criminels et de les arrêter si on ne pouvait pas ensuite mettre ces salopards à l'ombre ?

Le travail administratif était important. Rester assise derrière ce bureau était important.

Mais poser les bonnes questions aussi.

Qu'avait dit le docteur Keynes, la veille ? Que Flora préférait qu'on soit franc et direct avec elle.

D.D. se leva, reprit sa besace, attrapa son gobelet et ressortit de son bureau.

L'adresse du domicile de Florence Dane se révéla être un bâtiment de trois étages sans ascenseur, dans une rue où s'alignaient de vieux immeubles mitoyens un peu défraîchis. À cette heure-là, un dimanche matin, l'immeuble et la rue étaient calmes. D.D. franchit la porte extérieure, qui n'était pas fermée à clé, et se retrouva dans un vestibule classique, avec une demi-douzaine de boîtes aux lettres. Certaines portaient des étiquettes avec les noms des locataires ; ce n'était pas le cas de celle de Flora, où ne figuraient que ses initiales, F. D. Encore une mesure de précaution de la part d'une femme qui ne prenait pas sa sécurité à la légère.

La porte intérieure du vestibule était sécurisée, mais, comme il arrive souvent dans les lieux de passage, elle n'avait pas été correctement tirée. Flora n'aurait certainement pas été contente de voir que D.D. n'avait qu'à donner une petite poussée pour entrer.

Elle aurait pu sonner à l'interphone. Ç'aurait été plus poli, mais moins drôle. Non, D.D. vit les escaliers droit devant elle et décida d'autorité de monter. Évidemment, elle ne s'attendait pas à avoir le souffle si court au bout de deux étages (il fallait peut-être songer à réduire les séances de kiné pour les remplacer par des exercices d'endurance), ni à trouver la porte de Florence entrouverte.

Elle hésita et sentit les poils de sa nuque se hérisser. À première vue, il n'y avait pas de quoi s'alarmer. La porte avait l'air en parfait état, pas de traces d'effraction sur les serrures, les montants étaient intacts. Et pourtant…

Elle frappa avec énergie à la porte. Celle-ci s'ouvrit en grand.

« Flora Dane ? Commandant D.D. Warren. »

Pas de réponse.

D.D. fit un premier pas et leva instinctivement la main à sa hanche avant de se rappeler qu'elle n'avait toujours pas l'autorisation de porter une arme.

« Flora ? Vous êtes là ? Florence Dane ? »

Rien. Ni bruit de pas, ni bruit de douche, ni grincement de porte. D.D. fit encore un pas, trouva la cuisine droit devant elle, le petit séjour à gauche et une autre porte qui laissait entrevoir une chambre.

Les lampes étaient éteintes. Certes, la lumière entrait largement par les grands bow-windows, mais comme le ciel était plombé, les recoins de l'appartement étaient encore plongés dans la pénombre, ce qui donnait aux lieux un air d'abandon. Mais surtout, on *sentait* que l'appartement était vide. Pour une raison ou une autre, la porte avait été laissée ouverte et Florence n'était plus là.

Cela n'avait strictement aucun sens. Une femme qui s'était fait une spécialité d'étudier le comportement criminel et qui aurait laissé son appartement ouvert à tous vents en plein Boston ? Impossible. Il se tramait quelque chose. Mais quoi ?

Lentement, en restant dos au mur, D.D. fit le tour de l'appartement. Mais il n'y avait pas grand-chose à voir, en fin de compte. La cuisine était impeccable, le modeste séjour parfaitement en ordre. Du bout du pied, elle repoussa la porte de la salle de bains et examina le lavabo sur colonne, les toilettes, la cabine de douche. Rien.

Enfin, l'unique chambre. Là encore, elle poussa la porte du bout du pied en prenant soin de ne rien toucher et découvrit un lit double dont la couette était repoussée et dans lequel on avait manifestement dormi. À son chevet, une seule table de nuit avec une lampe et un iPhone en train de se charger. Cette vision arrêta D.D. : qui de nos jours sort de chez lui, même pour une brève course, sans prendre son téléphone ?

Puis D.D. vit un vieux bureau bancal sur lequel trônait un portable Mac dernier cri. Enfin, elle se laissa aller à regarder ce qui constituait le clou du spectacle : les dizaines de coupures de presse et de photographies qui tapissaient les quatre murs de la chambre. Il ne lui fallut guère de temps pour trouver le thème commun : des affaires de disparition. Toutes jusqu'à la dernière. Trente, quarante, cinquante personnes, hommes et femmes, qui étaient sorties de chez elles un beau jour et qu'on n'avait plus jamais revues. Y compris Stacey Summers, dont le *Boston Globe* annonçait le kidnapping dans un article exposé à la place d'honneur, juste au-dessus du lit de Flora.

Aucun doute, elle avait suivi l'affaire. Et maintenant ?

D.D. fit un tour complet sur elle-même pour prendre la mesure de l'obsession qui hantait Flora. Et elle fut soudain saisie d'un très mauvais pressentiment.

14

Quand j'étais petite, j'avais du mal à m'endormir. Je passais mes journées à vagabonder dans les champs de la ferme familiale et dans les sombres forêts du Maine. Et pourtant, quel que soit le nombre de fois où ma mère m'envoyait « me dépenser » dehors, une fois dans mon lit à la nuit tombée, j'avais des fourmis dans les jambes et le cerveau en ébullition.

Ma mère avait mis au point un rituel d'endormissement très étudié pour m'aider à me détendre. D'abord, elle posait ses deux mains sur ma tête et me caressait doucement les cheveux : « Ça, c'est la tête de Flora. »

Ensuite elle faisait glisser ses doigts pour suivre le dessin de mes sourcils, la courbe de mes oreilles, la ligne de ma mâchoire. « Les yeux de Flora, ses joues, ses oreilles, son visage. Le visage de Flora. »

Puis elle pressait mes deux épaules, pas trop fort, mais fermement. « Ça, ce sont les épaules de Flora. »

Nouvelles pressions, sur mes deux coudes, mes poignets, les cinq doigts de chaque main. Technique de compression, ai-je appris par la suite. Ma mère mettait en pratique une méthode qu'on utilise souvent avec les enfants hyperactifs. Au fond, c'est comme de serrer quelqu'un très fort dans ses

bras, mais articulation par articulation. Elle me pressait les
côtes, les hanches, et finissait par mes genoux, mes chevilles,
mes pieds.

« Les jambes de Flora, ses genoux, ses chevilles. Les pieds
de Flora. Et maintenant, c'est l'heure que tout Flora fasse
UN GROS DODO. »

Quand j'étais petite, la conclusion me faisait pouffer de
rire. Et naturellement je suppliais ma mère de recommencer
depuis le début. Parfois elle le faisait, mais la plupart du
temps, je n'avais droit qu'à un bisou sur la joue, ou bien
elle m'ébouriffait affectueusement les cheveux. Ensuite elle se
sauvait, en mère isolée qui avait une multitude de soucis et
de corvées à terminer.

Quand j'ai eu dix, onze, douze ans, le rituel est mort de
sa belle mort. Encore une étape de l'enfance que je laissais
derrière moi. Quelquefois, lorsque j'étais malade ou que j'avais
le cafard, ma mère revenait. Avec une version plus rapide,
abrégée, mais tout aussi réconfortante.

Quand je suis entrée au lycée, ma mère a dit en plaisan-
tant que c'était maintenant à moi de la mettre au lit. De
fait, comme elle commençait régulièrement sa journée à cinq
heures du matin, elle ne faisait pas de vieux os après neuf
ou dix heures du soir. De temps à autre, si j'étais d'humeur
espiègle ou que simplement elle me manquait, j'allais dans
sa chambre et j'en faisais tout un numéro. Ça, ce sont les
cheveux de maman, ça ce sont ses yeux. Mince, mais qu'est-ce
qui est arrivé au visage de maman ?

Quand mon frère était à la maison, il pouvait même se
joindre à nous. La vache, c'est vraiment la main de maman,
ce truc ?

Nous ne tardions pas à nous écrouler les uns sur les autres,
pris d'une crise de fou rire, et ma mère, tout en dessous,

secouait la tête. Des moments en famille. De ceux dont on sait au fond de soi qu'ils sont précieux, mais qu'on ne peut tout de même pas s'empêcher de considérer comme allant de soi.

Quand on m'a retrouvée, ma mère est venue à l'hôpital d'Atlanta. Le premier soir, elle m'a caressé les cheveux. Elle a suivi la courbe de mon front. L'arrondi de mon oreille. « Ça, c'est le visage de Flora », a-t-elle murmuré.

Je ne l'ai pas regardée. J'ai continué à fixer le plafond. Je n'ai pas eu le cœur de lui dire que ses mains étaient rêches comme du papier de verre sur ma peau. Et que, loin d'être apaisée par son geste, je souhaitais à toute force, de toutes les fibres de mon être, qu'elle arrête.

Et pourtant, dans les semaines et les mois qui ont suivi, pendant les très mauvaises nuits où je ne cessais de me réveiller en hurlant, alors que mon frère hésitait d'un air gêné sur le pas de la porte, ma mère reprenait sa place au bord de mon lit. Une fois de plus, elle dessinait mes pommettes, pressait mes épaules, mes coudes, mes poignets, les cinq doigts de chaque main.

Lentement mais sûrement, cet ange de patience m'aidait à retrouver le sommeil.

En ce moment même, je dors.

Mais c'est mal, je ne devrais pas.

Il faut que je me réveille. J'éprouve une sensation de danger immédiat, d'effroi. Un mauvais rêve. Je suis en train de faire un mauvais rêve et il faut que je me réveille tout de suite. Que je crie, que je hurle, que je me débatte. Alors mes yeux s'ouvriront. Je me retrouverai dans mon lit. Ma mère sera à côté de moi, elle me caressera les tempes, même si je tressaille. Je bouge. Je ne devrais pas bouger.

Réveille-toi, Flora. Réveille-toi !

J'essaie. Je demande de toutes mes forces à mes paupières de s'ouvrir. J'ordonne à mes jambes d'entrer en action.

Rien ne se passe. Je ne peux pas bouger, je ne vois rien. Je ne peux pas retrouver mon chemin vers la sécurité de mon appartement fermé à double tour ni de mon lit de petite fille.

Une vapeur, froide sur ma joue. Instinctivement, je prends une inspiration, fronce le nez en sentant l'odeur.

Et à ce moment-là...

Je plonge à toute vitesse dans les ténèbres. Je perds ma mère de vue, et même si ses doigts sont rêches comme du papier de verre, même si c'est toujours moi qui la repousse, je voudrais pouvoir la rappeler.

Il faut que je lui dise quelque chose.

Que je lui demande pardon.

Réveille-toi, Flora. Réveille-toi !

Mais je ne peux pas.

Je bouge.

Je ne devrais pas bouger.

Je vais avoir des problèmes.

15

Le portable de Flora était protégé par un mot de passe (rien de surprenant), et D.D. utilisa donc le sien pour passer son coup de fil. L'antenne du FBI à Boston. Où elle demanda à parler à un certain docteur Samuel Keynes. Il fallut encore trois minutes pour que la standardiste la prenne suffisamment au sérieux pour chercher à contacter un agent fédéral un dimanche. Encore une minute pour que Keynes la rappelle. Mais la suite ne prit qu'une poignée de secondes : oui, il avait déposé Flora chez elle la veille ; et non, jamais elle n'aurait laissé son appartement ouvert à tous vents. Il arrivait.

D.D. n'était pas du tout étonnée. Elle ne savait pas grand-chose des victimologues et des relations qu'ils entretenaient avec leurs protégés, mais elle avait déjà remarqué que Keynes et Flora étaient inhabituellement proches.

D.D. finissait une inspection visuelle des abords de l'appartement et de l'escalier de secours lorsque Keynes se gara en bas de l'immeuble.

Il portait le même manteau en cachemire que la veille. Jamais elle ne saurait comment il avait pu le faire nettoyer à sec en ce temps record, mais on n'y décelait pas le moindre parfum de barbecue humain ni de déchets rances. Peut-être lui avait-il suffi de le vouloir pour chasser l'odeur. Alors qu'il s'approchait de l'immeuble, les épaules carrées, le regard droit, il dégageait cette impression de pouvoir dominer le monde par son seul charisme.

Il avait aussi la mine des mauvais jours.

« Quand êtes-vous arrivée ? demanda-t-il.

– Il y a une demi-heure. Quand vous avez déposé Flora hier, vous êtes entré ?

– Non. Sa mère était déjà là. J'avais vu sa voiture garée dans la rue. Flora est montée la retrouver.

– Est-ce qu'elle vous a contacté depuis ? Par téléphone, texto, message Facebook ? »

Il secoua la tête. « Des traces d'effraction ? demanda-t-il en se dirigeant vers les escaliers pour gagner le deuxième étage.

– Négatif. Rien non plus sur l'escalier de secours, mais regardez-moi ça : cette porte aussi était ouverte. Le pêne sorti. Même chose pour les fenêtres : elles ont l'air fermées, mais aucune n'est verrouillée.

– Ça ressemble à un message, s'inquiéta-t-il.

– C'est aussi mon avis. Mais de la part de Flora ou à son sujet ? »

Arrivé sur le palier, Keynes entra sans hésiter dans l'appartement, qui lui était manifestement familier. Un seul coup d'œil et il affirma : « On voit que sa mère est passée par là.

– Qu'est-ce qui vous fait dire ça ?

– Quand elle est stressée, Rosa fait le ménage. La cuisine… on reconnaît sa patte.

– Et Florence ?

– Moins à cheval sur le rangement, une certaine propension au désordre.

– Donc, vous l'avez déposée hier. Elle est montée retrouver sa mère. Et ensuite ? »

Keynes sortit son téléphone de son manteau et composa un numéro tout en faisant les cent pas dans la pièce baignée d'une lumière grisâtre.

« Rosa. Docteur Keynes. Comment allez-vous ? Bien, merci. Vous avez passé un peu de temps avec Flora hier, n'est-ce pas ? J'ai cru voir votre voiture dans la rue. Tout à fait. Je comprends. Je sais. On dirait que ça empire, c'est vrai. Oui, Dieu merci, elle allait bien. Rosa, nous avons déjà parlé de cette idée qu'elle revienne vivre à la ferme. Vous savez que je ne peux pas intervenir, et de toute façon ça ne la ferait pas changer d'avis. Est-ce que vous lui avez reparlé hier soir ? Avant d'aller vous coucher, par exemple ? Ah, vous avez appelé, mais elle n'a pas répondu. Je vois. Je vais essayer de faire le point avec elle aujourd'hui. Je vous en prie. Tout le plaisir était pour moi. Au revoir. »

Keynes rempocha son téléphone, toujours aussi soucieux. « La mère de Flora est partie peu après treize heures. Et elle n'a pas eu de nouvelles de sa fille depuis.

– C'est inhabituel ?

– Pas forcément. Mais l'appartement mal fermé, oui. » Il entra dans la chambre, jeta un coup d'œil aux murs tapissés d'articles, mais ne sembla pas surpris par la déco. Il se dirigea vers le téléphone portable de Flora.

« Mot de passe, observa-t-il. Pas moyen d'ouvrir sa messagerie pour l'instant. Il est possible qu'elle soit sortie retrouver quelqu'un.

– En laissant la porte ouverte derrière elle ?

– Aucun signe d'effraction, pas de trace de lutte. Entraînée comme elle l'est, Flora aurait résisté, si on avait voulu l'enlever.

– À moins qu'elle n'ait été surprise. Peut-être dans son sommeil, dit D.D. en montrant le lit, la seule chose qui semblait dérangée dans tout l'appartement.

– Mais comment l'agresseur serait-il entré ? Flora vérifie toujours les verrous avant d'aller se coucher. »

D.D. soupira. C'était aussi la pièce du puzzle sur laquelle elle ne cessait de buter. Elle ne connaissait Florence Dane que depuis la veille, mais elle en avait vu suffisamment pour être persuadée qu'elle était avertie sur ce chapitre.

« Interrogeons les propriétaires, suggéra Keynes. Ils savent peut-être quelque chose. »

Ces derniers se révélèrent être un couple de personnes âgées, Mary et James Reichter, qui possédaient la résidence depuis cinquante-deux ans et vivaient dans l'appartement du rez-de-chaussée. Ils reconnurent Keynes, qu'ils avaient déjà vu lors de précédentes visites, et accueillirent D.D. avec des sourires jusqu'aux oreilles qui lui firent presque regretter d'être arrivée les mains vides.

Keynes et elle refusèrent poliment le café qu'on leur proposait, mais furent tout de même conduits dans le salon, où la causeuse d'époque et les boiseries en chêne d'origine firent baver D.D. d'envie.

Elle s'assit timidement au bord du fragile canapé et laissa Keynes mener la conversation puisqu'il semblait connaître le couple.

Il fallut quelques questions posées d'une voix forte, sinon carrément hurlées, pour établir que les Reichter avaient vu Flora rentrer la veille, vers le milieu de la matinée. Sa mère était déjà là et elle était repassée après le déjeuner pour leur donner des muffins aux myrtilles. D'excellents muffins, excellents. Rosa était une pâtissière hors pair.

Ah oui, Flora. Non, ils ne se rappelaient pas l'avoir revue. Mais ils regardaient leurs émissions au fond de l'appartement, donc il était possible qu'elle soit ressortie. Pourquoi ? Est-ce qu'il y avait un problème ? Quelque chose qu'ils devraient savoir ?

Keynes procédait avec précaution, traitait le couple avec tact, observa D.D. Plus amical qu'officiel, et en même temps juste assez sur la réserve pour qu'ils aient à cœur de répondre à ses questions.

Auraient-ils vu quelqu'un d'autre entrer dans l'immeuble hier ? Un inconnu, par exemple, quelqu'un qu'ils n'auraient pas reconnu ?

Non.

Et entendu du bruit, de l'agitation ? Du tapage nocturne ?

Non. Et ce genre de chose les aurait réveillés. Ils avaient le sommeil plutôt léger ces temps-ci.

Auraient-ils vu Flora avec de nouveaux amis dernièrement, de nouvelles fréquentations ? Quelqu'un avait-il posé des questions sur son appartement ?

Voyons, à part l'inspecteur des bâtiments...

D.D. et Keynes tendirent l'oreille, se regardèrent.

« L'inspecteur des bâtiments ? reprit D.D.

— Avant-hier. Ou peut-être le jour d'avant. Je m'y perds un peu, dit James en regardant sa femme.

— Mardi, indiqua celle-ci. L'inspecteur est venu mardi. Il a dit que nous aurions dû être contrôlés depuis belle lurette. Les appartements loués par des particuliers doivent être inspectés par la ville tous les cinq ans, vous savez. Eh bien, ça faisait des lustres que personne n'était venu ici. C'est vrai qu'on ne voit pas le temps passer, j'imagine !

— Vous lui avez montré tout l'immeuble ? Tous les appartements ? demanda Keynes.

— James lui a montré les extérieurs, l'escalier de secours. Mais l'intérieur des appartements, monter les escaliers, à notre âge... » Mary sourit d'un air contrit. « Nous lui avons confié les clés des appartements. En lui demandant de bien vouloir frapper aux portes pour avertir les locataires. Ça ne lui a pas pris bien longtemps. Il a fait ce qu'il avait à faire et il est redescendu nous dire que tout avait l'air en ordre. Que nous recevrions rapidement notre certificat de conformité mis à jour.

– Attendez, intervint D.D. Vous avez les clés de tous les appartements ? Même celui de Flora Dane ? »

James parut insulté par le ton qu'elle avait pris. « Évidemment. Nous sommes encore chez nous. Nous avons le droit d'accéder à nos propres appartements. Sans compter qu'il y a la question de l'entretien et, à Dieu ne plaise, le risque d'incendie, par exemple. Nos locataires sont des gens très occupés. C'est plus simple que nous puissions entrer faire le nécessaire quand il doit être fait. Nous n'avons jamais eu de plaintes ni de problèmes, même de la part de Flora. Naturellement, nous respectons son intimité. Nous comprenons. »

L'accent qu'il avait mis sur ce dernier mot était suffisamment éloquent : ils connaissaient le passé de Flora et savaient pourquoi elle avait particulièrement besoin de se sentir en sécurité.

« Est-ce que Flora était chez elle, le jour de l'inspection ? demanda D.D.

– Je ne sais pas, ma belle, répondit Mary.

– Vous lui avez parlé de l'inspection ? Vous l'en avez informée quand vous l'avez revue ?

– Non, je ne crois pas que nous l'ayons croisée depuis que c'est arrivé.

– À quoi ressemblait l'inspecteur ? demanda Keynes.

– Oh, un beau jeune homme. Une tenue un peu trop décontractée à mon goût – un pantalon beige, une chemise bleue –, mais plus personne ne porte de costume. Il avait une carte professionnelle. Je ne suis pas naïve, vous savez. J'ai demandé à la voir.

– Et il faisait quelle taille ? demanda D.D. avec plus de douceur. Il était grand ? Petit ? Jeune, vieux ?

– Oh, il avait un air très officiel. Rasé de près. Des cheveux bruns, courts. Et grand. Musclé. Comme un pompier. Un jeune homme très capable, il m'a semblé », conclut Mary avec un grand sourire.

Un homme grand. Musclé. Qui avait reçu les clés de l'appartement de Flora des mains mêmes de ses propriétaires bien intentionnés. D.D. regarda Keynes. Et lut sur son visage qu'il était arrivé à la même conclusion : les meilleures serrures du monde ne peuvent rien contre un intrus qui a les clés. Flora se faisait une fierté de parer à toute éventualité. Et pourtant, si leurs soupçons étaient fondés, son agresseur avait une longueur d'avance.

Keynes se leva et leur tendit la main pour prendre congé.

Dans le hall d'entrée, il ne fallut que quelques minutes à D.D. armée de son téléphone pour confirmer ce que Keynes et elle savaient déjà : les services d'inspection de la ville n'avaient envoyé personne dans cet immeuble ces derniers jours et rien n'était d'ailleurs prévu dans un proche avenir. Cette fable n'avait été qu'un subterfuge, une ruse très efficace pour se procurer les clés de Flora et en faire un double.

« J'appelle les techniciens de scène de crime », conclut tranquillement D.D.

Ils remontèrent dans l'appartement et attendirent en silence.

16

Je suis réveillée.

Je relève brusquement la tête, mes yeux s'ouvrent d'un seul coup, mais je suis aussitôt désorientée par le fait que je ne vois rien. Je suis dans le noir. Un noir profond et impénétrable. Un sentiment d'urgence m'envahit. Fuir ou se battre. Il faut que je me batte, mais...

Je n'y vois rien. Rien du tout. En haut, en bas, à gauche, à droite, je n'ai aucun repère. Je me sors les yeux de la tête, comme si ça pouvait changer quelque chose.

Et j'analyse la situation.

Je me trouve dans une chambre. Je suis étendue de tout mon long sur un matelas sans drap et je porte une sorte de nuisette soyeuse. J'ai les bras nus et les deux poignets pris dans des anneaux métalliques froids. Des menottes. On m'a menottée, les mains devant moi, sur le ventre. Et ces menottes semblent attachées à une sorte de longe, peut-être une corde, peut-être une chaîne. Mais il me suffit de tirer légèrement pour sentir une résistance. Je ne suis pas seulement ligotée ; je suis attachée au plafond ou à un point en hauteur sur le mur.

Quant à l'obscurité... Je cligne des yeux. Rien. J'essaie encore. Toujours rien. J'ai les yeux ouverts. Pas de bandeau.

C'est la pièce elle-même. Aveugle et très probablement peinte en noir goudron pour qu'aucun rai de lumière ambiante ne puisse percer les ténèbres.

Je me demande si je suis sous terre et, bien malgré moi, mon pouls s'accélère, ma respiration devient saccadée. Pas sous terre. Pas ensevelie, pitié, pitié, pitié.

Un instant, d'autres images me reviennent. Des scènes du passé, dans une autre vie, un autre cauchemar. Je voudrais hurler, crier, implorer. Frapper du poing les parois en bois, marteler le socle de mes talons comme une forcenée.

Allongée sur ce matelas où je suis prise de tremblements, je me mords la lèvre et je me raccroche à la douleur pour reprendre pied. Personne ne va paniquer. Personne ne va supplier. Mets-toi ça dans le crâne.

Il me faut quelques respirations profondes. Le goût du sang sur ma langue. Mais petit à petit je sens mon cœur s'assagir dans ma poitrine. Ensuite je ferme les yeux parce que, logique ou non, ça m'aide à supporter l'obscurité.

Lentement, mon dernier souvenir me revient : je me réveille dans ma chambre, une silhouette menaçante sur le pas de la porte, puis une vapeur dans l'air.

Du chloroforme, j'imagine. Ou un autre narcotique en aérosol. On m'a droguée et ensuite…

Une impression de mouvement. Je voulais me réveiller, mais je n'y arrivais pas.

On m'a amenée ici. Dieu sait où.

Aussitôt, je suis consternée. Pas pour moi. Mais je revois le visage de ma mère. Cette mère qui m'a fait des muffins, qui m'a serrée fort dans ses bras en me suppliant de mieux prendre soin de moi. Elle m'aime tellement. Et voilà que j'ai disparu et que je lui ai encore une fois brisé le cœur.

Parce que je suis déjà relativement certaine que la personne qui a forcé trois serrures pour s'introduire dans mon appartement (et qui, accessoirement, a préparé cette chambre et l'a équipée de menottes au bout d'une chaîne) n'est pas le premier lourdaud venu. Je n'ai plus en face de moi le loser arrogant que j'ai cramé dans son garage, ni les numéros amateurs qui l'avaient précédé. Là, c'est... autre chose. C'est pire.

Un adversaire redoutable.

Et je regrette un instant de ne pas avoir eu le courage de dire à Samuel tout ce qui s'était passé il y a cinq ans. Mais il y a des secrets que toutes les anciennes victimes gardent pour elles. Je suis sans doute sur le point de payer le mien.

Tout comme Stacey Summers a payé.

Je m'endors. Je ne voudrais pas, mais c'est irrépressible. Les derniers effets du sédatif, peut-être même une habitude prise il y a des années, quand je n'avais rien de mieux à faire pendant des heures, des jours, des semaines. Se battre ou fuir, d'accord, mais ficelée comme je le suis sur un matelas, je ne peux faire ni l'un ni l'autre. Alors le sommeil devient une manière de fuite, un répit momentané pour mon système limbique surmené. Toute cette adrénaline, ce stress, cette peur, et nulle part où aller, rien d'autre à faire que d'attendre.

Attendre, attendre, attendre.

En souhaitant que mes yeux s'habituent à l'obscurité. Que ces ténèbres uniformément noires deviennent moins absolues. Au bout d'un moment, je renonce à essayer de voir et je me concentre sur le sens du toucher. Timidement, je fais courir mes doigts sur le matelas. J'en détermine la taille : un matelas simple de largeur classique. Je sens les ourlets le long des bords, je prends conscience d'une légère odeur de moisi. Il est mince sous moi. Sans doute une vieillerie en sale état.

Peut-être même qu'on s'en était débarrassé à un coin de rue et que mon hôte l'a ramassé précisément dans ce but.

Il n'est pas particulièrement confortable, ni moelleux ou rassurant. Mais son existence me plaît. C'est une source de fils et de rembourrage, peut-être même de ressorts métalliques. C'est un outil et j'en ferai bon usage.

Ensuite, je tâte le vêtement qui me couvre désormais. Je m'étais couchée en vieux tee-shirt et caleçon d'homme à carreaux et voilà que je porte un court déshabillé en satin. Avec de la dentelle à l'encolure et à la base.

Il m'a changée. Pendant que j'étais inconsciente, il m'a retiré ma tenue de nuit confortable pour la remplacer par cette version plus féminine (plus sexy ?). Je pourrais me sentir insultée et bafouée par ce geste, mais j'en reste surtout perplexe.

La plupart des sadiques sexuels laissent leurs victimes nues – facilité d'accès, surcroît d'humiliation, comme vous voudrez. Ou alors ils affublent leur malheureuse proie de divers accoutrements ou gadgets sadomaso qui satisfont leurs fantasmes. Mais ça, une nuisette en satin, ça témoigne d'autre chose. C'est le genre de petites attentions dont je devine déjà qu'elles ne vont pas me plaire.

Jacob m'offrait rarement de jolies chemises de nuit ou quoi que ce soit d'autre que des vêtements pratiques. J'étais sa chose : qui irait se mettre en frais pour sa table basse ?

Cet homme, ce nouveau prédateur, est un monstre. Je répète ce mot dans ma tête. J'essaie d'en éprouver toute la force. Un monstre, un mutant, une aberration. En deçà de l'humanité. Rien qui vaille la peine de s'inquiéter.

Mais je me mens à moi-même. Parce que je sens déjà les menottes métalliques me mordre la peau. Et lorsque je tire sur mes poignets pour détendre mes bras, je suis terriblement consciente du bruit de la chaîne qui se déroule au-dessus de moi.

Ça suffit. Je m'assois. Je sors les jambes du matelas et pose les pieds par terre. Je me rappelle que c'est déjà là plus de liberté de mouvement que je n'en avais avec Jacob. La vache, toute une pièce rien qu'à moi. J'en aurais presque le vertige.

La nuit est tout de même infinie, oppressante. Je fais timidement un premier pas. Un deuxième, trois, quatre. La pièce est plus grande que je ne m'y attendais, je n'ai pas encore atteint le mur. Puis mon pied rencontre un objet. Un récipient en plastique qui se renverse à grand bruit.

Je me baisse pour le tâter du bout des doigts, mais je sais déjà ce que j'ai trouvé : un seau. Les latrines préférées des kidnappeurs et des sadiques du monde entier. Bien sûr.

Derrière le seau, je découvre un mur. En Placo, ce qui me surprend. Pour une raison ou une autre, je m'attendais à des parpaings ou peut-être à du méchant lambris. Mais non, le mur est lisse et nu. Du Placo, comme dans une vraie pièce dans une vraie maison. Ça expliquerait aussi la fine moquette sous mes pieds.

Mais si je suis réellement dans une maison...

Je m'arrête pour tendre l'oreille. J'essaie de percevoir des bruits de circulation dans la rue ou peut-être des pas qui résonneraient au loin au-dessus de moi. Au début, rien. Isolation phonique, pour faire la paire avec la couche de peinture noire. Mais ensuite, légère et régulière, je l'entends.

Une respiration. Inspiration, expiration. Inspiration, expiration.

Il y a quelqu'un d'autre dans cette pièce. Je ne suis pas seule.

J'ai un mouvement de recul, c'est plus fort que moi. Puis, par réflexe, j'attrape le seau en plastique et je le serre sur ma poitrine. Pour m'en faire quoi ? Une arme ou un bouclier ?

Je ne réfléchis plus. Je voudrais bien, mais malgré mon expérience, mon entraînement et mes fanfaronnades, mon pouls s'est de nouveau emballé et je tremble sur mes jambes.

Tandis qu'à l'autre bout de la pièce, à, disons, deux ou trois mètres de moi...

On respire.

Inspiration, expiration.

Il est là. À m'observer. Il attend que je panique, que je perde les pédales, que j'implore sa pitié ? Ou bien il profite juste du spectacle ?

D'un seul coup, ça me fout en rogne. Peu importe ce qu'il fait ou ce qu'il croit pouvoir me faire. Comparé à Jacob Ness, Monsieur Nuisette-en-soie, Monsieur Respiration-obscène n'est qu'un faire-valoir. Un phénomène de foire.

Ce n'est pas parce qu'il est entré dans mon appartement fermé à triple tour, qu'il m'a droguée et emmenée par un numéro de prestidigitation dans un donjon noir comme l'enfer... Je refuse d'avoir peur de lui.

Alors je repense à mon premier rendez-vous avec Samuel, le lendemain de ma sortie d'hôpital :

« Vous vous souvenez de ce que vous avez fait pour survivre, Flora ? Toutes vos rébellions, vos actes de soumission, vos mensonges, vos compromissions ? »

Je hoche lentement la tête.

« Très bien. Ne les oubliez pas. Mais n'ayez pas de regrets. Acceptez. Ce n'est peut-être pas l'impression que vous avez en ce moment, mais vous êtes forte, Flora. Vous avez survécu. *Ne laissez personne vous enlever ça. Et ne vous l'enlevez pas à vous-même. Vous êtes solide. Quatre cent soixante-douze jours plus*

tard, vous êtes encore là et c'est grâce à vous. Rien que pour ça, vous ne devriez plus jamais avoir peur. »

Je repose le seau. Je me concentre sur le son de sa respiration régulière. Petit à petit, je calque la mienne sur la sienne jusqu'à inspirer quand il inspire, expirer quand il expire. Inspiration, expiration. Deux respirations jumelles, parfaitement synchronisées.

J'ai déjà compris que, dans ce bras de fer initial, le premier qui parle a perdu.

Il va bouger. J'en suis certaine. Personne ne se donne autant de mal pour le simple plaisir d'observer. Alors je tourne les yeux dans la direction de sa respiration et je le regarde de mon air le plus sévère et le plus provocant. Vas-y, le monstre. Montre-nous ce que tu as dans le ventre.

Inspiration, expiration. Jamais je n'ai entendu une respiration aussi régulière. Qui jamais ne s'accélère sous le coup de l'excitation, jamais ne prend un temps de retard sous le coup d'un étonnement. Seulement : inspiration, expiration. Comme s'il n'en avait vraiment rien à faire que je sois debout et que je le défie du regard.

Comme s'il avait la pleine et entière maîtrise de la situation.

Et qu'il avait tout son temps...

Ma propre respiration se dérègle. Bien malgré moi. Ça me fait horreur de lui donner satisfaction, mais ce rythme monotone me tape sur le système. Personne ne respire aussi régulièrement. Personne, dans une telle situation, ne peut rester aussi calme.

Alors, d'un seul coup... j'entrevois la vérité. Et je commence à frémir de peur.

Non, je ne veux pas. Je vous en supplie...

C'est plus fort que moi. Maintenant que l'idée m'a traversé l'esprit, il faut que je sache. J'avance de quelques pas.

C'est mon orteil qui rencontre le premier un obstacle. Je me fige et je tends de nouveau l'oreille.

La respiration est beaucoup plus proche à présent, mais toujours aussi régulière. Inspiration, expiration.

Je tends les bras en m'ordonnant d'être forte. Je me souviens que j'ai déjà vécu le pire ; je peux tout affronter.

Tout de même, quand mes doigts rencontrent la première arête d'une boîte en forme de cercueil…

De l'intérieur monte toujours le bruit régulier de la respiration de son occupante. Inspiration, expiration. Dormir – que faire d'autre quand on est enfermée dans une caisse ?

Je ferme les yeux. Ça ne m'aide pas. J'entends toujours sa respiration. Ma compagne de malheur, sa précédente victime. Inspiration, expiration.

Oh, non, non, non.

« Je n'ai pas peur », dis-je tout bas.

Mais dans ma tête, je revois Jacob et il est encore une fois mort de rire.

17

La nouvelle enquêtrice, Carol Manley, fut la première à arriver à l'appartement de Flora. Mais si elle fut surprise de trouver sa superviseuse sur le terrain, elle sut ne pas le montrer. Phil et Neil les rejoignirent bientôt et les choses sérieuses commencèrent.

La police de quartier reçut pour mission de faire du porte-à-porte et d'interroger les locataires présents dans le pâté de maisons afin de savoir si certains auraient remarqué les dernières allées et venues de Flora. Un dessinateur serait envoyé chez les propriétaires pour établir un portrait-robot. Carol se porta volontaire pour requérir les images de la caméra de surveillance de l'épicerie du coin, de même que pour visionner les images des caméras qui filmaient la circulation, au cas où on y apercevrait Flora. Mais étant donné le volume que cela représentait, il fallait préciser l'heure de la disparition de Flora s'ils voulaient être efficaces.

Phil entreprit de fouiller l'ordinateur de Flora pendant que Neil appelait son opérateur et ses fournisseurs de cartes de crédit. Malheureusement, son navigateur internet ne montrait aucune activité depuis trente-six heures – c'est-à-dire peu avant son départ pour sa funeste rencontre avec le barman malintentionné. Un seul appel apparaissait sur le journal de son portable, celui de sa mère la veille au soir, et sa carte de crédit n'avait pas servi depuis une semaine. Très économe de la part de Flora, mais en pareilles circonstances cela ne les renseignait guère.

D.D. ne tenait pas en place et tournait comme un lion en cage dans le petit appartement. Keynes s'était isolé dans un coin, le portable à l'oreille. Il avait accepté de mettre la maman au courant, une tâche que D.D. ne lui enviait pas.

Comme la plupart des grandes villes, Boston avait des yeux électroniques partout. Entre les caméras des entreprises, celles qui surveillaient la circulation et celles des distributeurs de billets, chaque rue, chaque carrefour était équipé de dispositifs de surveillance. En théorie, cela aurait dû être une mine de renseignements pour la police, mais c'était précisément le problème : trop d'images, et la plupart du temps de mauvaise définition. Ce qui signifiait qu'il fallait prendre le problème à l'envers : d'abord définir ce qu'on pensait qu'il y avait à voir, à quelle heure ça avait dû se produire, et ensuite aller le chercher.

Que s'était-il donc passé exactement dans ce deux-pièces transformé en forteresse ? La veille en fin de matinée, le docteur Keynes avait déposé Flora en bas de l'immeuble. Sa mère était déjà dans l'appartement, elle avait fait des muffins. Elle en avait donné à sa fille ; elles avaient brièvement fait le point. « Heu, maman, à propos d'hier soir... » À quoi pouvait bien ressembler une telle conversation ? Et que pensait Rosa Dane des équipées nocturnes de sa fille ?

D.D. se trouvait dans la cuisine. Elle se mit à la place de la maman qui faisait cuire ses muffins. Elle imagina l'arrivée de Flora, accoutrée d'un vieux jogging de la police de Boston et couverte d'ordures. Elle se souvint de l'odeur dont sa propre peau était imprégnée après son passage sur la scène de crime et, après un petit hochement de tête, se dirigea vers la salle de bains.

Comme elle s'y attendait, au dos de la porte était accroché un drap de bain encore humide. Elle souleva le couvercle du panier en osier repoussé dans un coin et plissa aussitôt le nez : jogging de la police municipale parfumé aux ordures, vu.

Donc Flora, de retour chez elle, avait dû avoir pour priorité de se laver. Et ensuite ?

Elle était debout depuis vingt-quatre heures. Elle devait être fatiguée, mais aussi affamée. D'après les dépositions des témoins, elle avait seulement bu dans ce bar, pas mangé.

D.D. n'était pas objective sur le sujet, mais à choisir entre manger et dormir, elle aurait choisi à tous les coups de manger. Surtout que la mère de Flora devait être en train de l'attendre dans la cuisine et qu'une odeur de muffins tout juste sortis du four flottait dans l'appartement.

Suivant son instinct, D.D. retourna dans la cuisine. Cette fois-ci, elle découvrit dans un coin un sac-congélation contenant six muffins aux myrtilles. Les restes de la veille, devina-t-elle. Et ils avaient encore l'air délicieux.

Ensuite elle ouvrit le réfrigérateur et y trouva un nouveau bidon de jus d'orange et une salade de fruits frais. Les arêtes des pommes commençaient tout juste à brunir, donc elle aurait été prête à parier que la salade datait aussi du petit déjeuner avec maman.

Quant au reste du contenu du réfrigérateur... Elle sortit des boîtes de repas à emporter, les flaira et grimaça de dégoût. De son point de vue, Flora n'avait qu'un seul repas mangeable dans toute sa cuisine : celui que lui avait fourni sa mère. Que pouvait-on en déduire ?

« Elle n'a pas pris de dîner, dit D.D. à haute voix.

– Pardon ? » Le docteur Keynes se trouvait derrière elle. Il portait encore son manteau. Même s'il l'avait déboutonné, D.D. ne voyait pas comment il pouvait ne pas transpirer dans ce petit espace mal aéré.

« Hier. Flora est rentrée, elle s'est douchée, elle a pris avec sa mère un petit déjeuner tardif, ou un déjeuner anticipé...

– Un brunch ?

– Voilà. Des muffins et des fruits. Un brunch. Mais rien d'autre. À moins qu'elle ne soit sortie. Mais vu l'absence d'activité sur sa carte de crédit et son état d'esprit à ce moment-là...

– Elle a dû se reposer. Avec la chute du taux d'adrénaline...

– D'accord. Mais elle a déjeuné avec sa mère jusqu'à quoi, une heure, deux heures de l'après-midi ?

– Rosa a confirmé qu'elle était partie peu après une heure.

– Donc Flora a dû s'allonger pour une simple sieste. Il était trop tôt dans la journée pour qu'elle se mette au lit pour la nuit. »

Keynes haussa une épaule. « Vu la largeur des fenêtres et la clarté du séjour, je pense qu'elle a dû se retirer dans sa chambre pour se reposer.

– Dans le mémorial aux victimes d'enlèvement du monde entier, vous voulez dire ? »

Nouveau haussement d'épaules élégant. Il se tourna et se dirigea vers la chambre de Flora. D.D. lui emboîta le pas.

Comme le reste de l'appartement, la chambre était de taille réduite. Les coupures de presse qui couvraient les murs étaient son principal trait distinctif. À part ça, il n'y avait que le modeste bureau et le lit défait.

D.D. contourna Keynes, dont la carrure imposante occupait presque tout le petit espace, et s'approcha du lit. Elle se pencha vers le mince oreiller, renifla. Quand elle leva les yeux, elle surprit le regard de Keynes.

« Je cherche du chloroforme, expliqua-t-elle. Il a une odeur très reconnaissable qui met du temps à se dissiper. Je crois en sentir des traces sur l'oreiller, mais c'est peut-être mon imagination.

– Il a fallu qu'il la maîtrise rapidement, observa Keynes. Sinon, entraînée comme elle l'était... Où sont les traces de résistance ? »

Il n'avait pas tort. Rien ne semblait avoir été dérangé dans l'appartement, ce qui rendait la situation encore plus déconcertante. De fait, vu ce dont Flora s'était montrée capable...

« Il avait déjà fait faire un double des clés : il est possible qu'il l'ait attendue à l'intérieur.

– Peu de chances. Rosa a passé plusieurs heures dans l'appartement avant le retour de Flora. Et quand elle est anxieuse, elle ne se contente pas de cuisiner, elle fait le ménage.

– Et si elle s'est activée pour mettre de l'ordre dans ce petit espace, on voit mal comment un intrus aurait pu se cacher sans qu'elle le découvre.

– Exactement. »

D.D. accepta l'argument et prolongea le raisonnement. « D'accord. Donc Rosa arrive en premier à l'appartement. Elle entre, fait ses petites affaires. Ensuite vous déposez Flora. Mère et fille échangent les dernières nouvelles, ont des mots... ? »

Elle regarda Keynes d'un air interrogatif, mais il refusa de mordre à l'hameçon. Soit il ne savait pas ce que Rosa avait pu dire à sa fille (mais D.D. n'y croyait pas une seconde), soit il pensait que ça n'avait pas de rapport avec l'enquête.

« Maman s'en va peu après une heure. Et à partir de là, nous savons que Flora n'a passé aucun coup de fil et ne s'est pas servie de son ordinateur ni de sa carte de crédit. Que nous reste-t-il ?

– Elle fait la sieste. »

D.D. était d'accord. D'après son expérience, le sommeil était à peu près la seule chose qui tenait les jeunes éloignés de leurs appareils électroniques.

« Quand elle s'est réveillée, continua-t-elle en regardant le lit défait, il était déjà là. Dans la pièce. Penché sur elle.

– Parce que c'est là qu'il l'a chloroformée.

– Oui, et parce qu'elle n'a jamais pris le repas suivant. Alors que moi, si j'avais passé une nuit blanche et qu'au matin je n'avais mangé que des muffins et des fruits... j'aurais été morte de faim dès le saut du lit.

– Je me suis laissé dire que vous aimiez bien les buffets à volonté.

– Monsieur le psy a mené sa petite enquête ? On ne vous a pas trompé. »

Keynes ignora son sarcasme et resta concentré sur leur problème. « Il avait déjà fait faire une clé, donc il pouvait entrer dans l'appartement à n'importe quel moment. »

D.D. secoua la tête. « Il ne se serait pas attaqué à elle en pleine journée. Voyons, un type qui prend le temps de faire un double des clés aura bien préparé son coup. Et vu les antécédents de Flora...

– Ces informations ne sont pas publiques.

– Il se sera renseigné. Toutes ces manigances, se faire passer pour un inspecteur des bâtiments ? Le type est patient. Il a dû prendre les précautions nécessaires pour enlever une cible aussi risquée que Flora. Surtout qu'on est au deuxième sans ascenseur. Si elle résiste, les autres locataires sortiront dans la cage d'escalier pour savoir ce qui se passe. »

D.D. s'interrompit, examina la question. « Il a besoin qu'il fasse nuit, répéta-t-elle. Autrement, il serait trop exposé aux regards. Vous imaginez : impossible de prendre l'escalier de secours déglingué sans attirer l'attention, donc il est obligé de passer par l'escalier principal, comme n'importe qui.

– Est-ce que l'immeuble est équipé de caméras de surveillance ?

– En tant qu'ancien foyer-logement ? Malheureusement non. Mais mettons-nous à la place du type : il sait qu'il peut entrer dans l'appartement. Il a l'intention de surprendre Flora et de la plonger dans l'inconscience, ce qui signifie qu'il devra la porter pour sortir. Transporter une femme sans connaissance sur deux étages n'est pas franchement discret, donc il a dû attendre la tombée de la nuit. Une heure où il n'y aurait pas trop d'allées et venues.

– Il a surveillé l'immeuble. Pour connaître les habitudes des résidents.

– Ça cadrerait avec le fait qu'il est assez patient pour se procurer un double des clés par ruse.

– Il a aussi dû épier Flora. Pour connaître ses habitudes à elle », souligna Keynes.

D.D. approuva, ressortit vers le séjour et se dirigea vers une des fenêtres de façade. Elle écarta les voilages qui avaient eu les faveurs de Flora (le genre de tissu vaporeux qui protège des regards tout en laissant abondamment passer la lumière) et examina la rue. « On devrait étudier les postes d'observation possibles, murmura-t-elle. Peut-être même demander s'il n'y aurait pas un nouveau locataire dans les parages. Si notre théorie est la bonne, notre homme a dû traîner dans le coin un moment pour apprendre tout ce qu'il avait besoin de savoir.

– Parking résidentiel », observa Keynes.

D.D. avait déjà remarqué ces panneaux : seuls les habitants du quartier avaient le droit de se garer dans ces rues et ils devaient faire la preuve de leur domiciliation pour obtenir un permis. Ceux qui se garaient sans ce viatique s'exposaient à une amende. Encore une chose qu'il faudrait demander à un enquêteur de quartier de vérifier. Leur suspect s'était forcément garé à proximité pour pouvoir fuir avec une femme sans connaissance ; s'il n'avait pas le permis requis, on retrouverait peut-être la trace d'une contravention.

« Est-ce que Flora a une voiture ? » demanda-t-elle à Keynes.

On aurait pu imaginer que le ravisseur vole la voiture de Flora pour la transporter.

« Non.

— D'accord. Donc on part sur le tout début de soirée. Pas tard au point que Flora se soit déjà réveillée et ait pris un dîner, mais suffisamment pour que la nuit soit tombée. Disons, dans les dix-sept heures trente, dix-huit heures.

— C'est un horaire où il y a beaucoup de passage, fit remarquer Keynes. Il risque de tomber sur des locataires rentrant du travail.

— Et si c'était justement sa technique ? » D.D. marqua un temps, l'idée faisait son chemin. « Donner le change, c'est son truc, non ? Il se fait passer pour un inspecteur des bâtiments pour se procurer les clés. Peut-être qu'il s'est aussi déguisé pour la soirée d'hier. En petit ami ? En chauffeur de taxi ?

— Qui sortirait avec une femme inconsciente sous le bras ? » Keynes était sceptique.

« Urgentiste. Infirmier à domicile. Flic ? ajouta-t-elle en lui lançant un regard. Un emploi qui lui permettrait facilement d'expliquer la situation, au cas où on le remarquerait. Et ensuite, il y va au culot. Il descend comme ça dans les escaliers, avec une femme ivre, ou malade, ou groggy. Dans un quartier aussi animé, si on agit comme si c'était normal qu'on soit là, c'est déjà à moitié gagné. »

Keynes approuva. « Il faudrait que les agents cherchent des voisins qui seraient passés dans la rue vers la tombée de la nuit. Au cas où quelqu'un aurait remarqué un type particulièrement costaud qui avait l'air de prêter assistance à une femme diminuée. Peut-être un agent d'un quelconque service d'urgence qui ne pouvait pas passer inaperçu.

– Un type particulièrement costaud…, reprit D.D. avec un regard à Keynes, comme le ravisseur de Stacey Summers. Vous saviez que la mère de Flora servait de mentor aux parents de Stacey ?

– Rosa m'en a parlé.

– Flora aussi semble s'être intéressée à sa disparition.

– Comme vous pouvez le voir sur les murs de sa chambre, Flora s'intéresse à beaucoup d'affaires.

– Mais elle cherche le ravisseur de Stacey Summers en particulier. Vu ses propos sur la scène de crime hier… C'était lui qu'elle espérait découvrir dans ce bar. Et elle a aussitôt fait le rapprochement entre cette affaire et son propre agresseur.

– Vous savez pourquoi elle fait ça ? demanda Keynes d'une voix douce. Pourquoi elle persiste à se mettre dans des situations dangereuses ? »

D.D. haussa les épaules. « Plaisir de l'adrénaline. Stress post-traumatique. Syndrome qui la pousse à se prendre pour Dieu et à jouir de sa toute-puissance après en avoir été privée pendant plus de quatre cents jours.

– Je ne sais pas, avoua Keynes à la grande surprise de D.D. Et je ne crois pas non plus que Flora le sache. Ou du moins, qu'elle puisse mettre le doigt sur un facteur déclenchant particulier. Elle me rappelle une militaire de retour de mission qui avait aussitôt rempilé, et encore une troisième fois. En fin de compte, la vraie vie vous devient trop étrangère quand on sait que la guerre continue, qu'on a encore des camarades sur le front…

— C'est ça, les coupures de presse ? demanda D.D. Ses frères d'armes ? Les disparus qu'elle ne peut pas laisser tomber ?

— Peut-être.

— Vous croyez qu'il y aurait un lien entre la disparition de Flora et l'enlèvement de Stacey Summers ? »

Keynes ne répondit pas, hésitant. D.D. l'épia du coin de l'œil, puis laissa retomber le voilage et s'éloigna de la fenêtre.

« Vous le pensez, n'est-ce pas ?

— Quand la bailleuse de Flora, Mme Reichter, a décrit le prétendu inspecteur des bâtiments, j'ai tout de suite revu les images de l'enlèvement de Stacey Summers. Surtout que, trois mois plus tard, on n'a aucune piste, pas un témoignage de plus, aucun élément nouveau dans cette affaire. Reconnaissez qu'il faut un agresseur d'une certaine trempe pour réussir un coup pareil.

— Un type qui se ferait passer pour un inspecteur dans le but de faire un double des clés, vous voulez dire ?

— L'idée m'a traversé l'esprit. Et puis le fait que la porte ait été laissée ouverte, toutes les fenêtres déverrouillées… ça me donne l'impression que notre agresseur veut en mettre plein la vue. Qu'il fanfaronne, même. Ce qui serait logique, si ce n'est pas la première fois qu'il s'en sort en toute impunité. »

D.D. haussa un sourcil. Elle ne savait pas très bien quoi faire des soupçons de Keynes. Même si son hypothèse était juste, lier la disparition de Flora à celle de Stacey Summers ne les avançait guère, étant donné le peu de choses qu'ils savaient sur cette dernière. Ce qu'il leur fallait, c'était un portrait-robot détaillé fourni par les propriétaires âgés du rez-de-chaussée. Et ensuite une demi-douzaine de témoignages leur permettant d'établir le trajet de l'agresseur dans le quartier, et puis une contravention pour stationnement illicite émise à l'encontre du véhicule personnel du criminel. Faute de quoi...

D.D. se retourna vers la fenêtre. « Est-ce qu'il serait possible que nous nous trompions sur toute la ligne ? Que Flora n'ait pas été kidnappée, mais qu'elle ait tout simplement craqué sous le stress des dernières vingt-quatre heures, qu'elle ait pris le large ?

– Non.

– Parce qu'elle ne serait pas partie sans son téléphone, son ordinateur portable, etc.

– Non. Parce qu'elle n'aurait jamais fait ça à sa mère. »

D.D. poussa un nouveau soupir. Tout dans cette histoire lui faisait déjà de la peine et elle avait le sentiment que cela n'allait pas s'arranger. « Il faut que je voie Rosa, dit-elle. Au sujet de sa fille, mais aussi de son rôle auprès de la famille Summers.

– Vous permettez que je vous donne un conseil ? »

D.D. lança un regard à Keynes. « Je vous en prie.

– Je crois que vous ne devriez pas interroger Rosa tout de suite. Si quelqu'un connaît la dynamique intrafamiliale et son évolution récente, c'est Pam Mason, l'avocate des victimes qui s'est occupée des Summers. Si vous voulez une bonne analyse, parlez d'abord avec elle. »

18

Vous voulez savoir comment échapper à la terreur abjecte ?

Comment lutter contre les sueurs froides nocturnes, la peur du monstre caché sous le lit ? Comment dormir sur ses deux oreilles ? Ou marcher dans les ruelles sombres d'un pas léger ?

Vous voulez savoir comment devenir moi ?

D'abord, il faut trouver le vide. C'est un refuge que tout le monde possède tout au fond de soi. Un endroit que personne d'autre ne peut atteindre. Je sais par des experts en la matière que certains le découvrent par la méditation, des retraites zen ou la recherche acharnée de l'état de pleine conscience. Disons que je l'ai découvert dans d'autres circonstances.

Mais tout le monde en a un. Cet endroit où l'on se tient en silence. Qui vous permet d'être intouchable même dans une pièce noire de monde. Où l'on est simplement, totalement, absolument, épouvantablement seul.

Quand on y est, personne ne peut nous faire de mal. Et quand plus personne ne peut nous faire de mal, on n'a plus besoin d'avoir peur.

C'est l'absence de lumière qui me mine. Je n'arrête pas de croire que mes yeux vont s'habituer. Que la nuit va relâcher son emprise. Mais non. L'abîme de ténèbres reste d'un noir absolu. De temps à autre, je lève mes mains liées devant moi pour faire un test ; je ne les vois toujours pas.

Je vis dans un univers de sons et de sensations tactiles. Alors je fais bon usage des uns et des autres.

Je ne comprends pas le but de la chaîne reliée aux menottes qui entravent mes poignets. Pour autant que je le sache, mon rayon d'action s'étend à toute la pièce, donc ça ne limite pas vraiment mes déplacements. S'agit-il de m'empêcher de bondir par la porte lorsque celle-ci s'ouvrira d'un seul coup ? De courir vers la lumière ? Comme je n'en sais rien, je m'oblige à chasser cette question de mon esprit. Le moment n'est pas encore venu de nous inquiéter des motivations, mais de nous en tenir aux faits.

J'explore la pièce. Neuf pas de large, d'un mur à l'autre. Douze grandes enjambées pour la longueur. Trois éléments de mobilier : un matelas posé à même le sol. Un seau en plastique classique, l'anse en moins. Et une caisse de la taille d'un cercueil.

J'entends toujours respirer. Lentement, régulièrement. Inspiration, expiration. Ça devient le bruit de fond de mes explorations. Comme le bercement des vagues, le rythme de mon cœur. Je le déteste déjà.

Des fenêtres. Trois. Du bout des doigts, je peux en suivre les contours. Deux sur un mur, toutes les deux de taille modeste. Des fenêtres à guillotine, je crois que c'est comme ça qu'on appelle ce modèle, classique en Nouvelle-Angleterre. La plus grande fenêtre se trouve sur le mur opposé. Deux fois plus large que haute, des dimensions qui me font davantage penser à un miroir. Quand je passe mes doigts dessus, je sens du verre froid. Au contraire, la surface des petites vitres d'en face présente un grain, des aspérités, comme si elles avaient été peintes ou occultées d'une quelconque façon. J'essaie de gratter le revêtement avec mes ongles, mais je n'arrive pas à l'entamer. Il ne s'agit donc pas d'une peinture intérieure, peut-être d'un produit plus industriel comme de la résine époxy ou de la laque. On en a mis une grosse couche sur ces fenêtres qui doivent donner sur l'extérieur. D'où l'absence de lumière.

Quant à la grande surface vitrée d'en face…

Je pense qu'il s'agit d'une cloison intérieure. Du coup, la présence d'une baie de cette taille n'aurait pas de sens. À moins bien sûr qu'il ne s'agisse pas d'une fenêtre, mais d'un miroir sans tain. C'est mon hypothèse. Je ne peux avoir aucune certitude, naturellement, mais pourquoi imaginer un tel dispositif pour ses cobayes sinon pour jouir du spectacle ?

Je suis certaine que ce n'est qu'une question de temps avant que les lumières ne s'allument. Elles seront aveuglantes, elles me désorienteront. Et le sujet non identifié (demandez à Samuel, c'est comme ça que le FBI désigne ceux qu'il recherche) profitera du chaos pour vérifier comment se portent ses protégées.

À moins qu'il ne soit en train d'observer en ce moment même. Peut-être avec du matériel militaire, des lunettes de vision nocturne, tout est possible.

Il faut que vous compreniez : toutes les idées démentes que vous n'osez même pas envisager sont précisément ce dont ils rêvent. Les Méchants avec un grand M… Le déni ne vous aidera pas. Le refoulement ne vous sauvera pas.

Mieux vaut regarder la réalité en face. Savoir qui est l'ennemi. Accepter ses perversions. Ensuite, trouver le vide et marcher au combat.

La respiration. Toujours d'une inlassable régularité. Inspiration, expiration. Inspiration, expiration.

Comment peut-elle continuer à dormir ? Comment peut-elle ne pas m'entendre fureter dans le noir, trébucher sur le matelas, me cogner le pied, ici contre un mur, là contre la caisse ?

Impossible de penser à cette boîte-cercueil. Impossible de songer aux différentes possibilités, à son contenu. Si je le faisais, je perdrais le vide. Parce que c'est toute seule que je suis forte. Toute seule que je comprends les situations. J'avais bien l'intention de rester pour toujours et à jamais *seule*.

Alors cette caisse, ce Dark Vador à la petite semaine ne faisaient pas partie de l'équation. C'est une addition tout à fait indésirable à mes projets.

Est-ce qu'elle est droguée ? Ce serait la seule explication. Comment comprendre sinon qu'elle reste aussi longtemps inconsciente ? Bien sûr, je ne sais pas précisément depuis combien de temps ça dure. Je me suis endormie samedi en début d'après-midi. À mon réveil, au crépuscule, un intrus était présent dans mon appartement. Mais maintenant, quelle heure est-il ?

Je déteste cette obscurité qui me fait perdre tous mes repères.

Je me reconcentre. J'explore une nouvelle fois la pièce à tâtons, en me servant aussi de mes oreilles, qui peuvent être plus utiles que vous ne l'imaginez.

Au-dessus de la grande baie (la fenêtre d'observation ?), sur la gauche, je repère un objet fixé au mur. Petit, doux, recouvert de mousse. Un haut-parleur, je suppose. Mon ravisseur regarde et, le moment venu, il parlera. Pour me donner des ordres, m'abreuver de sarcasmes, que sais-je.

Mais tôt ou tard, il se fera connaître. Et dès lors, son objectif sera d'affirmer son pouvoir.

Cette respiration… Inspiration, expiration. Inspiration, expiration.

Je devrais m'en servir. La faire entrer dans le vide, pour qu'elle devienne partie intégrante de ce lieu coupé du monde. Comme lorsqu'on se concentre sur le vent dans les arbres ou le son d'une cloche. Je ne peux pas lutter contre elle. Je ne peux pas la changer. Je ne peux pas la supprimer. Donc il faut m'en servir. Ne faire qu'un avec elle.

Je déteste cette respiration.

Je retourne au-dessus de la caisse. J'en tâte les contours, je remarque la grossièreté des arêtes. Un travail sans finesse. J'aimerais pouvoir dire que je reconnais la main de l'artisan, mais les cercueils en pin sont monnaie courante et je n'ai jamais su si Jacob avait fabriqué le sien ou s'il l'avait acheté. Je ne lui ai jamais posé la question et ce n'est pas maintenant que je peux le faire.

Elle est en train de mourir. Agenouillée à côté de la caisse, j'ai au moins cette certitude. Parce que c'est ce qui arrive aux jeunes filles séquestrées dans un cercueil. Physiquement, mentalement, quelle différence ?

Cette jeune fille, tout ce qui faisait sa personnalité, est en train de se dissoudre, de s'infiltrer dans le bois du cercueil, dans le sol de la chambre noire. Petit à petit, elle perd sa substance. Bientôt, le Grand Méchant Kidnappeur n'aura qu'à ouvrir ce couvercle et elle fera n'importe quoi, elle dira tout ce qu'il voudra parce que ça n'aura plus d'importance. La personne qu'elle était aura disparu, il ne restera plus qu'une coquille vide.

Un robot qu'il pourra réinitialiser.

Un automate prêt à donner le nom de son père adoré.

Je déteste cette fille dans la caisse. Et je me surprends à me déchiqueter les ongles, une habitude dont j'ai eu du mal à me défaire il y a quatre ans.

Je serre les poings. Je sens mes ongles se planter dans mes paumes et je m'applique à retrouver le vide.

Et l'autre qui continue à respirer. Inspiration, expiration. Inspiration, expiration.

Un cadenas. D'un modèle banal. C'est comme ça qu'est fermé le couvercle.

Un instant, ce cadenas métallique entre les mains, je me retrouve dans un sous-sol crasseux, poisseux de nourriture et de sexe, et c'est comme si je regardais ma propre caisse de l'extérieur. Cette sensation de déjà-vu me déstabilise. Je me sens personnellement visée par toute cette mise en scène, comme si le Grand Méchant Kidnappeur était à mes trousses plutôt que le contraire.

Chercher le vide, le vide, le vide. Ne rien ressentir. Tout analyser.

Sa respiration. Inspiration, expiration. Inspiration, expiration.

Stacey Summers ? Serait-ce possible que je l'aie enfin retrouvée ?

D'un seul coup, le vide s'évanouit et je ne ressens plus que de la panique. Je la déteste, cette fille, Stacey Summers ou Dieu sait qui, peu importe ! Elle ne devrait pas être là. J'ai laissé cette saloperie de caisse en bois derrière moi. J'ai pactisé avec le diable. J'ai vendu mon âme. D'après Samuel, j'ai fait ce que font les victimes pour vivre un jour de plus.

Alors comment cette fille ose-t-elle se retrouver enfermée dans une caisse ? Comment ose-t-elle détruire tout ce que j'ai fait ?

Inspiration, expiration. Inspiration, expiration. La respiration, toujours la respiration.

Et d'un seul coup, avant même que je sache ce que je vais faire, je forme un poing avec mes deux mains liées et je les abats violemment sur le couvercle. Encore une fois. Et encore, et encore.

Réveille-toi, réveille-toi, réveille-toi.

Mais tu vas te réveiller, connasse !

La respiration. Régulière.

Je rêve ou quoi ? Qui pourrait continuer à dormir au milieu d'un tel vacarme ? Elle est droguée, je ne vois que ça.

Je frappe encore. C'est plus fort que moi. Je suis furieuse, contre cette fille, contre moi, contre lui ? Je ne sais plus. Contre la caisse, je crois. Je suis furieuse contre cette horreur. Il faut qu'elle disparaisse. C'est vital.

Je finis par secouer tout le bazar. La structure est de mauvaise qualité, peu solide, et commence à jouer sous l'effet de mon acharnement.

Et l'autre qui respire toujours. Inspiration, expiration.

Je fais pleuvoir les coups sur la caisse. Les vibrations du bois sous mes poings me donnent une idée. En d'autres circonstances, j'aurais crocheté la serrure, mais comme j'ai été enlevée directement dans mon lit douillet, je n'ai pas sur moi mes outils habituels : deux petites épingles à cheveux noires en plastique qui n'ont l'air de rien, mais qui permettent en réalité d'ouvrir n'importe quelle serrure. Peut-être que je vais pouvoir m'en passer, cela dit. La caisse sursaute et tremble chaque fois que je la cogne. C'est vraiment de la camelote.

Je frappe avec une détermination renouvelée, je secoue la caisse de droite et de gauche et je sens le couvercle bouger, les joints céder. Pour finir, avec un cri horrifique, je bascule la caisse sur le flanc et je lui fais faire un tonneau complet. Quand elle s'arrête, tremblante sous mes doigts, je sens que le couvercle est entrouvert.

La respiration. Inspiration, expiration.

Comment un tel prodige est-il même possible ? J'empoigne le couvercle et je l'arrache un peu plus, jusqu'à ce qu'il pende de son cadenas. Tiens, prends ça, l'amateur.

La respiration. Inspiration, expiration.

Je ne vois rien. Les ténèbres envahissent tout, gomment tout. Alors je tends les mains, toute prête à extirper l'occupante de son abîme pour la conduire vers son salut.

Seulement...

Il n'y a rien. Pas de corps, pas de chaleur, pas de masse solide. Je ne trouve que du vide, du vide, du vide. Et pourtant, je l'entends encore.

La respiration. Inspiration, expiration. Plus régulière que jamais.

Le rythme de mon cœur.

Je fouille les quatre coins du cercueil. Avec mes mains menottées et mes doigts qui volettent comme des ailes de papillon. Du vide, du vide, du vide.

Mais finalement, au pied du cercueil...

Un petit magnétophone. Scotché au socle. Qui diffuse en boucle un bruit de respiration. Inspiration, expiration.

Et aussitôt, j'ai la certitude que cette respiration est la mienne. Enregistrée pendant mon sommeil. Tout comme ce cercueil est le mien.

Il n'y a pas de deuxième victime.

Il n'y a que moi.

Toujours moi.

Je lève les yeux vers le miroir sans tain. Dans le noir, je ne le vois pas, mais je le *sens* devant moi. Et je sais que l'homme est là. Qu'il observe. Qu'il attend en profitant du spectacle.

Alors je souris. Je lève les mains pour lui adresser un doigt d'honneur. Puis je me relève et je m'éloigne du cercueil fracassé pour retourner au matelas.

Et même si mon cœur bat à tout rompre, même si mon pouls s'affole, même si je sais maintenant qu'il ne s'agit pas d'un banal enlèvement, que cet homme sait des choses qu'il ne devrait pas savoir, que je maîtrise encore moins la situation que je ne le croyais, que je ne suis pas une victime comme une autre mais peut-être *la* victime qu'il cherchait, je me force à m'allonger et à lui tourner le dos.

Trouver le vide. Y rester.

Là où personne ne peut vous faire de mal. Et si personne ne peut vous faire de mal, vous n'avez plus à avoir peur.

Si je pouvais remonter le cours du temps, si je pouvais faire une seule chose, j'irais dans la ferme de ma mère. Je m'assiérais en face d'elle. Je mangerais ses muffins, j'accepterais son thé infusé au soleil. Et je la laisserais m'aimer.

Sauf qu'après tout le temps que j'ai passé dans un vide stérile, je ne sais plus ce que c'est que d'éprouver des sentiments.

19

Une fois la décision prise de m'emmener avec lui sur les routes, « Everett » s'est entièrement consacré aux préparatifs. Il avait pris le nom de mon père et moi je devais m'appeler Molly. Il m'a bourré le crâne (mon nom, son nom) et obligée à signer une deuxième carte postale pour ma mère. J'ai écrit sous sa dictée, signé ce qu'il voulait. Je trouvais mon écriture bizarre, comme si elle appartenait à quelqu'un d'autre. Peut-être que l'écriture des filles qui s'appellent Molly ressemble à cela.

Quand j'ai eu fini, le faux Everett m'a donné un jean tout raide et un tee-shirt blanc trop grand qui proclamait « Florida the Sunshine State ». Il avait aussi prévu une culotte et un soutien-gorge, mais ce dernier était trop grand de plusieurs tailles et ressemblait à un truc que seule une grand-mère pourrait porter. Lorsque je lui ai montré d'un air interrogatif, il s'est contenté de hausser les épaules et de l'envoyer par terre.

Il m'a ordonné de prendre une douche – parce que nous allions vivre dans un espace réduit, m'a-t-il expliqué. J'ai noté que lui aussi venait de se laver, il avait été jusqu'à se passer un peigne dans les cheveux et il portait un de ses tee-shirts les moins tachés.

Il m'a regardée dans la salle de bains pendant que je savon-nais rapidement ma peau incrustée de crasse, que je frottais mes longs cheveux emmêlés. Et il a continué à me mater pendant que je prenais maladroitement les vêtements bas de gamme trop grands et que je faisais de mon mieux pour les enfiler sur ma peau encore humide. J'avais les mains qui tremblaient. Je ne quittais pas la moquette marron des yeux, certaine que d'un instant à l'autre il allait m'arracher les vêtements des mains, me jeter par terre et...

Mais non. Tout au plus avait-il l'air irrité que je sois si empotée.

Quand j'ai fini par passer le tee-shirt sur mes cheveux dégou-linants, il a sorti un peigne de sa poche arrière et l'a passé lui-même sans ménagement dans ma tignasse. De sa poche, il a ensuite sorti une paire de ciseaux.

J'ai frémi. Ça l'a fait marrer.

« C'est le bordel, tes cheveux », a-t-il déclaré. Un début de conversation.

J'aurais eu envie de lui répondre : évidemment que c'est le bordel. On ne lave pas des cheveux, et encore moins de fins cheveux blonds comme les miens, avec un vieux pain de savon à mains tout craquelé. Mes boucles étaient habituées à des soins apaisants à base de shampoings à l'huile de théier et d'après-shampoings parfumés aux agrumes. Sans oublier le masque nour-rissant hebdomadaire pour donner du volume et le balayage mensuel pour la brillance.

Autrefois, j'étais une adolescente. Avec certaines exigences. Et de magnifiques et longs cheveux soyeux à la californienne.

Tandis que maintenant...

J'ai gardé les yeux baissés vers mon nouveau jean, tout raide sur moi, il a attrapé la première touffe et s'est lâché.

Trois coups de ciseaux. C'est tout ce qu'il a fallu. Trois énormes poignées, et les mèches humides sont tombées en pluie sur la moquette.

« Merde, je crois bien que c'est encore pire. Tant pis. Les bonnets ne sont pas faits pour les chiens. »

Je n'ai rien dit. D'un claquement de doigts, j'étais devenue Molly et nous le savions tous les deux.

Mais nous n'en avions pas encore fini. Il m'a obligée à me retourner, il m'a bandé les yeux avec un morceau de tissu noir qui sentait le vieux tee-shirt moisi et il l'a noué derrière ma tête pour m'aveugler.

Je ne me suis pas vue quitter ma prison souterraine. Au mieux, je pouvais entrevoir le dessus de mes pieds nus sur la moquette. Il m'a tirée vers la porte. Un grincement et ensuite, comme je l'avais deviné, des escaliers qui montaient.

Il m'a poussée devant lui. J'ai trébuché une fois, deux fois, trois fois. Il m'a filé une claque derrière la tête, assez forte pour que je grimace, et j'ai retrouvé mon équilibre.

En haut, bref arrêt, le temps qu'il ouvre une autre porte en passant son bras devant moi. Au sol, le revêtement a changé, nous sommes passés d'une vilaine moquette bas de gamme à un lino gris qui se décollait. Est-ce qu'on était chez lui ? Je me suis posé la question pendant qu'il me tirait brutalement pour traverser ce qui, me semblait-il, devait être une cuisine. Comme tout ce qui avait un rapport avec lui, elle puait.

Je me suis de nouveau emmêlé les pieds. Est-ce que j'essayais de le ralentir ou est-ce que j'avais vraiment un problème de coordination ? Je ne savais plus. J'avais accepté ma nouvelle identité. J'avais donné le nom de mon père pour ne pas être abandonnée à mon triste sort dans cet horrible endroit. Et pourtant...

C'est drôle comme on peut craindre le changement, même quand on est déjà au fond du gouffre.

De l'air frais. D'un seul coup sur ma peau. Nous avions traversé la cuisine, franchi une autre porte et nous étions sortis de la maison. Vers l'extérieur. Un jardin à l'avant ou à l'arrière de la maison ? Comment le savoir ? Et quelle importance ? J'étais dehors, avec la sensation du vent sur mes joues. Alors, pendant quelques secondes, ç'a été plus fort que moi : j'ai refusé d'avancer et j'ai levé mon visage vers le ciel.

L'extérieur. De l'air frais, le bruissement des arbres. Après si longtemps (combien de temps ?), trop longtemps.

Le faux Everett s'est arrêté. Il m'a accordé ce moment. J'en ai profité pour regarder en l'air, par-dessus mon bandeau, et j'ai vu les grands arbres dressés autour de moi. Denses et sombres dans un ciel à peine éclairé. Des bois, une forêt, la liberté. Peut-être n'étais-je réellement qu'à quelques kilomètres de la ferme de ma mère.

« La Géorgie, m'a dit Everett comme s'il lisait dans mes pensées. Je me suis dégoté cet endroit il y a des années, c'était ma petite cabane au fond des bois. Bien sûr, le vieux schnock qui me la louait a claqué et maintenant ses bons à rien de gosses veulent la récupérer. Alors on se tire. De toute façon, c'est plus marrant de vivre sur la route. »

Des arbres, je continuais à me dire. Une forêt, des sous-bois, comme dans la ferme de ma mère.

Et après ça, les larmes m'ont aveuglée.

Avec le bandeau, je n'ai pas pu voir le trajet que nous avons fait autour de la maison jusqu'à son poids lourd. Il a fallu qu'il m'aide à me hisser sur le large marchepied et ensuite il m'a agrippé le bras quand j'ai buté sur le siège conducteur. Je n'avais jamais vu l'intérieur d'un semi-remorque. Je n'y connaissais rien. Les camions n'étaient pour moi que des véhicules que j'avais aperçus sur l'autoroute et qui transportaient des marchandises dans une direction ou une autre. Aucun doute que j'avais consacré plus de temps et d'attention à mes cheveux.

Mais là, le faux Everett me faisait fièrement l'article de sa cabine avec toit surélevé, son petit nid ambulant. Tout équipé : couchette, machine à café et bien sûr lecteur de DVD portatif pour ses loisirs. Tout en jacassant, il me guidait pour contourner son siège de pilotage. J'ai senti de la moquette sous mes pieds. Plus épaisse et de meilleure qualité que dans le sous-sol. L'odeur aussi était plus agréable. Malgré des relents de nourriture trop grasse, c'était le parfum du pin qui dominait. Comme si le camion avait été nettoyé récemment. Lui au moins méritait cet effort.

Quand j'ai entendu un loquet grincer, je n'ai pas compris tout de suite. Puis le faux Everett m'a donné une poussée et j'ai basculé vers l'avant, comme si je dégringolais d'une ou deux marches. Avant que je ne retrouve mes esprits, sa main appuyait sur mon épaule pour m'obliger à m'allonger.

J'ai compris trop tard que j'étais maintenant debout sur un plancher en bois. Et que cette odeur de pin…

Voilà comment je me suis de nouveau retrouvée enfermée dans une caisse en forme de cercueil, tout habillée cette fois-ci, avec un bandeau sur les yeux.

« Comment tu t'appelles ? m'a-t-il demandé, debout au-dessus de moi.

— Molly, ai-je murmuré, trop démoralisée, trop déconfite pour autre chose.

— Et moi ?

— Everett.

— Qui je suis ?

— Qui vous voulez.

— Je suis ton oncle. Oncle Everett. D'où est-ce que tu viens ?

— De Floride ? ai-je tenté.

– *Avec un accent pareil ? Ça m'étonnerait. On va dire que ta maman t'a élevée dans le Nord, mais que maintenant tu vis avec moi. »*

Je n'ai rien répondu. Il arriverait à ses fins, comme d'habitude. Qu'est-ce que ça pouvait me faire ? Peut-être que j'étais réellement devenue Molly, parce que en tout cas la fille que j'avais été...

« Chargement, livraison, tu es dans la caisse », m'a-t-il expliqué.

Je n'ai pas réagi, plus désorientée que rebelle. De toute façon, j'étais enfermée dans une caisse avec un bandeau, quelle importance ?

Il a violemment tiré sur une mèche des cheveux cisaillés par ses soins. J'ai enfin hoché la tête, ne serait-ce que pour lui montrer que j'écoutais.

« Les aires de repos, les relais routiers, tu es dans la caisse. »

Nouveau hochement de tête.

« Le reste du temps... » Il a laissé sa phrase en suspens, a paru hésiter. « Sois sage. Joue ta carte intelligemment et tu pourras peut-être sortir un peu. Tu me tiendras compagnie. »

J'ai froncé les sourcils, pas certaine de comprendre. Était-il en train de dire que je pourrais le rejoindre dans la cabine ? M'asseoir sur le siège passager ? Comme une vraie personne ?

« Tu seras assise par terre, a-t-il précisé. Personne ne pourra te voir. Peut-être que je t'enlèverai le bandeau, peut-être que non. Mais tu seras dehors. À condition que tu te comportes bien, évidemment. Que tu fasses exactement ce que je dirai. »

Il s'est tu, comme s'il attendait. Et j'ai fini par réaliser que je quittais définitivement le sous-sol. Et qu'en guise de récompense ou de punition, je passerais désormais tout mon temps, vingt-quatre heures sur vingt-quatre, sept jours sur sept, avec cet individu. Un homme cruel, ignoble, d'une saleté repoussante, dans son gros camion où il régnait en maître et où il ferait la loi sur l'autoroute, avec une esclave sexuelle enchaînée à ses côtés.

Par la même occasion, j'ai aussi compris autre chose : s'il m'emmenait, c'était qu'il n'allait pas me tuer.

Il avait pourtant souvent juré de le faire, en expliquant qu'il balancerait mon cadavre dans le canal le plus proche, où les alligators feraient en sorte que ma mère ne me revoie jamais.

Everett n'allait pas me tuer. Il allait me garder.

Dans un coin de ma tête, je me suis demandé si ça voulait dire qu'il s'était en quelque sorte attaché à moi.

Et si, du coup, j'étais censée être attachée à lui.

Everett m'a plaqué une main sur le visage et m'a forcée à rentrer la tête dans la caisse. J'ai repris ma position, le cerveau en ébullition, et le couvercle s'est refermé. Cliquetis de cadenas. Fin de mes quelques instants de liberté. J'étais redevenue une fille dans un cercueil.

Sauf que maintenant... je voyageais.

Il aimait bien parler en conduisant. Se plaindre, pour être exacte. Du prix de l'essence, du connard dans la Honda Civic qui venait de lui adresser un doigt d'honneur. Des abrutis du quai de chargement qui lui avaient fait perdre deux heures parce qu'ils étaient en sous-effectif, et résultat il n'allait même pas pouvoir prendre sa pause déjeuner.

À la belle époque, disait-il en râlant, un chauffeur malin pouvait trafiquer son livret de contrôle et conduire au-delà de la limite. Mais c'était fini. Maintenant tout était surveillé par électronique, obligation fédérale par-ci, obligation fédérale par-là. Big Brother vous regarde.

Bienvenue dans la vie d'un transporteur longue distance, me disait-il. Travailler pour des connards en traversant un pays entier peuplé de connards.

Au début, chaque fois que le moteur démarrait, je sursautais. Chaque fois que le camion tressautait sur une route défoncée, j'ouvrais de grands yeux, prise de nausée. Après tout ce temps passé en solitaire dans le sous-sol, l'odeur du diesel, le rugissement des pistons, le violent ronflement de la bête, c'était presque trop.

Et pourtant, de même que j'avais appris à dompter l'ennui dévorant du sous-sol, je me suis adaptée. J'ai détendu mes épaules pour absorber les soubresauts. Je me suis laissé pénétrer par les grondements et le bruit de roulement incessant. Et petit à petit, j'ai appris à discerner les nuances des différents types de chaussées, la vitesse de croisière sur autoroute, le gros effort mécanique des lentes montées.

La vie sur la route. Où, à en croire les perpétuelles récriminations d'Everett, il avait le droit de conduire onze heures sur quatorze avant de prendre un repos obligatoire de dix heures. Ensuite, quelle que soit l'heure du jour ou de la nuit (disons onze heures du soir, deux heures ou quatre heures du matin), il reprenait le volant.

Et, fidèle à sa parole, lorsque nous n'étions pas dans une zone de chargement, sur une aire de repos ou dans le tohu-bohu de la civilisation, il se rangeait sur le bas-côté et me laissait sortir. Je pouvais uriner accroupie derrière des buissons plutôt que mariner dans mes excréments. Je mangeais des Egg McMuffins au petit déjeuner, des sandwichs Subway au déjeuner et du poulet frit au dîner.

« Les inconvénients du métier », me disait Everett en me tendant un énième sac de fast-food tout en tapotant sa panse monstrueuse d'un air gêné.

Après le dîner venaient inévitablement d'autres exigences. Il avait conduit toute la journée, bien sûr qu'il avait besoin de relâcher la pression. Et il avait son petit nid d'amour tout prêt.

Est-ce que c'était mieux que d'être dans le sous-sol ? Est-ce que ça valait le coup d'être sur la route ? Où, de temps à autre, le bandeau tombait de mes yeux et où je pouvais voir le monde filer à toute allure, image floue où se mêlaient les verts, les bleus et les gris.

Tous ces véhicules lancés à fond côte à côte. Tous ces conducteurs. Un pays entier peuplé de connards, comme disait Everett.

Et pourtant pas un seul ne m'a jamais vue.

Everett parlait beaucoup, la plupart du temps pour râler. Et parfois il lui arrivait même de pleurer dans son sommeil.

C'est comme ça que j'ai fini par apprendre l'existence de Lindy.

20

D.D. aimait savoir où elle mettait les pieds, donc, avant de partir retrouver Keynes et la victimologue Pam Mason à l'antenne du FBI, elle alla au plus simple et tapa le nom de cette dernière dans Google. D'après sa bio professionnelle, Pam Mason avait un master en psychopathologie et criminologie de l'université John Jay. Elle avait géré des situations de crise dans un grand foyer pour femmes sans abri à Detroit (sacré baptême du feu, pensa D.D.) avant d'être recrutée par le FBI, où elle avait occupé divers postes ces quinze dernières années, luttant notamment contre le trafic d'êtres humains pendant une brève mission à Miami, puis intégrant l'équipe spécialisée dans les crimes contre les ressortissants américains à l'étranger. Elle était connue pour être intervenue dans une importante affaire d'enlèvement au Mexique (le cadre de la compagnie pétrolière avait été libéré) et lors d'un autre kidnapping au Guatemala, où les trois jeunes missionnaires américains n'avaient pas eu la même chance.

Autrement dit, le CV de la dame était aussi impressionnant que le nombre de miles qu'elle avait dû accumuler auprès des compagnies aériennes. D.D. se demanda ce qu'elle pouvait penser de la vie à Boston et en particulier de la mission qu'elle remplissait actuellement auprès de la famille Summers.

Keynes avait organisé l'entrevue dans les locaux du FBI en centre-ville. Le choix du lieu ne surprenait pas D.D. : les agents fédéraux adorent jouer à domicile. Jamais elle ne comprendrait qu'on puisse se sentir chez soi dans cet énorme bloc de béton (un des immeubles les plus laids de Boston, à son humble avis) ; cela dit, comparé au Hoover Building de Washington...

Vraiment, le gouvernement fédéral ne décrocherait jamais la palme du bon goût.

D.D. se posa la question d'emmener Phil avec elle. Bien sûr, il avait son travail à accomplir avec son équipe, et notamment avec cette chère Carol, mais le FBI accordait beaucoup d'importance aux apparences. Dans la mesure où elle allait rencontrer deux agents fédéraux, il aurait semblé logique, plus équilibré, que deux représentants de la police de Boston soient présents.

Mais sitôt que cette idée l'effleura, D.D. sut qu'elle ne la suivrait pas. Précisément parce que ça puait le calcul politique à plein nez et qu'elle avait horreur de ces guéguerres. Si elle avait appelé Keynes depuis l'appartement de Florence Dane, ce n'était pas parce qu'il était une grosse pointure au FBI, mais parce qu'il faisait partie de l'entourage de la victime. Elle avait bien l'intention de continuer sur ce pied. La disparition de Flora était une affaire qui relevait de bout en bout de la police de Boston, d'où la participation de D.D. à l'enquête en tant que superviseuse. C'était elle qui avait souhaité rencontrer le docteur Keynes et Pam Mason, et ce serait elle qui s'en chargerait.

Elle fut agréablement surprise de trouver Keynes en train de l'attendre dans le hall du FBI. Étant donné qu'on était dimanche et que les agents fédéraux se vantaient d'avoir des horaires d'employés de banque (contrairement aux policiers municipaux, corvéables à merci vingt-quatre heures sur vingt-quatre), le calme régnait dans le bâtiment. D.D. dut néanmoins montrer patte blanche et signer une kyrielle de déclarations sur l'honneur (même si – quel dommage – elle n'eut pas à enregistrer l'arme de poing qu'elle n'avait plus l'autorisation de porter). Quand elle eut son laissez-passer visiteur, Keynes la guida jusqu'aux ascenseurs et ils décollèrent.

Avec Keynes, pas de bavardage poli. Pas de « Vous vous êtes garée facilement ? Pas trop de mal à trouver nos bureaux ? Quelle chance on a avec le temps ! » pour meubler. Non, il gardait le silence, les mains jointes devant lui, pendant que défilaient les étages.

C'était la première fois que D.D. le voyait sans son gros manteau noir. En guise de tenue du dimanche, il avait opté pour un costume gris anthracite qui tombait impeccablement, taillé dans un tissu subtilement texturé. D.D. se demanda s'il avait une penderie pleine de costumes tous plus élégants les uns que les autres. Mais combien de temps et d'argent consacrait-il donc à sa garde-robe ?

Elle-même avait mis sa veste en cuir caramel. C'était sa préférée ; elle la portait jusque dans les périodes les plus froides et les plus sombres de l'hiver. Et voilà qu'elle remarquait à quel point le cuir était brillant et usé aux poignets. Oh, et puis il y avait cette tache de jus de pomme en bas à droite. Magnifique.

L'ascenseur s'arrêta. Les portes s'ouvrirent. Keynes l'invita à sortir la première. D'après les recherches de D.D., le FBI employait plus de cent vingt victimologues et quatre superviseurs. Le docteur Keynes, en tant que grosse légume, avait droit à son bureau personnel, où l'on trouvait un imposant mobilier en merisier, de longues étagères de livres et une petite table de réunion sur le côté.

Sur son bureau, un ordinateur dernier cri, un pot en cuir contenant les stylos et les feutres de rigueur, mais aussi, incroyable mais vrai, un Rubik's Cube – les couleurs en désordre. Le regard de D.D. se posa sur le casse-tête qui avait fait fureur dans les années 1980 et aussitôt elle brûla de le résoudre.

« Allez-y, si vous voulez », dit Keynes, qui avait suivi la direction de son regard.

Elle garda les poings serrés à ses côtés. « Qui l'a défait ?

– Moi.

– Pour le résoudre plus tard ? Ou pour me tester avant cette petite réunion ?

– Commandant, vous accordez beaucoup trop d'importance à un simple jouet. »

Elle le regarda d'un air soupçonneux. « Vous êtes spécialiste du comportement : logique que je me méfie. »

Il sourit. Cela lui allait bien, cela adoucissait la sévérité de son crâne lisse, de ses pommettes hautes. Un instant, il eut presque l'air humain.

« J'aime bien le mélanger. Cela m'aide à réfléchir. Et après ce que nous avons découvert chez Flora... J'ai eu amplement matière à réflexion.

– Moi, ce sont les mobiles que j'aime bien, avoua D.D. Observer des structures complexes qui, à première vue, apparaissent comme un tout gracieux, mais qui en réalité sont composées de multiples étages dont chacun bouge à un rythme bien précis. »

On frappa à petits coups derrière eux. Keynes et elle se retournèrent vers la femme qui se tenait sur le seuil. Pam Mason, supposa D.D.

De prime abord, elle semblait plus âgée que D.D. ne l'aurait cru. Des cheveux blond cendré rassemblés en un dense nuage de boucles, le genre de coiffure qui était en vogue à peu près à la même époque que le Rubik's Cube. Même si on était dimanche, elle avait, comme Keynes, revêtu une tenue stricte, avec toutefois un résultat moins élégant parce qu'elle avait opté pour un tailleur beige à épaulettes des années 1990 et un chemisier en soie crème boutonné jusqu'à la gorge et agrémenté d'un jabot.

Elle faisait à peu près la même taille que D.D., mais avec la carrure de déménageur de sa veste, elle semblait nettement plus large. Elle se comportait aussi en femme investie d'une mission. Elle entra dans le bureau et, coinçant son dossier sous l'autre bras, tendit la main à D.D.

« Commandant Warren ? Pam Mason, victimologue. J'ai cru comprendre que vous aviez des questions sur la famille Summers. »

Elle saisit la main de D.D. d'une poigne ferme, la secoua deux fois, se tourna vers Keynes pour lui donner une poignée de main tout aussi vigoureuse et se dirigea droit vers la table de réunion, déjà à pied d'œuvre. D.D. dut reconnaître que, même si elle n'avait pas une haute opinion de son tailleur, elle appréciait le style de cette femme.

En hôte prévenant, Keynes leur proposa un café. Les deux femmes acceptèrent aussitôt et il partit en quête du breuvage préféré de tout enquêteur.

« Le docteur Keynes m'a mise au courant de la situation, indiqua brusquement Pam.

– Parfait. » D.D. retira sa veste d'un roulement d'épaules rendu malhabile par la raideur de son bras gauche. Elle prit un siège. « Vous comprendrez, je suis sûre, que pour l'instant nous travaillons dans la plus grande discrétion en ce qui concerne la disparition de Florence Dane. Si la presse s'emparait de cette histoire...

– Cette même presse qui étrille la police de Boston dans ses journaux du soir, vous voulez dire ?

– Dieu merci, on était samedi », commenta D.D., étant entendu que les émissions d'information du week-end sont moins suivies que celles de la semaine.

Pam Mason haussa un sourcil, mais garda ses réflexions pour elle. Elle joignit les mains et les posa sur la petite table. « En quoi puis-je vous être utile ? »

Keynes revint avec deux tasses de café fumant pour elles et sans rien pour lui. Était-il à ce point un surhomme qu'il n'avait même pas besoin de caféine ? Ça se tenait.

« D'après ce que j'ai compris, Rosa Dane intervient comme mentor auprès des Summers. »

Pam Mason confirma d'un signe de tête.

« Je me demandais... » D.D. rassembla ses idées ; elle ne savait pas très bien dans quelle mesure elle voulait montrer son jeu, ou même si elle en avait un. « Je souhaiterais mieux comprendre l'affaire Stacey Summers. Du point de vue de la famille. Le père, Colin, m'a appelée ce matin. Dès que j'ai prononcé le nom de Flora, il est parti du principe que c'était elle qui avait tué Devon Goulding. Étant donné que ce détail n'avait pas été communiqué à la presse... »

– Il est bien informé.

– Exactement. Ajoutez-y le fait que Flora s'est intéressée de près à la disparition de Stacey et qu'il semblerait qu'elle-même soit introuvable... »

Après un nouveau haussement de sourcil, Pam se donna à son tour le temps de réfléchir. Elle prit une petite gorgée de café.

« J'imagine que vous connaissez les circonstances de l'enlèvement de Stacey, finit-elle par dire, puisque l'affaire est entre les mains de la police de Boston.

– Je sais que nous avons la vidéo d'enlèvement la plus regardée du monde. Et pourtant aucune piste concrète.

– Vous croyez qu'elle est vivante ? » demanda Pam à brûle-pourpoint. La question prit D.D. au dépourvu.

Elle se tourna, bizarrement, vers Keynes, qui était assis avec ses longs doigts élégants dressés en clocher devant lui.

« Comment dit-on, déjà ? finit-elle par répondre. Espérer le meilleur, mais se préparer au pire ? J'espère que Stacey est vivante, mais les statistiques ne jouent pas en sa faveur. »

Pam hocha la tête. Nul doute qu'elle connaissait comme eux tous l'importance des vingt-quatre premières heures dans les affaires de disparition.

« Il me semble que la question, reprit D.D., c'est de savoir ce qu'en pense la famille. Ou peut-être (maintenant qu'elle y songeait) ce qu'en pense Rosa Dane ?

– La famille a envie d'y croire, répondit Pam. Comme la plupart des familles. Mais les jours passant sans aucun signe de vie de leur fille… Ils sont soumis à un stress phénoménal, lié à la fois à la douleur de la disparition et au supplice de leur propre impuissance.

– Comment réagissent-ils ?

– Curieusement, c'est la mère, Pauline, qui tient le mieux le coup, même si je suis certaine que Colin ne serait pas d'accord. Au dire de tous, ils forment un couple solide. Répartition des rôles classique en Nouvelle-Angleterre : lui est un banquier d'affaires et travaille comme un fou ; elle a élevé leur fille, tient la maison et fait du bénévolat. La paroisse, le lycée, diverses associations caritatives. Stacey est leur fille unique ;

Pauline a eu plusieurs fausses couches avant sa naissance, ce qui fait de Stacey une enfant du miracle. »

D.D. grimaça. Elle imaginait que cette épreuve devait retourner le couteau dans la plaie ; avoir perdu plusieurs bébés et ensuite, dix-neuf ans plus tard, voir disparaître l'unique survivante, certainement la prunelle de leurs yeux...

« On décrit Stacey comme une jeune fille gentille, dynamique, épanouie, sportive, dit D.D. Plutôt son père ou sa mère ?

– Elle tient de sa mère, aucun doute. Elles sont très proches, le genre de tandem mère-fille qu'on prendrait pour des sœurs. Pauline a très mal vécu la disparition de sa fille. Je ne dirais pas qu'elle est fragile, mais comme elle porte son cœur en bandoulière, sa douleur saute aux yeux.

– Ils sont soutenus ? demanda D.D.

– Très. En plus de leurs relations au sein de la paroisse, ils ont un bon réseau amical dans le quartier, d'autres parents du lycée, ce genre de choses. Au début, ils croulaient sous la nourriture, les propositions d'aide, etc. En fait, une de mes premières tâches a consisté à refouler tout le monde, étant donné l'équilibre psychique précaire de Pauline.

– Son équilibre précaire ?

– Le choc initial l'a totalement anéantie. Elle s'est effondrée. Mais, pour être juste, elle a ensuite laissé son entourage la remettre sur pied. La solidarité des femmes de la paroisse, des autres mères, de ses sœurs, lui donne des forces. Alors que Colin m'inquiète davantage. Le mâle dominant dans toute sa splendeur. Toute sa vie, il n'a pratiquement jamais rencontré de problème qu'il ne pouvait résoudre. Et maintenant, ça. C'est tout son univers qui vacille sur ses bases. Pauline extériorise sa douleur, ce qui permet aux autres de l'aider à porter son fardeau. Colin, lui, est purement dans l'intériorisation.

– Il était… très en colère… quand il m'a parlé au télé-phone. »

La victimologue se contenta de hocher la tête.

« Et le rôle de Rosa Dane dans tout ça ?

– Elle les remet à égalité. Elle a l'empathie et l'optimisme dont Pauline a besoin – le sauvetage de sa fille après plus d'un an de calvaire est un exemple de réussite. Mais elle raisonne aussi en tacticienne, ce qui correspond aux attentes de Colin. Elle s'y connaît en matière de stratégie médiatique et d'utilisation des réseaux sociaux, ce qui est indispensable de nos jours.

– J'imagine que le chargé d'enquête doit adorer », grom-mela D.D.

Pam Mason était philosophe : tous les enquêteurs veulent avoir la haute main sur leur dossier et toutes les familles veulent participer aux recherches.

« Est-ce que Stacey était proche de ses parents ? demanda D.D.

– Très.

– Des raisons de soupçonner la famille ?

– Non. J'accompagne les Summers depuis trois mois : un vrai modèle de famille soudée. Et franchement, je ne dis pas ça à la légère. Dans mon métier, on passe plus de temps à sortir des squelettes des placards qu'à encadrer des photos de familles heureuses.

– Donc, Pauline s'appuie sur sa famille et ses amis pour traverser l'épreuve, tandis que Colin remâche sa colère et s'en prend aux enquêteurs. Il a repris le travail ?

– Oui. Il a réduit ses heures, mais je lui ai conseillé de retourner au bureau. Rester à la maison ne lui valait rien. Travailler l'aide à tenir le coup. »

Une idée que D.D. ne pouvait pas contester étant donné son propre tempérament. « Est-ce que son épouse lui en veut ?

– Non. Comme beaucoup de femmes au foyer, elle a l'habitude que la maison lui appartienne. La soudaine présence de son mari vingt-quatre heures sur vingt-quatre a tendu les relations conjugales plutôt qu'elle ne les a aidées. Une partie de mon travail auprès des familles consiste à leur faire comprendre que plus elles s'éloignent de leur routine habituelle, plus le stress de chacun augmente. Vivre normalement est aussi une excellente stratégie pour affronter la crise.

– Est-ce que Rosa Dane est d'accord avec cette idée ? »

La spécialiste hésita. « Rosa est un mentor comme on en voit peu. Elle écoute Pauline. Elle parle à Colin. Elle m'a... impressionnée. D'une manière générale, le programme du Centre national pour les enfants disparus et exploités... hum...

– Je n'ai jamais rencontré de mentor familial, avoua D.D.

– Le programme part d'une excellente intention : que les parents qui ont déjà vécu le pire soutiennent les familles pour lesquelles l'épreuve ne fait que commencer. Je ne doute pas que les volontaires reçoivent une petite formation avant de remplir cette mission, mais au bout du compte... ce sont toujours des amateurs, pas des experts. Ils n'ont connu qu'une seule situation. Tandis que les gens comme moi... comme nous..., ajouta-t-elle après un bref regard vers Keynes. Devant une crise, il n'y a pas de réponse-type. Notre travail consiste à évaluer la famille et à identifier l'approche qui conviendra dans cette situation précise. Alors que les mentors bénévoles... forcément, ils réagissent en fonction de leur propre traumatisme. Tous leurs conseils, leurs suggestions ont plus à voir avec leur personnalité et avec ce qu'ils ont vécu qu'avec la famille qu'ils sont censés soutenir. À mon sens, ils cherchent davantage à corriger ce qu'ils ont perçu comme des dysfonctionnements dans leur affaire qu'à aider la nouvelle famille à traverser ces événements. Cela dit, Rosa... » Pam fronça les sourcils. « Rosa appartient à cette espèce rare capable de faire la différence entre la disparition de sa fille et ce que vivent les Summers.

– Elle les rencontre souvent ?

– En personne ? Non. Elle vit à trois ou quatre heures de route et comme, en plus, pendant le premier mois la presse déchaînée a campé sur le trottoir des Summers...

– Elle communique par téléphone.

– Essentiellement. Je ne saurais pas vous dire à quelle fréquence. Le téléphone des Summers sonne beaucoup.

– Mais vous l'avez rencontrée, manifestement.

– Deux fois. La première, elle a passé l'essentiel de la journée avec Pauline, à lui tenir la main en silence. » Pam s'interrompit, regarda D.D. intensément pendant une seconde. « C'est rare, vous savez. Les gens capables de simplement *être* avec quelqu'un. En théorie, c'est moi la spécialiste et je ne suis même pas très bonne à ce jeu-là.

– Vous avez un travail à accomplir, contesta D.D. C'est différent. »

La victimologue haussa les épaules. « La deuxième visite s'est produite au moment où l'on franchissait le cap des cinq semaines. Pauline commençait à sortir la tête de l'eau. Rosa a eu une discussion plus stratégique avec le couple. Les questions qu'ils devaient poser, leurs droits, les ressources auxquelles ils pouvaient faire appel. Colin voulait notamment savoir comment se servir des médias, comment lancer un appel personnel pour qu'on lui rende sa fille, ce genre de choses.

– J'ai vu certaines de ses apparitions à la télé, se rappela D.D.

– Les recommandations de Rosa tenaient parfaitement la route. La plupart d'entre elles correspondaient à des conseils que nous leur avions déjà donnés, mais je peux comprendre que ça passe mieux dans la bouche de quelqu'un qui a vécu la même épreuve, qui a agi dans la même situation. Ce qu'elle n'arrêtait pas de leur répéter – et je lui en savais gré –, c'était qu'il s'agissait d'un marathon et non d'un sprint. Que s'ils voulaient vraiment être là pour leur fille, il fallait qu'ils trouvent le moyen de ne plus attendre à chaque instant que le téléphone sonne et qu'ils s'organisent sur la durée. Mettre au point un système pour que la famille et les amis viennent les voir quand ce serait utile et pas envahissant. Reprendre le travail, les habitudes quotidiennes. Ne pas s'occuper des journalistes, ou alors à leurs propres conditions.

– Et ses conseils concernant les relations avec les enquêteurs ? » D.D. posait la question parce que cela faisait forcément partie des sujets abordés. Toutes les familles ont des choses à reprocher à la police.

« Les enquêteurs ne sont ni des amis ni des alliés. Ils travaillent pour l'État. Si les Summers voulaient vraiment savoir ce qui se passait, il fallait qu'ils engagent un privé. »

D.D. ouvrit des yeux ronds. « Ils l'ont fait ?

– Colin a parlé de recevoir des candidats en entretien.

– C'est charmant. Plus on est de fous, plus on rit. Le responsable d'enquête va être ravi d'apprendre ça. »

Pam haussa les épaules. « Est-ce que je crois qu'un privé va d'un coup de baguette magique permettre de retrouver Stacey ? Non. Est-ce que je pense que ça aide Colin à se sentir davantage aux commandes et que donc, à court terme, ça contribue à diminuer son stress ? Certainement. Le problème, c'est que Rosa voyait juste : il s'agit d'un marathon, pas d'un sprint, donc quand l'enquête du privé piétinera, ce sera finalement aussi difficile à supporter.

– Et quand ont-ils rencontré Flora ? risqua D.D.

– La fille de Rosa ? Jamais, à ma connaissance.

– Est-ce que Rosa leur a parlé de l'enlèvement de sa fille ?

– Oui.

– Donc ils connaissent bien son affaire. Ils ont pu avoir envie de la rencontrer en chair et en os, vous ne croyez pas ? La preuve vivante qu'une jeune fille peut disparaître dans un bar et être retrouvée saine et sauve ?

– Possible. Mais je n'ai jamais vu Flora chez eux.

– Elle suivait l'affaire Summers, insista D.D. De très près. » Elle lança un regard à Keynes, qui ne nia pas.

Une fois de plus, Pam haussa les épaules.

« Est-ce qu'elle aurait pu leur parler au téléphone ? demanda D.D.

– Pourquoi pas. Ils ne m'en ont jamais rien dit, mais Colin, en particulier, n'est pas du genre à se confier. Pourquoi êtes-vous tellement certaine qu'elle a été en contact avec eux ?

– À cause de Colin, son coup de fil de ce matin. Il m'a tout de suite demandé si c'était Flora qui avait tué Devon Goulding, question qui sortait plus ou moins de nulle part. Et quand je l'ai interrogé davantage sur Flora, il est aussitôt devenu évasif. Je mettrais ma main à couper qu'il la connaît, ne serait-ce qu'à cause de sa réticence à répondre.

– Je ne l'ai jamais vue chez eux, réfléchit Pam à voix haute. Et Pauline ne m'a jamais rien dit à ce sujet, mais il est possible que Flora ait rencontré Colin à son bureau.

– Pourquoi le voir lui et pas Pauline ? Parler au père et pas à la mère ?

– J'ai peut-être la réponse à cette question », intervint tout d'un coup Keynes. Il était assis en arrière dans son fauteuil, détendu, les doigts refermés sur le bord de la table.

« Je vous écoute », dit D.D.

Il se tourna vers sa collègue. « D'après votre analyse de la dynamique familiale, Pauline, la mère, est le cœur de la famille, le centre émotionnel.

– Exact.

– Tandis que le père, Colin, c'est la tête et les jambes. Il s'intéresse à la tactique, aux stratégies, tout ce qui pourrait permettre de retrouver sa fille.

– Mâle dominant, confirma Pam.

– Flora ne s'intéresse pas aux émotions. Elles la mettent mal à l'aise. En revanche, bâtir des stratégies, obtenir des résultats... »

À cet instant, D.D. comprit exactement où Keynes voulait en venir.

« Colin Summers n'a pas engagé de détective privé pour retrouver sa fille », dit-elle.

Keynes secoua la tête. « Non. Il y a de fortes chances qu'il ait plutôt engagé Flora. »

21

Est-ce que vous avez mal, à cet instant précis ? Est-ce que vos articulations sont douloureuses, le bout de vos doigts à vif ? Est-ce que votre crâne vous lance ? Non ? Alors vous allez bien.

Est-ce que vous avez soif ? Est-ce que vous êtes plié en deux, torturé par la faim, est-ce que vous vous léchez la peau pour avoir un goût dans la bouche ? Non ? Alors vous n'avez pas de problème.

Est-ce que vous êtes gelé ? À moins que vous n'ayez trop chaud et que la sueur ne dégouline sur votre visage ? Vous êtes dans une fournaise ou dans un froid glacial ? Toujours pas ? Alors vous n'avez aucune raison de vous plaindre.

Est-ce que vous vous sentez seul ? Est-ce que vous êtes apeuré, terrorisé, paniqué par l'obscurité ? Est-ce que vous vous dites que s'il partait maintenant pour ne plus jamais revenir, vous ne pourriez strictement rien faire ? Vous seriez coincé là. Pour y mourir, coupé du monde. Et votre mère n'en saurait jamais rien, elle n'aurait même pas de corps à ensevelir. Comme il vous en a menacé bien des fois.

Non ?

Alors vous allez très bien.

Écoutez-moi. Croyez-moi. Faites-moi confiance. Je sais de quoi je parle.

Je me sens bien. Je n'ai ni mal, ni faim, ni froid, ni chaud, ni peur. Je n'ai besoin de rien. Je ne désire rien.

Je vais très bien.

Enfermée seule dans le noir, je me porte comme un charme.

Quand je me réveille une nouvelle fois, je prends immédiatement conscience d'un changement dans la pièce. De la nourriture. Une odeur de poulet rôti flotte jusqu'à moi dans la nuit impénétrable. Et l'odeur d'un autre aliment, chaud et appétissant. Du jus de viande, de la sauce, des pommes de terre ? Les trois, peut-être ? Mon estomac gronde aussitôt et malgré moi je salive.

Je n'y vois toujours rien. Je reste seule au fond d'un abîme de noirceur. Pas le moindre rai de lumière pour signaler l'encadrement d'une porte. Mais l'odeur est puissante et pénétrante. Aucun doute, il y a de la nourriture quelque part dans cette pièce.

Je m'assois avec précaution, tâte autour de moi du bout des doigts. La dernière chose dont j'aie envie, c'est de renverser une assiette de victuailles et de gâcher cette offrande inattendue. Dans cette pièce où je suis privée de sensations, je n'ai toujours aucun sens du temps qui passe et de l'alternance jour/nuit. Cette assiette de poulet signifie-t-elle que c'est l'heure du dîner ? Du jour de mon enlèvement ou du lendemain ?

Et est-ce que ça signifie que j'ai le droit de manger : un matelas et trois repas, comme on dit en prison ? Ou s'agit-il d'une nouvelle expérience conduite par le Grand Méchant Kidnappeur ? D'abord étudier ma réaction devant un pauvre cercueil en pin. Maintenant observer le rat de laboratoire à l'heure du repas.

A-t-il lu les rapports sur mon enlèvement ? Peut-être fait-il partie de ces aficionados du crime qui ont suivi mon affaire dans les médias ? Une sorte de fan, si on veut, sauf que quand il a appris qu'une jeune fille avait été kidnappée et séquestrée dans un cercueil, il n'a pas été horrifié qu'un tel drame puisse se produire… Non, ça a touché une corde sensible, ça a libéré chez lui un fantasme abject dont il n'avait même pas conscience.

Il y a des types comme ça. Quand je suis rentrée chez moi, j'ai reçu des lettres de plusieurs d'entre eux, excités par tous les détails scabreux de ma captivité. J'ai même reçu une demande en mariage.

Parce que Jacob Ness n'est pas le seul monstre parmi nous et que, oui, ils se passionnent pour les exploits des autres.

Le temps n'est pas encore venu de s'intéresser aux motivations, me rappelé-je. Juste aux faits. D'autant que cette odeur de poulet laisse espérer davantage que de la nourriture. Une assiette en céramique ? Ou, mieux encore, un couteau ?

Je descends lentement du matelas, je me laisse tomber à genoux et ma chaîne me suit bruyamment. Cela me contrarie de me traîner par terre. Je suis pratiquement certaine qu'il épie avec des lunettes de vision nocturne de l'autre côté du miroir. Encore une fois, pourquoi se donner tout ce mal si ce n'est pas pour profiter du spectacle ? Il a certainement attendu que je m'assoupisse, puis il a ouvert la porte que je n'ai pas encore trouvée, il a déposé la nourriture et il est ressorti pour jouir de la scène. Je déteste l'idée que quelqu'un, un taré anonyme et sans visage, me regarde marcher à quatre pattes. Mais piétiner le dîner serait encore pire, alors je joue les chenilles arpenteuses et j'avance en posant mes mains liées devant moi, avec la chaîne qui cliquette derrière moi.

L'odeur vient de l'autre bout de la pièce, là où se trouvait le cercueil en pin. J'avance prudemment dans le noir, en explorant devant moi de mes doigts légers. Et je finis par rencontrer le bord de la caisse avec mon épaule gauche. Je m'arrête, recule un peu, tâte les contours de la chose.

Il l'a retapée. Le salaud. Je l'avais complètement démantibulée, éparpillée façon puzzle. Et la voilà de nouveau intacte.

Je le maudis et je suis tentée d'arrêter de chercher le poulet rôti pour détruire la caisse par pur dépit. Mais je m'oblige à prendre le temps de raisonner.

Pourquoi reconstruire cette boîte ? Pour me rendre dingue ? En ce moment même, de l'autre côté de la fenêtre d'observation, il doit avoir un sourire jusqu'aux oreilles en me regardant tâter ce cercueil du bout des doigts. Il veut provoquer une réaction, il attend sans doute avec impatience de lire de la terreur sur mon visage. Je l'emmerde. Il peut toujours courir pour que je lui fasse ce plaisir.

Bon, alors, quand a-t-il reconstruit la caisse ? Aucun doute que s'il y avait travaillé dans la chambre, même pendant mon sommeil, je l'aurais entendu. Et comme je l'ai disloquée planche par planche…

Il a dû la sortir de la pièce. Il a ramassé les morceaux et ensuite, après l'avoir retapée (ou en avoir acheté une deuxième ?), il l'a rapportée.

Je ne comprends pas. Je reste le dos tourné au miroir sans tain, d'un seul coup mal à l'aise. Je ne sais pas ce qui me dérange le plus, entre l'idée que mon ravisseur puisse aller et venir cent cinquante fois dans la chambre sans me réveiller ou celle qu'il dispose d'un stock illimité de cercueils en pin.

Je tripote le galon en dentelle de ma nuisette en soie. Là encore, une preuve qu'il s'était préparé. Ce prédateur n'est pas le premier lourdaud venu. Il ne fait pas les choses au hasard.

Il me connaît. J'en suis presque sûre. Est-ce qu'il ferait partie des hommes qui m'ont écrit ces cinq dernières années ? Un de ces malades sans nombre qui, en lisant les détails salaces de ma captivité, se sont dit : génial, et si je me trouvais une fille comme ça ?

J'ai les mains qui tremblent. Comme j'ai les poignets liés, je sens mes doigts grelotter les uns contre les autres et cet aveu de faiblesse me fait horreur. Pire encore, mon envie viscérale de me triturer le pouce. De trouver une irrégularité au bord de mon ongle. De me l'arracher. De me servir de la douleur pour garder le contact avec la réalité.

Comme je le faisais il y a tant de jours, tant de mois, tant d'années, quand j'étais enfermée dans la caisse.

De la nourriture. Cette odeur, si proche que j'en ai l'eau à la bouche. Il faut que je me concentre. J'ai faim, c'est une certitude, et comme je ne sais pas quand j'aurai de nouveau la possibilité de manger...

Peut-être bien que le Grand Méchant Kidnappeur a lu tout ce qu'il y avait à lire sur moi. Peut-être même qu'il croit me connaître.

Mais ça, c'était l'ancienne Flora. Pas celle qui a passé les cinq dernières années à se former, à s'entraîner, à se préparer. La Flora 2.0.

Une femme qui a des promesses à tenir.

Ce poulet. La possibilité de m'alimenter. Je ne vais pas la gâcher sous prétexte qu'une stupide caisse en pin m'a brutalement ramenée en arrière ou qu'il m'est désagréable de penser que je suis observée.

Le dîner est servi.

J'explore le sol autour de la caisse, progressant centimètre par centimètre, en appui sur mes avant-bras liés. Je cherche ce fameux poulet rôti entre la caisse et le mur. Mais… rien.

Je contourne la caisse et continue dans le reste de la pièce. Nada.

En désespoir de cause, je m'accroupis près du matelas, le dos une nouvelle fois tourné à la fenêtre d'observation, et je réfléchis.

Difficile de dire d'où vient l'odeur. J'imagine qu'elle pourrait arriver d'une autre pièce. Voire, pire, qu'il pourrait simplement la diffuser dans la chambre. Peut-être par la bouche d'aération qui se trouve à côté du miroir sans tain. Ce qui signifierait qu'il n'y a pas de nourriture du tout. Que tout ça n'est qu'une expérience scientifique perverse, où je joue le rôle de la souris dans le labyrinthe.

Mais l'odeur est si forte, si proche.

La chaleur. D'un seul coup, j'en prends conscience : ce n'est pas seulement que je sens l'odeur du poulet, je jurerais que j'en perçois la présence physique. Une vapeur flotte dans l'air. Et là où elle était le plus perceptible, là où l'odeur était la plus nette, c'était près de la caisse.

Je me détends. J'ai compris ce qu'il a fait. Quel connard !

Je retourne au cercueil reconstitué (au deuxième cercueil ?). Comme par hasard, des trous ont été grossièrement percés dans le couvercle. Est-ce que je suis censée frotter le bout de mes doigts contre leurs bords blessants ? Déchirer mes chairs, enfoncer une écharde sous ma peau douce et ensuite aspirer le sang ? Que des bons souvenirs. Est-ce que c'est ça qu'il attend de moi ?

Je serre les poings en me penchant vers le premier trou pour humer. Poulet, aucun doute. Et, oui, non seulement je sens l'odeur, mais aussi un soupçon de chaleur et de vapeur qui monte de la caisse.

Connard.

Je trouve assez facilement le cadenas. Fermé, évidemment, pourquoi s'en priver ? Tant qu'à torturer sa victime avec la promesse olfactive d'un repas, autant mettre celui-ci sous clé. Laisser ouvert, voyons, ce ne serait pas drôle.

Est-ce que j'ai faim, à cet instant précis ? Oui. Est-ce que j'ai soif ? Oui.

Mais est-ce que j'ai mal ? Est-ce que je suis terrifiée, déprimée, abattue, paralysée par le chaud, le froid, le désespoir ? Non. Donc, je vais bien. Je peux réfléchir et trouver une solution.

Première possibilité : tourner les talons. Ou plutôt, vu mon caractère, me retourner vers l'autre, lui faire un nouveau doigt d'honneur et reprendre ma place sur le matelas. Inconvénients : rester le ventre vide, et puis… il n'y a peut-être pas que de la nourriture là-dedans. Et s'il y avait des couverts, une assiette, voire, soyons fous, un gobelet en plastique ? Des ressources, des outils potentiels. Le cercueil est une sorte de pochette-surprise. Et seule dans le noir comme je le suis, je ne peux pas me permettre de faire une croix sur son contenu.

Ce qui signifie que je vais devoir l'ouvrir. Je l'ai déjà fait une fois, en le fracassant à la force de mes poings. Mais j'étais plutôt énervée, à ce moment-là, j'essayais de secouer les puces de son occupante. Je ne suis pas sûre que reproduire cette méthode me rapprocherait beaucoup de mon dîner.

Je pourrais crocheter la serrure du cadenas. Le matelas a des ressorts, donc des spirales métalliques… Ce ne serait pas simple, mais je ne doute pas de ma capacité à réussir.

Le problème, c'est que l'autre non plus n'aurait plus de doute sur mes capacités.

Est-ce que c'est vraiment ce que je veux ? Donner autant d'informations à ce stade ? À un individu dont je ne comprends pas encore les motivations et qui peut manifestement aller et venir dans la pièce sans me réveiller ?

Mon pouce droit cherche instinctivement l'ongle de mon pouce gauche...

Mais qui est ce type ? Et qu'est-ce qu'il attend de moi ?

Pourquoi cette horreur de nuisette en satin ?

Et le cercueil. Pourquoi le cercueil ?

La tête basse, j'ai un moment de faiblesse. Je déteste être ici, je déteste cet homme et je me déteste de m'être mise dans une telle situation. Il y a cinq ans, je m'en suis sortie, et pourtant je n'ai jamais réussi à tourner la page. Jacob pourrait tout aussi bien être là, dans le noir, à se fendre la poire.

Mon propre frère a fui la personne que je suis devenue. Quant à ma mère... Ma pauvre mère, si résignée, qui avait renoncé à tant de choses, tout ça pour découvrir un jour que la fille qu'elle aimait tant ne reviendrait jamais à la maison.

Seulement une coquille vide.

L'odeur est moins forte. Le poulet, brûlant tout à l'heure, est en train de refroidir. Voilà qui me donne un coup de fouet.

Est-ce que tu sais qui je suis ? Une fille qui aimait autrefois gambader avec les renards sauvages.

Une fille qui a survécu à quatre cent soixante-douze jours de captivité.

Et qui sortira saine et sauve de cette nouvelle épreuve.

Je serre les poings. Je lève les mains et je les balance comme une batte de base-ball contre le côté du cercueil. Il vibre sous la violence du choc. Alors je recommence, encore et encore. Je m'acharne sur les flancs, je transforme tout mon corps en un engin de démolition et je mets tout son poids dans mes coups.

J'ai les doigts meurtris. Ma peau se fendille, écorchée par les arêtes rugueuses du cercueil. Rien ne m'arrête.

Il y a bien longtemps, j'ai appris à séparer mon esprit de mon corps, mes émotions de ma douleur. Et ces leçons me sont bien utiles.

Au moment où je dois soumettre ce cercueil à ma loi.

Quand le flanc finit par plier, un craquement se fait entendre. Ça me fait plaisir. Comme je ne vois pas ce que je fais, c'est gratifiant d'entendre la planche céder. Je ralentis, cherche à me repérer au milieu des éclats de bois jusqu'à attraper le bord du couvercle désaxé pour l'arracher et le faire basculer de l'autre côté. Le cadenas cliquette, toujours intact, mais désormais complètement inutile puisque toute une moitié du couvercle a été arrachée.

Bon courage pour le reconstruire, celui-là, me dis-je et, malgré moi, je suis curieuse de savoir ce qu'il va devenir.

Mais d'abord, au vainqueur les dépouilles.

Encore un instant et je les trouve : une assiette en polystyrène, première déception. Mais une bouteille en plastique, donc peut-être de l'eau. Pas de couverts. J'ai beau chercher, rien. Mais l'assiette… Dans le noir, je tâte le contenu du bout du doigt. Un demi-poulet rôti, des cubes de pommes de terre et un légume un peu caoutchouteux.

Une dînette à manger avec les doigts ? Volontiers, merci.

Je me tourne vers le miroir sans tain et je fais de mon mieux pour le transpercer du regard en attrapant le pilon du poulet pour attaquer mon repas. J'ai les doigts gras. La chaîne cliquette sous les menottes qui m'encerclent les poignets, frotte contre ma cuisse dénudée. Ma nuisette est remontée, mais je ne fais pas un geste pour la remettre en place.

Est-ce qu'il voudrait que je sois raffinée ? D'où ma nouvelle tenue de nuit ? Eh bien, il en sera pour ses frais. Voilà comment je suis : pragmatique, méthodique, efficace, je mange tout le contenu de l'assiette.

Le poulet est fameux. Tout comme les pommes de terre et ce qui se révèle être des haricots verts. Non pas que le goût soit ma première préoccupation. Je mange pour prendre des forces, maintenant que je n'ai plus faim. Et après quelques prudentes gorgées d'eau, je n'ai plus soif non plus.

Je vais bien.

Aucun problème.

Je suis seule dans le noir et je me porte comme un charme.

Plus tard, le dos tourné à la fenêtre d'observation, accroupie pour dissimuler mes activités, je replie l'assiette en polystyrène autour de mes poings et je m'en sers comme d'un bouclier de fortune pour frapper le bord fracassé du cercueil. Mes efforts sont payants : j'arrive à arracher un, deux, puis trois éclats de bois. Ne me reste plus qu'à trouver une planque. Dans cette pièce noire comme l'enfer où je ne vois rien, mais où lui voit tout.

Je place les minces fragments au creux de mes paumes et je referme mes mains autour de la bouteille encore aux deux tiers pleine. Autant qu'il croie que c'est ça que j'essaie de cacher tandis que je retourne au matelas, la bouteille serrée contre moi.

Je m'allonge dos tourné au miroir. Puis, avec des gestes lents, je me sers de l'éclat de bois le plus long et le plus effilé pour percer le bord du matelas, à l'endroit de la couture. Il ne me faut qu'une petite fente, deux centimètres font l'affaire. J'y fais glisser le premier éclat de bois, puis le deuxième, le troisième.

Le pin est un bois tendre. Je doute que ces fragments puissent faire des armes d'une grande efficacité. Cela dit, un bout de bois enfoncé dans l'œil…

Des ressources. Ce que je possède et dont il ne sait même pas qu'il devrait me le retirer.

Je me couche en chien de fusil, la bouteille d'eau contre moi.

Et je me dis, alors que je me laisse de nouveau gagner par le sommeil : Je n'ai pas faim. Pas soif. Pas froid. Pas chaud. Pas mal. Je ne suis pas épuisée, je ne suis pas terrifiée.

Je suis prête au combat.

22

Du point de vue d'un enquêteur, le véritable fléau dont souffrait la société, ce n'étaient pas les grands criminels (après tout, les tueurs en série ne courent pas les rues), mais les journalistes.

Dimanche après-midi. D.D. avait vraiment besoin d'interroger Colin Summers. L'idéal aurait été de le faire dans le confort de sa maison : moins il se sentirait menacé, plus ils auraient de chances qu'il parle. Malheureusement, comme les médias alimentaient diverses rumeurs selon lesquelles Devon Goulding était aussi le ravisseur de Stacey Summers... D.D. n'avait pas besoin de se rendre au domicile des Summers pour savoir que c'était désormais une zone de guerre où s'affrontaient les camionnettes de télévision garées n'importe comment, les photographes belliqueux et les reporters déchaînés.

L'arrivée d'une enquêtrice connue pour son travail dans plusieurs grosses affaires n'aurait fait que mettre de l'huile sur le feu. Même envoyer Pam Mason, la victimologue, aurait fait monter la pression.

Par ce beau dimanche après-midi, D.D., Keynes et Pam Mason étaient donc dans le bureau de Keynes et, au lieu de chercher activement Florence Dane, ils se creusaient la cervelle pour trouver comment jouer au plus fin avec les journalistes et obtenir de voir Colin Summers seul pour l'interroger. Une nouvelle tournée de cafés fut nécessaire, mais Keynes s'en tint à l'eau.

Décidément, D.D. n'avait pas confiance en lui. Un type capable d'avoir l'air aussi vif et d'attaque sans la moindre dose de caféine ?

Ce fut Pam qui eut la bonne idée : elle appellerait Colin et lui demanderait d'aller à son bureau pour la rencontrer. Il comprendrait tout de suite qu'elle avait quelque chose à lui dire à l'abri du regard indiscret des médias. Et si les reporters pouvaient le suivre jusqu'à sa société, ils ne pourraient pas entrer dans la tour, car c'était une propriété privée. Il monterait à son bureau du dixième étage, qui devrait être assez calme en ce dimanche après-midi, et D.D. et Pam l'y retrouveraient. Keynes ne viendrait pas : trois contre un, ç'aurait été un dispositif trop menaçant pour le genre de questions qu'ils avaient besoin de poser.

Keynes ne protesta pas, hocha simplement la tête. D.D. se demanda jusqu'où il fallait aller pour froisser ce victimologue chevronné. Mais c'était peut-être justement l'explication : dans son métier et à ce stade de sa carrière, il avait vraiment tout vu.

Pam passa le coup de fil. D.D. n'entendit qu'une moitié de la conversation, mais manifestement Colin ruait dans les brancards, exigeait de savoir le pourquoi du comment. Mais Pam, en négociatrice d'expérience, garda une voix posée et s'en tint à une requête simple : retrouvez-moi à votre bureau. Retrouvez-moi à votre bureau. Retrouvez-moi à votre bureau.

Pour finir, Colin avait dû renoncer à se taper la tête contre le mur de béton armé qu'elle lui opposait et avait accepté de la retrouver à son bureau. À quinze heures.

L'heure de battement laissait à D.D. le temps de faire le point avec son équipe. Keynes lui montra un bureau vacant dont elle pouvait se servir, et elle appela aussitôt Phil pour le mettre au courant de la stratégie adoptée.

« Donc tu veux que je rencontre Colin Summers à quinze heures ? demanda-t-il.

– Non, dit-elle sans comprendre. Je m'en charge. »

Un silence. « Je peux te poser une question ?

– Vas-y.

– Quelle partie de ton travail tu restreins, au juste ? Vu que tu es en restriction d'aptitude ?

– Je ne porte pas d'arme, répliqua-t-elle sèchement. Pourquoi ? Tu penses que j'en aurais besoin pour interroger un banquier d'affaires ?

– Non. Je crois que tu aurais besoin de faire confiance à ton équipe. De nous laisser travailler pendant que toi, tu jouerais les petits chefs. Ce serait le pied, non ?

– Je n'ai pas le temps pour cette conversation.

– Celle où j'ai raison et où tu le sais pertinemment ? »

Elle poussa un grognement. Cela ne fit pas rire son ancien coéquipier. « D.D., on se fait du souci pour toi. Tu te relèves tout juste d'une blessure grave et ce parce que tu étais retournée voir une scène de crime toute seule, sans en informer ni moi, ni Neil. Tu ne vois pas que c'est un comportement récurrent ? Et tu ne comprends pas que ça nous blesse ? Non, je corrige : ce n'est pas le mot. Que ça nous fait *chier* ? On bosse ensemble et tu ne nous as même pas laissé une chance d'assurer tes arrières. »

Cette réponse fit réfléchir D.D. D'une, parce que Phil, père de quatre enfants, n'était jamais grossier. Et de deux, parce que cet être d'un naturel calme, aimable et compréhensif, avait vraiment l'air en colère.

« Ce n'était pas ce que je voulais.

– Comme d'habitude. C'est bien le problème. Tu ne penses qu'à ta petite personne…

– Je pense à mon affaire !

– Une affaire sur laquelle toute une équipe travaille ! C'est exactement là que je voulais en venir. »

D.D. ne savait plus quoi dire. Phil lui remontait les bretelles. Jamais ça n'arrivait. C'était son boulot à elle.

« Donc… tu veux interroger Colin Summers ? » demanda-t-elle posément, même si elle n'avait aucune envie que Phil interroge le père de Stacey Summers. Elle voulait le faire elle-même. Rencontrer l'homme, jauger ses réactions devant les différents sujets abordés. C'était dans sa nature de vouloir faire et voir les choses par elle-même. Pas parce qu'elle ne faisait pas confiance à son équipe, mais parce qu'on ne se refait pas.

Demandez donc à Alex.

« Je ne peux pas, dit Phil.

– Tu ne peux pas ?

– Je tiens une piste sur Kristy Kilker, dont on a retrouvé le permis de conduire dans la chambre de Devon Goulding.

– Celle qui est censée étudier en Italie ?

– Oui, on s'est renseignés : d'après son université, Kristy ne s'est jamais inscrite au programme d'échange avec l'étranger. Donc, soit elle a menti à sa mère, soit sa mère nous ment. J'ai envoyé des agents en patrouille la chercher pour qu'elle vienne répondre à nos questions.

– Tu me tiendras au courant. Des nouvelles de Natalie Draga ?

– Oui, la grand-mère, qui vit à Mobile, nous a rappelés. Natalie est partie pour Boston l'an dernier. Elle appelait de temps en temps, mais ça fait un moment que mamie Draga n'a plus eu de ses nouvelles. Dans son souvenir, Natalie travaillait comme serveuse dans un bar. Mais il semblerait que la petite-fille et sa grand-mère n'étaient pas vraiment proches, donc l'adresse de Natalie, ses éventuels colocataires, ses amis, mamie Draga n'en savait rien et s'en fichait.

– Quel bar ?

– Elle ne savait pas. Mais conformément aux ordres avisés que tu as donnés en tant que commandant en restriction d'aptitude, des enquêteurs de quartier sont allés voir l'employeur de Devon Goulding hier après-midi…

– Au Tonic.

– C'est ça. Ils ont montré des photos de Natalie Draga et Kristy Kilker. En voyant son permis, la directrice du bar a reconnu Natalie, une ancienne employée qu'elle n'avait pas vue depuis des mois. Un jour, elle est partie et elle n'est jamais revenue.

– Et Kristy Kilker ? » demanda D.D. Seraient-ils assez heureux pour avoir découvert si vite un lien entre les deux femmes et Devon Goulding ?

« Rien de ce côté-là, mais Carol est en route pour le Tonic, elle photocopiera les fiches de paie de Natalie. En tout cas, ça se précise…

– Devon Goulding avait un lien direct au moins avec Natalie Draga. Puisqu'ils travaillaient dans le même bar, et tout.

– Carol va nous trouver les détails », lui assura Phil.

D.D. essaya de retenir le soupir railleur qui lui monta automatiquement aux lèvres, mais n'y réussit qu'à moitié.

« Voyons, pourquoi es-tu aussi dure avec elle ? s'offusqua aussitôt Phil. Carol Manley est une excellente enquêtrice qui a fait ses preuves. Et en plus elle a un golden retriever. Comment peux-tu ne pas aimer une femme qui a appelé son chien Harley ? »

D.D. ne répondit pas. Les sentiments qu'elle nourrissait à l'égard de la nouvelle enquêtrice étaient irrationnels et elle le savait.

« Je croyais que Carol devait visionner toutes les images de vidéosurveillance autour de l'appartement de Florence Dane ?

– Les requêtes sont en cours d'exécution. Quand on aura les vidéos, elle pourra s'y mettre, mais en attendant... »

Rien à dire. Rassembler les images des caméras de surveillance était réellement plus long qu'on ne pourrait le croire.

« Il faut qu'on retrouve Flora, grommela-t-elle.

– Alors puisque tu es la chef, pourquoi ne pas demander des renforts ? Parce que entre l'enquête sur Devon Goulding hier et les derniers rebondissements de ce matin... on ne peut pas être partout. À tel point d'ailleurs que notre superviseuse, pourtant en restriction d'aptitude, éprouve le besoin d'aller elle-même sur le terrain.

– Touché.

– Mais ce n'est pas à moi de te dire quoi faire. »

Il semblait à nouveau de mauvais poil. D.D. hésita. Elle se demandait si d'autres choses encore lui avaient échappé. Dieu sait qu'elle n'avait jamais pensé que Phil et Neil avaient été touchés dans leur amour-propre par sa blessure. Et par ailleurs elle avait une tendance naturelle à régenter son monde avant même d'être nommée superviseuse de Phil, alors qu'il avait plus d'années de métier. En même temps, elle avait toujours été à la tête de leur équipe...

« Phil...

– Un instant. D'accord. Mme Kilker vient d'arriver. C'est le moment d'aller justifier mon salaire. Bonne chance avec Colin Summers.

– Même chose de ton côté.

– Ensuite tu reviens à la maison ? »

Dans le jargon policier, cela désignait les locaux de la police.
« Bien sûr. Je reviens.

– On s'y retrouve, alors. »

Phil raccrocha. D.D. s'attarda quelques instants en se
demandant une nouvelle fois à côté de quoi elle était passée et pourquoi, si elle était une aussi bonne enquêtrice, les
hommes de sa vie restaient à ce point un mystère pour elle.

Colin Summers travaillait pour une grande banque d'affaires
dans le quartier financier de Boston, près de Faneuil Hall.
Depuis les locaux du FBI, il était plus facile à Pam et D.D.
de rejoindre à pied le majestueux immeuble de granite rose
que de se bagarrer en voiture avec des touristes dépaysés et
irrémédiablement perdus dans des rues secondaires de plus
en plus étroites.

La veste en cuir préférée de D.D. n'était pas tout à fait de
taille à lutter contre la froidure de cette fin d'automne, mais
elle fit le gros dos et serra les dents. Pam, remarqua-t-elle,
avait troqué sa veste de tailleur et son corsage en soie contre
un pull à torsades et une écharpe dans les tons dorés. Encore
assez chic, mais plus abordable que le chemisier collet monté
de tout à l'heure. Certainement pas une mauvaise stratégie
pour obtenir d'un père en colère qu'il confesse les extrémités
auxquelles il avait peut-être eu recours pour retrouver sa fille.

Comme beaucoup d'immeubles de bureaux à Boston, le siège
de la banque employait un réceptionniste même le dimanche.
Pam prit les devants et dégaina sa pièce d'identité en indi-
quant qu'elles avaient rendez-vous à quinze heures avec Colin
Summers. Le jeune vigile réprima un bâillement (elles avaient
certainement interrompu une très enrichissante séance de
visionnage de vidéos YouTube sur son portable), puis appela

dans les étages. Colin avait déjà dû arriver et les annoncer, car elles furent aussitôt invitées à entrer.

« Je vais mener la discussion », dit Pam avec autorité dans l'ascenseur.

D.D. ne moufta pas. Pam connaissait déjà le témoin et, contrairement à ce que pensait Phil, D.D. ne tenait pas à toujours tout contrôler. La preuve.

Elles sortirent sur le palier du dixième. Une double porte vitrée à gauche, une autre à droite, toutes les deux hermétiquement fermées et donnant sur des réceptions plongées dans le noir. Pam se dirigea vers celle de gauche et, de fait, un homme se présenta derrière la porte, son visage aux traits tirés figé en un masque sinistre. Il appuya sur l'interrupteur pour leur ouvrir.

D.D. n'avait jamais rencontré Colin Summers. Elle lui avait juste parlé au téléphone et elle l'avait vu à la télévision supplier qu'on lui rende sa fille saine et sauve. Lui-même avait dû la voir à l'occasion de conférences de presse parce qu'il s'écria aussitôt : « Je le savais ! Je le savais ! Si elle est là, dit-il en montrant D.D. du doigt, c'est que la mort de ce salaud de Goulding a bien un rapport avec ma fille. Vous l'avez retrouvée ? Vous avez des nouvelles ? Où est-elle ? Où est Stacey !

– Colin, dit Pam, sur un ton qui, à la surprise de D.D., n'était pas lénifiant, mais ferme. Nous n'avons pas retrouvé Stacey. Croyez-moi, si c'était le cas, je serais avec vous *et* avec votre épouse en ce moment. »

Colin se renfrogna, mais hocha la tête. L'argument devait lui paraître recevable.

« En revanche, nous avons bel et bien une nouvelle piste qui pourrait nous aider à la retrouver. Vous permettez ? »

Pam montrait la porte vitrée. Colin avait ouvert, mais il leur barrait encore le passage. Il s'écarta à contrecœur. Pam lança un regard à D.D. et elles entrèrent toutes les deux.

Ils traversèrent la petite réception au spectaculaire mur d'ardoise grise. Une déco moderne et sophistiquée, ainsi qu'il seyait à une grande banque en ligne. Colin partit vers la droite et passa son badge dans un lecteur pour ouvrir une autre paire de portes. Ils se retrouvèrent alors dans le cœur nucléaire, un vaste bureau paysagé semé de box de travail et flanqué, sur la droite, d'une rangée de bureaux individuels avec vue.

Comme elles l'espéraient, la plupart des box étaient vides et la salle n'était qu'à moitié éclairée, mais à l'autre bout de la salle, D.D. entendit le cliquetis de claviers et le murmure d'une voix au téléphone. De jeunes loups, pensa-t-elle, qui essayaient encore de marquer des points en travaillant le dimanche.

En tant que vice-président de la banque, Colin avait déjà donné pour la cause. Il les conduisit dans le bureau qui occupait l'angle de la tour, et D.D. ne put se défendre d'être impressionnée. Du mobilier en merisier massif. Un monumental fauteuil de cadre en cuir noir. Encore plus époustouflant : la vue. D'accord, la fenêtre donnait sur une petite rue encaissée entre deux autres tours, mais tout de même... les pavés de Faneuil Hall étaient visibles au loin, grouillant de minuscules touristes au regard émerveillé et de Bostoniens affamés qui profitaient de leur week-end.

D.D. s'arracha à la fenêtre pour examiner les diplômes accrochés dans des cadres dorés sur le mur voisin. Pam Mason avait dit vrai : aucun problème ne semblait pouvoir résister à l'intelligence supérieure et à la réussite financière de Colin.

À part, bien sûr, l'enlèvement de sa fille.

Colin avait déjà pris place derrière l'immense bureau. En temps normal, on l'aurait jugé séduisant, songea D.D. Des cheveux blond-roux coupés ras, des yeux bleu vif, mince, sportif. Le genre à mettre autant d'énergie dans le sport que dans le travail.

Mais sa bouche était figée en une moue sévère. Pas cruelle, mais austère. Et, à bien y regarder, il avait le visage creusé. Un bourreau de travail soumis à un niveau de stress inhabituel. Un homme qui regardait avec impuissance sa famille se décomposer.

Il ne leur proposa ni eau ni café. Assis derrière son bureau comme derrière un rempart, il regardait D.D. et attendait qu'elle parle.

Pam prit l'un des fauteuils à haut dossier dans le coin salon et l'approcha. Avec un calme olympien, elle invita D.D. à s'asseoir, puis approcha un second siège pour elle-même.

Comme elle s'y était engagée, D.D. attendit que Pam prenne la direction de la conversation. Vu la manière dont Colin la fusillait du regard (comme s'il la considérait comme une ennemie), c'était clairement la meilleure stratégie.

« Comment va Pauline ? » finit par demander Pam après avoir pris son temps pour s'asseoir et se mettre à l'aise. Contrairement à Colin, qui avait toujours la mine sombre, elle semblait détendue, à l'écoute ; elle aurait aussi bien pu être attablée avec de vieux amis autour d'un brunch.

« À votre avis ? rétorqua Colin, dont le regard se mit à lancer des éclairs. Surtout après... ce qui s'est passé hier.

– Est-ce que vous connaissiez Devon Goulding, Colin ? Est-ce qu'il vous est arrivé d'aller au Tonic, est-ce que vous avez reconnu sa photo aux informations... ?

– À part le fait qu'il a exactement le profil de l'homme qui a enlevé ma fille, vous voulez dire ?

– Commandant Warren, dit Pam en se tournant d'un seul coup vers elle, pourriez-vous s'il vous plaît dire à M. Summers ce que vous avez découvert dans la maison de Devon Goulding ? »

D.D. sursauta : elle n'avait aucune intention de lâcher une telle information. Mais Colin était déjà penché vers elle, l'air fébrile. Elle comprit qu'il ne renoncerait pas. Il était persuadé que la police savait quelque chose et qu'elle le tenait volontairement dans l'ignorance. Tant que ce serait le cas, on n'obtiendrait rien de lui et cette conversation ne mènerait nulle part. Comme elle avait accepté de laisser la direction des opérations à Pam Mason, celle-ci avait décidé de la stratégie. Il faut parfois payer pour voir : elles allaient payer Colin avec cette information et espérer qu'en échange il jouerait le jeu.

« Nous avons trouvé des photos, indiqua D.D., des photos d'une jeune femme qu'il suivait manifestement partout. Nous avons aussi trouvé des permis de conduire dissimulés dans sa chambre et nous n'avons pas encore pu localiser les deux femmes à qui ils appartiennent. »

Colin poussa un sifflement. Même s'il s'attendait à une nouvelle de ce genre, il en restait pantois.

« Nous pensons que Devon Goulding était un prédateur. Nous pensons qu'il est possible qu'il ait agressé ces deux jeunes femmes et que les permis soient des sortes de trophées.

– Il les a tuées, dit Colin.

– Nous n'en savons rien. Des enquêteurs cherchent à les localiser. Mais à l'heure qu'il est...

– Elles sont introuvables.

– Nous ne les avons pas retrouvées.

– Il les a tuées, répéta Colin.

– Donnez-nous quarante-huit heures, dit D.D. en songeant aux progrès réalisés par son excellentissime équipe d'enquêteurs, et nous serons sans doute en mesure de répondre à cette question.

— Et maintenant, dites-nous ce que vous n'avez pas trouvé », intervint Pam avec fermeté.

D.D. ne quitta pas Colin Summers des yeux ; celui-ci, toujours penché vers elle, restait crispé.

« Nous n'avons trouvé aucune trace de Stacey. Pas de photo. Pas de permis. Pas une mèche de cheveux, pas un échantillon de fibre. »

Colin ne se rassit pas en arrière. Il ne se détendit pas. Il continua à la dévisager comme s'il lui était impossible d'assimiler une telle information.

« Monsieur Summers, je vous ai dit la vérité, ce matin : nous pensons que Devon Goulding était un violeur, peut-être même un assassin. Mais à l'heure qu'il est, nous n'avons aucune raison de penser qu'il a enlevé votre fille. Au contraire, étant donné son habitude de conserver des trophées (des permis de conduire, des photos), il est probable que ce ne soit pas le cas.

— Mais vous êtes là.

— Colin, reprit Pam, le moment est venu de nous dire ce que vous savez au sujet de Goulding. Pourquoi le soupçonnez-vous d'avoir enlevé votre fille ?

— Pardon ? Qu'est-ce que je pourrais savoir sur lui ? J'ai simplement entendu parler de lui aux informations, comme tout le monde. » Il ponctua cette dernière phrase d'un regard courroucé vers D.D.

« Vraiment ? Et que disait Flora à son sujet ? »

Colin tressaillit. Il baissa les yeux et se recula brusquement dans son siège. Pour mieux mettre de la distance entre eux, pensa D.D.

« Colin, je sais que vous voulez des réponses, reprit Pam. Je sais que vous aimez votre fille et que vous feriez n'importe quoi pour la sauver.

– Est-ce que vous avez engagé un détective privé ? Pour la retrouver ? » demanda D.D.

Colin ne dit rien. Il n'avait plus l'air en colère mais dur comme de la pierre. Un père qui essayait d'empêcher son cœur de se briser.

« Monsieur Summers, je peux obtenir un mandat pour consulter l'historique de vos appels téléphoniques et les images des caméras de surveillance de cette tour, continua D.D. Ça nous prendrait du temps et des moyens que la police de Boston pourrait plutôt consacrer aux recherches pour retrouver votre fille, mais s'il le faut…

– Je connais Rosa Dane, reconnut-il d'un seul coup. C'est notre mentor. Je vous l'ai déjà dit.

– Elle vous a raconté son histoire, n'est-ce pas ? Cela fait partie de son rôle. De vous faire part de son expérience et, plus important encore, de vous dire qu'un an après l'enlèvement, il est possible de voir revenir sa fille. »

Colin confirma d'un signe de tête.

« Rosa est franche. Elle vous a parlé des difficultés de Flora, n'est-ce pas ? Du fait que même si l'histoire se termine bien, tout ne va pas pour le mieux dans le meilleur des mondes. Que depuis cinq ans, sa fille étudie de manière obsessionnelle les comportements criminels et l'autodéfense pour essayer de retrouver un sentiment de sécurité. »

Colin ne répondit rien.

« Alors ça vous a fait réfléchir. La police était incapable de vous aider. Vous n'aviez été convaincu par aucun des détectives privés que vous aviez rencontrés en entretien… »

Il lança un regard noir à Pam, irrité que la victimologue en ait révélé autant.

« Alors pourquoi pas Flora Dane ? Une jeune femme qui avait personnellement vécu cette situation ? Qui était plus ou moins devenue une experte en matière d'enlèvement. Pourquoi ne pas discuter avec elle ? »

Il se mordillait la lèvre nerveusement.

« Vous l'avez rencontrée ici, dit Pam. Dans ce bureau. Le seul endroit discret. Parce que vous ne vouliez pas que Pauline le sache, ça l'aurait bouleversée. Et vous ne vouliez pas que moi, je le sache, parce que je n'aurais pas approuvé cette démarche. Alors vous avez contacté Flora et vous avez organisé une entrevue ici. Souvenez-vous, Colin, que nous pouvons obtenir les images de la sécurité.

– Très bien. J'ai rencontré Flora. Dans ce bureau. Mais nous n'avons fait que parler. Après tout ce que Rosa nous avait raconté, j'étais curieux de rencontrer Flora en chair et en os. Une ancienne victime, vous voyez. Quelqu'un qui s'en était sorti. Et de son côté, Flora avait visiblement suivi l'affaire de Stacey. Elle aussi avait des questions.

– Quand l'avez-vous rencontré ? demanda D.D.

– Je ne sais plus. Il y a trois semaines ?

– Je veux la date exacte. Un lundi, un mardi, le troisième samedi d'octobre ? Soyez précis. »

Colin eut l'air en colère, mais finit par sortir son téléphone portable pour consulter son agenda. « Mardi, deuxième semaine d'octobre, quinze heures. C'est mieux ?

– Combien de temps avez-vous parlé ?

– Une heure. Peut-être une heure et demie.

– Est-ce qu'elle avait des hypothèses sur l'enlèvement de Stacey ? » intervint Pam.

Colin haussa les épaules. « Rien de nouveau. Que savions-nous de ses activités sur Internet ? Qui étaient les amis avec qui elle était sortie ce jour-là, est-ce qu'elle buvait souvent, est-ce qu'elle était responsable ? Elle m'a interrogé sur les… ressources de Stacey. Sa condition physique, je veux dire. Les gens ne prennent pas toujours ça au sérieux, mais les pom-pom girls pratiquent un sport intensif. Flora m'a dit que ça jouerait en sa faveur. Elle a voulu savoir si Stacey avait pris des cours d'autodéfense, de karaté, si elle avait une bombe lacrymogène sur elle, ce genre de choses. La réponse était non. Ensuite : est-ce qu'elle avait les nerfs solides ? Comment tenait-elle le coup sous pression ? Je… je ne savais pas vraiment répondre. Peut-être que Pauline aurait pu. Mais toute ma vie, je me suis efforcé d'éviter à ma fille ce genre de stress. De prendre soin d'elle. De la protéger. »

La voix de Colin Summers se brisa. Il détourna les yeux. Ni Pam ni D.D. ne parlèrent. Il reprit le fil. « Je lui ai répondu que Stacey était intelligente. Si elle trouvait un moyen de s'échapper, elle le ferait. Mais c'est aussi une jeune fille douce. Et je ne dis pas ça seulement parce que je suis son père. Depuis toute petite, elle a toujours été tellement… agréable à vivre. Elle attire comme un aimant des gens qui ne la connaissent ni d'Ève ni d'Adam. Et elle est attirée par eux. Elle fait partie de ces personnes qui voient le meilleur en chacun. Flora m'a dit que ça pourrait la servir. Au début, son ravisseur à elle parlait tout le temps de la tuer. Elle écoutait. Elle était d'accord avec tout ce qu'il disait, faisait tout ce qu'il voulait. Jusqu'au jour où le type n'a plus parlé de la tuer et a décidé de la garder.

– Est-ce que Flora pensait que Stacey était encore en vie ? demanda D.D. avec curiosité, sans voir à temps que Pam lui faisait les gros yeux.

– Évidemment que ma fille est en vie !

– Et Flora était aussi de cet avis.

– Elle pensait que c'était hautement probable !

– Colin, intervint Pam avec douceur, est-ce que vous avez engagé Flora pour qu'elle retrouve votre fille ?

– Non. Bien sûr que non. Voyons, elle n'est elle-même qu'une gamine. Une ancienne victime. Jamais je n'aurais fait une chose pareille.

– Souvenez-vous que nous pouvons requérir vos données financières. »

Colin foudroya la victimologue du regard. « À quel moment êtes-vous de mon côté, dans cette histoire ?

– Et si j'étais du côté de Pauline ? » répondit Pam Mason avec un sourire enjôleur. Colin blêmit.

« Je n'ai pas engagé Flora. Pas... à proprement parler.

– Elle vous a proposé son aide, traduisit D.D.

– Elle connaissait déjà très bien le dossier ! Elle l'avait suivi de son côté. Et sa mère n'avait pas exagéré. Avec son expertise, le discours qu'elle tenait, Flora Dane m'a fait meilleure impression que tous les détectives privés que j'avais rencontrés. Et elle tenait clairement beaucoup plus à retrouver ma fille qu'aucun de vos enquêteurs ! »

D.D. leva un sourcil sceptique, mais il ne faut jamais contredire un père qui souffre.

« Combien l'avez-vous payée ? demanda-t-elle sèchement.

– Rien. »

Mais D.D. avait entendu le non-dit. « Rien... pour l'instant ? » Elle se carra dans son fauteuil. « Une récompense. Vous lui avez offert une récompense si elle vous aidait à retrouver votre fille.

– Nous offrons déjà une récompense à quiconque nous aidera. Rien de mal à cela.

– Je ne suis pas d'accord. Flora Dane a peut-être du bagout, mais au bout du compte ça reste une jeune femme. Une ancienne victime. Vous avez profité de ses obsessions.

– C'est elle qui l'a proposé. Vu le peu de résultats obtenus par les *professionnels*, je n'ai rien vu à y redire. Mais il n'y a eu aucune transaction financière et vous ne pourrez rien prouver.

– Est-ce qu'elle vous a donné des nouvelles de votre fille ?

– Non. En fait, je n'ai plus entendu parler d'elle. Mais je me disais qu'il lui faudrait du temps pour exploiter ses filières, comme elle disait. Alors samedi, quand j'ai allumé les informations et que j'ai appris pour le barman… j'ai su. Que c'était forcément Flora, qui cherchait ma fille.

– Sauf que ce n'est pas Devon Goulding qui a enlevé votre fille.

– C'est plutôt à Flora qu'il faudrait le demander, non ?

– Nous ne pouvons pas. Flora a disparu. En fait, nous avons des raisons de penser qu'elle a été kidnappée dans son appartement hier soir. Peut-être par l'individu qui a enlevé Stacey. On peut sans doute considérer ça comme une nouvelle piste dans l'affaire de votre fille, monsieur Summers. Nous n'avons plus seulement une disparue, nous en avons au moins deux. »

23

Personne n'a envie d'être un monstre.

Le faux Everett n'arrêtait pas de me le répéter. Ce n'était pas de sa faute s'il était comme ça. Il n'avait pas demandé à avoir des fantasmes sexuels à chaque instant du jour et de la nuit. À bander devant les images de filles aux gros seins ligotées et bâillonnées. À être excité par le bruit des chaînes qui traînent par terre.

Un jour, il avait lu un article sur un voyeur qui avait été découvert dans la fosse des toilettes sèches d'un parc naturel.

Le type avait raconté une histoire comme quoi il avait perdu son alliance et qu'il avait dû descendre la récupérer. Mais la police avait découvert que ce n'était pas la première fois qu'il se faisait prendre dans des toilettes mobiles, des sanisettes, toute cette merde – le faux Everett rigolait en disant le mot « merde », tout content de lui.

Quoi qu'il en soit, un expert avait déclaré que le type était scatophile. En fait, ça l'excitait d'attendre les deux pieds dans le caca et de regarder des inconnues déféquer.

Je n'invente rien, disait le faux Everett en levant les deux mains du volant comme pour appuyer sa démonstration.

Quel individu sain d'esprit déciderait d'être excité par la merde ? continuait-il. C'était une maladie, évidemment, une

*obsession dont le type se serait sans doute bien passé. Tu ima-
gines, une vie à fureter comme un voleur autour des toilettes
publiques ? Couvert de matières fétides ?*

*Eh bien, si lui m'avait kidnappée, violée, frappée, ce n'était
pas non plus de sa faute – le faux Everett disait ça avec le
plus grand sérieux.*

*D'aussi loin que remontaient ses souvenirs, il avait toujours
été obsédé par le sexe. Même petit garçon, avant de savoir ce
que c'était, il regardait les seins des femmes avec l'envie de les
toucher. Ceux de sa mère, de sa grand-mère, d'inconnues. Peu
importe. Il voulait ce truc-là, il fallait qu'il l'ait. Ça lui avait
simplement pris un peu de temps avant de comprendre de quoi
il retournait, et ensuite...*

*Il avait essayé d'être normal, disait-il d'une voix plaintive.
D'avoir une petite amie, de se contenter de la position du mis-
sionnaire, de se persuader que trois fois par nuit, ça pouvait
lui suffire. Il s'était même marié. Ça allait sûrement marcher.*

*Mais le sexe plan-plan ne l'intéressait pas. Il ne voulait pas
d'une femme qui accomplissait son devoir conjugal, froide comme
un glaçon sous lui. Il était un homme, il avait des besoins. Et
des obsessions. Des fantasmes profondément ancrés et des pensées
dont il n'arrivait pas à se défaire, même si personne d'autre
ne le comprenait.*

*Il avait battu sa première femme. Il lui avait tellement démoli
le portrait qu'il avait dû appeler les secours. Les médecins des
urgences l'avaient balancé et la police l'avait arrêté alors que
sa femme, toujours inconsciente, ne pouvait pas leur expliquer
que c'était entièrement de sa faute à elle – une bonne épouse
ne devrait jamais dire non.*

*Il avait dû aller en prison, ce qui avait été en soi une expé-
rience très instructive. Beaucoup de sexe derrière les barreaux
(ne le lancez pas sur le sujet), mais ce genre de relations n'était*

pas son truc. Clairement pas un endroit pour un homme qui avait ses besoins.

En prison, il avait dû suivre une thérapie de groupe. Gestion de la colère. Contrôle des pulsions. Il avait même appris l'existence de l'addiction sexuelle. C'était la première fois qu'il entendait dire qu'il y avait quelque chose d'anormal à avoir tellement envie de sexe en permanence. Quelque chose de maladif.

Il avait décidé qu'à sa sortie il essaierait d'arrêter. Comme un alcoolique qui deviendrait sobre du jour au lendemain. Plus de sexe, plus d'appétit dévorant, plus de crises de colère, plus de séjour en taule. Une bonne affaire.

Sauf qu'on peut vivre sans alcool, mais aucun homme ne peut vivre sans sexe.

C'est comme ça qu'il s'était retrouvé à agresser une gamine de quatorze ans.

Pas de sa faute. Il n'avait pas demandé à naître comme ça.

Personne n'a « envie » d'être un monstre.

Sa maman était assez sympa. Son père, ouais, c'est vrai, c'était un gros connard, mais il n'était jamais là. Non, le faux Everett avait été élevé par sa mère, qui cumulait deux boulots et qui fumait cigarette sur cigarette dans l'intervalle. Quand il était tout petit, il faisait la navette entre la maison de sa mère et celle de sa grand-mère. Plus tard, vers six ou sept ans, il restait tout seul à la maison. Il regardait des émissions de télé où des femmes ultra-minces portaient des tee-shirts moulants sur leurs gros seins. Ensuite il avait découvert l'endroit où son père planquait ses magazines de cul. Après ça, il attendait avec impatience que sa mère parte au travail pour passer des heures et des heures à les feuilleter en regardant les photos.

Quand il avait treize ans, m'a-t-il raconté pendant une traversée de l'Alabama, il voulait être acteur porno. Le meilleur boulot du monde, pensait-il. Mais quand il avait fêté ses seize ans et que son torse imberbe était toujours aussi chétif, son visage couvert d'acné et ses cheveux gras...

Même un taré fini comme lui voyait bien que les acteurs pornos avaient un certain physique... et que lui ne l'aurait jamais.

Il aimait toujours le porno. Et maintenant, grâce aux miracles d'Internet, il pouvait l'emporter partout avec lui.

Rien de tout cela ne me surprenait. Je savais déjà qu'à la seconde où il s'arrêtait pour la nuit, le faux Everett mettait ses vidéos préférées dans le lecteur DVD, ouvrait ma prison, et en avant la musique. Peu importait que je sois fatiguée, que j'aie faim ou que j'aie mal partout. Peu importait d'ailleurs aussi que lui-même soit fatigué, affamé ou qu'il ait mal partout. Un homme a des besoins. Celui-là était son principal.

Personne n'a envie d'être un monstre.

On peut apprendre à ne rien ressentir. À s'envoler. Parfois, je m'imaginais dans la prairie, en train de jouer avec les renards. Mais je n'aimais pas ça. Ces images étaient ternies pour moi. Alors je visualisais un ciel bleu vif. Un ciel couleur merlebleu, comme on disait en Nouvelle-Angleterre, quand le ciel d'hiver prenait une teinte plus profonde et plus riche que le bleu délavé et surexposé de l'été.

Le jour, j'étais le public parfait. Un auditoire d'une personne pour un vrai moulin à paroles. Et la nuit, je devenais un objet inanimé, que ce même connard narcissique déplaçait, posait, positionnait comme ci ou comme ça. Qu'est-ce que ça pouvait bien me faire ?

Quand enfin il avait fini, il m'offrait à manger. Ou une taffe de sa cigarette. Ou une gorgée de sa bière.

Nous restions en silence dans le camion qui puait le sexe et la transpiration. Et pendant une minute, ou deux, ou trois, il avait presque l'air heureux.

« Tu es jolie, m'a-t-il dit un jour. C'est pour ça qu'il fallait que je te kidnappe. Je t'ai vue en train de danser. Avec tes longs cheveux qui ondulaient juste au-dessus de ton cul. Ça attire le regard des hommes, hein. Sauf qu'évidemment, pour une fille comme toi... un type comme moi n'existe même pas. » Il a dit ça sur le ton de l'évidence. Je ne l'ai pas contredit. *« Alors j'ai fait ça à ma manière. Et regarde le résultat : on fait le tour du pays comme deux imbéciles heureux. Bon, qu'est-ce que tu en dis : burgers ou pizza pour le dîner ? »*

Il me nourrissait. Ensuite, encore du sexe. Et il me remettait dans ma caisse. Sauf que, quand les jours sont devenus des semaines... Il lui arrivait de s'endormir. Et alors je restais là, allongée sur le sac de couchage moelleux, les mains encore liées, une cheville enchaînée à un gros anneau métallique fixé au plancher, mais tout de même...

Ces nuits-là, je ne dormais pas. Je m'obligeais à garder les yeux ouverts. Je m'imprégnais du toucher glissant du nylon, qui me changeait de la dureté de ma couche en bois. Je profitais de la douceur de la nuit, juste de l'autre côté des petites fenêtres de la cabine. Je l'écoutais ronfler en me disant : si seulement je pouvais serrer son cou entre mes mains. Ou trouver la force de l'étouffer avec un oreiller ou de lui planter un stylo dans l'œil.

Mais je n'ai jamais rien fait de tel, jamais mis aucun de mes fantasmes à exécution. Parfois, quand il dormait, il avait presque l'air humain. Juste un type comme un autre, heureux d'avoir survécu à une journée de plus.

Je me demandais si sa mère ou sa grand-mère étaient encore en vie. S'il leur manquait ou si elles savaient à présent qui il était réellement et qu'elles regrettaient leurs erreurs.

Je ne pensais plus à ma propre mère. Ni à mon frère, ni à la beauté des renards. Je passais ma vie à voler dans un ciel merlebleu. Et il y avait les bons jours, ceux où j'avais le droit de m'asseoir sur le siège passager, mes mains liées dissimulées, et de regarder le paysage défiler. Et les mauvais, ceux où quelque chose l'avait mis en rogne, où il buvait davantage, me frappait davantage, me maltraitait davantage.

Mais la plupart des jours étaient des jours comme les autres. Le faux Everett parlait. J'écoutais. La route filait sous nos roues. Et si par exemple une chanson passait à la radio, je me surprenais à la fredonner et lui me surprenait en la fredonnant avec moi. Et nous chantions du Taylor Swift en chœur.

J'ai appris qu'il aimait le Carol Burnett Show *et les séries* I Love Lucy *et* Bonanza, *qu'il regardait avec sa grand-mère quand il était petit. Et de mon côté, je lui ai parlé du* Saturday Night Live *et de mon addiction à* Grey's Anatomy.

« Le docteur Mamour », m'a-t-il dit, à mon grand étonnement. Plus tard, il est revenu avec un coffret des premières saisons et il m'a lancé un DVD.

Ce soir-là, pendant qu'il me pilonnait à tout-va, j'ai pensé aux hôpitaux de Seattle, où les médecins sont absurdement séduisants, et au fait qu'un jour peut-être un interne bien foutu me tiendrait la main quand mon corps martyrisé arriverait aux urgences. On m'aurait sauvée. Je me serais évadée. J'aurais enfin tué le faux Everett et ce serait ma récompense.

Un docteur Mamour rien qu'à moi qui panserait mes blessures et me protégerait pour toujours.

Mais je ne rêvais pas tant que ça. Je ne faisais pas de projets, je ne pensais pas à l'avenir ni à ce que j'allais devenir. Je volais surtout dans un ciel merlebleu, le corps enchaîné, mais l'esprit à mille lieues.

« Lindy. » Une nuit, il m'a réveillée en pleurant dans son sommeil : « Lindy, Lindy, Lindy. »

Il sanglotait comme un malheureux, ses doigts grattaient le sac de couchage à côté de moi.

« *Non, non, non, disait-il. Oh, Lindy !* »

Est-ce que les monstres font des cauchemars ? Est-ce qu'ils rêvent, même ?

On aurait dit qu'il allait mourir. Comme si tout son monde s'était effondré. Comme si le faux Everett avait autrefois eu un cœur et qu'on était en train de le lui arracher.

Je me suis retrouvée à lui frôler le dos du bout des doigts. J'ai senti ses muscles tendus, sa respiration saccadée. Un homme qui souffrait. Je lui ai encore caressé le dos, doucement, jusqu'à ce qu'il finisse par pousser un profond soupir. Il s'est détendu. Il dormait.

Plus tard, quand il s'est réveillé et qu'il m'a déclaré une nouvelle fois qu'un homme avait des besoins, je n'ai pas été effarouchée. J'ai gardé les yeux ouverts et je l'ai regardé en me demandant qui était Lindy et ce qu'elle avait bien pu faire pour avoir autant d'ascendant sur lui.

En me demandant quelles leçons je pourrais apprendre d'elle.

Encore des jours. Encore des nuits.

Jusqu'à cet après-midi où il s'est arrêté dans un relais routier. Il est entré boire un café et, sans y prendre garde, il m'a laissée assise à l'avant. Les mains liées, la cheville gauche enchaînée à un autre anneau de métal dans le sol, mais tout de même à la vue de tous.

Un véhicule de police est venu se garer à côté de moi. La portière s'est ouverte. Un homme de grande taille, en uniforme, est sorti. Il m'a vue, m'a saluée d'un signe de tête en touchant le bord de son chapeau du bout des doigts et moi...

Je suis restée là, les poings serrés sur les genoux. Je n'ai rien dit. Je n'ai rien fait.

Mon cœur s'est follement emballé dans ma poitrine et un instant...

Un souvenir m'est revenu. Comme un chatouillis au fond de la gorge. Ma mère. Je la revoyais parfaitement. Les bras tendus vers moi, qui m'attendait. Elle disait un nom : « Molly. » Mais ce n'était pas tout à fait ça. Si ?

J'ai eu envie de lever les mains. De frapper à la fenêtre, de montrer mes poings liés. J'ai eu envie de crier : Je m'appelle... Je m'appelle...

J'ai eu envie de supplier qu'on me ramène chez moi.

Le policier me regardait droit dans les yeux. Moi, les mains sur les genoux, je l'ai regardé aussi.

Et à ce moment-là, je me suis vue avec ses yeux. Une petite paumée maigre comme un clou avec des vêtements bas de gamme, un regard morne et des cheveux coupés à la serpe. J'ai vu Molly. Assise dans son camion, en train d'attendre que son mec violent vienne la retrouver.

Et je ne me suis plus sentie comme un oiseau sur le point de sortir de sa cage. Ni comme une jeune fille sur le point de rentrer chez elle.

J'ai eu honte. Comme la moquette marronnasse, j'avais en moi plein de nuances de merde.

J'ai chassé l'image de ma mère de mon esprit. J'ai remplacé son visage par un ciel merlebleu. Et j'ai tourné les yeux vers l'avant.

Le policier s'est éloigné.

Le faux Everett est revenu. Il a vu la voiture de patrouille. Paniqué, il a ouvert la portière en toute hâte. Et là il m'a vue, bien sagement assise, le regard droit devant.

Il est monté, il a bouclé sa ceinture et repris la route.

Aucun de nous n'a dit un mot.

Ce soir-là, quand il a eu fini de faire ce qu'il voulait faire, il ne m'a pas remise dans la caisse. Il m'a laissée dehors. Nuit après nuit. Jour après jour. Plus de caisse-cercueil.

Parce que Flora n'existait plus, c'était un fait entendu.

J'ai écrit une nouvelle carte postale à ma mère :

« Chère maman, je m'amuse comme une folle, je fais le tour du pays avec l'homme de mes rêves. »

24

À mon réveil, je cherche aussitôt la bouteille d'eau et je la découvre encore au creux de mon ventre. Bonne nouvelle.

Toujours pas de lumière, la pièce reste plongée dans cette nuit démoralisante. Ce n'est pas tant que ça me fait peur, mais ça m'agace. Tôt ou tard, il allumera. Même les monstres n'ont pas envie de passer toute leur vie dans le noir.

En attendant, je prends mes repères en me concentrant sur le plastique fin de la bouteille d'eau, le galon en dentelle de ma nuisette ridicule et l'ourlet du matelas. Et je m'aperçois de la présence d'humidité. Sur mes joues. Et d'un goût de sel.

J'ai pleuré dans mon sommeil.

J'ai rêvé de Jacob.

Les mains liées, j'essuie les larmes à la va-vite. Je ne pense pas à mes pleurs ; je ne m'attarde pas dessus. Les survivants ne devraient jamais avoir de regrets. Si je n'avais pas fait ce que j'ai fait, je ne serais pas là aujourd'hui.

De nouveau aux mains d'un kidnappeur adepte des cercueils en pin bas de gamme.

J'émets un bruit rauque, peut-être un rire. Difficile à dire. J'ai la gorge sèche. Je décide de prendre le risque de boire une petite gorgée. L'eau est une ressource importante. On peut survivre des semaines sans nourriture, mais à peine quelques jours sans eau. Je sais ces choses-là, maintenant. J'ai consciencieusement fait mes recherches.

Alors, de nouveau, cette obscurité impénétrable me met en colère. Je n'ai pas passé toutes ces années à me documenter et à me former pour me retrouver enfermée dans un placard comme une vulgaire paire de godasses. Et puis où est mon ravisseur ? Est-ce qu'il n'a pas envie de triompher devant moi ? De me brutaliser ? D'affirmer son autorité sexuelle ? Quel taré se donne tout ce mal sans jamais montrer son visage ?

Je m'assois sur le fin matelas, pose les pieds par terre.

Désormais rompue à l'exercice, je commence par humer l'air pour y déceler de nouvelles odeurs qui annonceraient un autre repas livré à domicile, voire un parfum de savon ou de shampoing, une odeur corporelle qui révélerait la présence d'une autre personne dans la pièce.

Rien.

Ensuite, puisqu'on en est à jouer à colin-maillard : les bruits. Une autre respiration soigneusement modulée ? Le lointain ronron des voitures de l'autre côté des fenêtres bouchées, des bruits sourds venant des autres pièces de la maison ?

Là encore, rien.

Je me mets à quatre pattes. Je bute contre le seau en plastique, tourne à droite, traverse la pièce jusqu'à l'endroit où devrait se trouver ce qui reste du cercueil. Sauf que cette fois-ci, quand je ne trouve rien, c'est en soi une information.

Il a retiré les débris. Est-ce qu'il s'est rendu compte que je pourrais m'en faire des armes et s'est donc dépêché de me les enlever ? Aussitôt, je m'interroge sur les morceaux que j'ai cachés dans le matelas, mais je n'ose pas retourner vérifier, alors qu'il est peut-être en train de m'observer.

Je m'assois sur mes talons et je réfléchis.

Comment s'y prend-il ? Pour entrer et ressortir aussi silen-
cieusement ? Certes, il peut m'observer à travers le miroir
sans tain et passer à l'action quand il me croit endormie,
mais j'ai le sommeil extrêmement léger. Le pourcentage de
chances qu'il puisse apporter et emporter des caisses grandes
comme des cercueils sans même que je bouge une oreille...

Il doit me droguer. Il entre en toute discrétion et me
chloroforme ? Sauf que, contrairement à la croyance populaire,
il n'est pas si facile que ça d'envoyer quelqu'un instantanément dans les vapes avec un chiffon imbibé de chloroforme.
J'aurais dû me réveiller et résister ; et en ce moment même,
une odeur flotterait encore.

Cela dit, les toxicos, ceux qui sniffent et consorts, ont
mis au point des méthodes pour associer le chloroforme à
d'autres drogues afin de produire un cocktail beaucoup plus
puissant. Pour peu que mon ravisseur ait accès à Internet ou
qu'il fréquente les boîtes de nuit, Dieu sait ce qu'il a pu y
apprendre.

Ce qui m'amène à une question encore plus élémentaire :
par où entre-t-il ? Jusqu'à présent, j'ai repéré deux fenêtres
dans ce que je crois être le mur extérieur et un grand panneau
de verre, le miroir sans tain, sur le mur opposé.

Mais il doit y avoir une porte, forcément. Toutes les pièces
en ont une.

Je cherche à percer la nuit du regard. À découvrir un mince
trait d'obscurité moins épaisse autour d'une porte.

Mais j'ai beau m'évertuer, m'arracher les yeux, je ne vois
rien. Le Grand Méchant Kidnappeur est très doué en matière
de black-out.

D'accord, allons-y pour la méthode Helen Keller.

Je commence par rejoindre à quatre pattes le mur du miroir
sans tain. Si les deux fenêtres s'ouvrent dans un mur extérieur,

alors les principes d'architecture voudraient que celui-là soit le plus long mur intérieur, ce qui dans mon esprit en fait le plus susceptible d'avoir une porte. En fait, plus j'y pense, plus je suis convaincue que ce mur doit longer un couloir, d'où la fenêtre d'observation. Le type se tient dans le couloir et il regarde.

Une fois arrivée au pied du mur de Placo, je me relève avec précaution. Ça me fait bizarre de me redresser et je me rends compte que j'ai passé l'essentiel de mon temps à crapahuter à quatre pattes dans le noir. Je reprends mes mauvaises habitudes, je me fais toute petite. Mais il n'y a aucune raison que je ne puisse pas me tenir debout et marcher dans cet espace. D'ailleurs, ce ne serait pas une mauvaise idée de pratiquer un peu de yoga et de gymnastique suédoise. On me donne à manger et à boire. Je devrais aussi faire le nécessaire pour entretenir ma forme.

Je trouve assez facilement le bord de la fenêtre d'observation. Celle-ci est presque aussi large que l'envergure de mes bras. Mais, vérification faite, elle ne se trouve pas au milieu du mur, comme on aurait pu s'y attendre. Non, elle est décalée sur le côté, ce qui laisse plein de place à sa gauche pour une porte.

Je longe le mur en pas chassés, effleurant le Placo du bout des doigts. Je me demande si le type est de l'autre côté du miroir en ce moment même. Intrigué par mes explorations ? Inquiet ?

Il y a tellement de sortes de prédateurs. Ceux qui exigent des victimes soumises.

Et ceux qui aiment qu'on leur résiste.

Le signe évident de la présence d'une porte serait une poignée. Mais non, ce serait trop beau. Alors j'oscille de droite et de gauche devant le mur, que je balaie avec de grands gestes horizontaux, déterminée à sentir la fine rainure qui signalerait le bord d'une porte. Mais rien, rien, rien.

Je m'arrête, réfléchis une nouvelle fois à la configuration des lieux. J'avais imaginé que les deux fenêtres s'ouvraient dans un mur extérieur. À l'avant de la maison, par exemple. Cette pièce serait alors un rectangle tout en longueur sur la façade.

Mais si ces fenêtres étaient en réalité sur le côté de la maison ? Cela ferait de cette pièce non pas un trait horizontal, mais un I majuscule. Dans ce cas, la fenêtre d'observation donne très probablement dans une autre pièce (une salle d'observation, logique), et une des largeurs du rectangle doit donner sur un couloir.

Me déplaçant dans le sens inverse des aiguilles d'une montre, je passe de la longueur au petit côté. De nouveau, mes doigts courent à droite, à gauche, à la recherche d'un bouton de porte qui dépasserait, d'une corniche étroite. Et là…

Je trouve. Pas un bouton de porte, mais une rainure dans le mur. Que je peux suivre jusqu'au bout de mon bras tendu, puis jusqu'au sol. Et horizontalement là-haut. Pas d'erreur, une porte. Dans l'alignement du mur, sans poignée ni serrure métallique qui auraient trahi sa présence.

Mais comment l'ouvre-t-il ? Une poignée de son côté ? Mais il veut certainement aussi pouvoir la bloquer. Peut-être a-t-il installé des verrous à l'extérieur ; il n'a qu'à les ouvrir et tirer la porte pour entrer.

Je sais tout de suite ce que je vais faire.

Je retourne au matelas. Je le fais pivoter pour qu'il soit face non pas à la salle d'observation, mais à la porte. Je m'assois et, en faisant paravent avec mon corps, je tâte timidement le bord déchiré du matelas, là où j'ai planqué mes bouts de bois. J'en sors deux et je me sens aussitôt soulagée, même si je refuse que cela se lise sur mon visage. Mon agresseur n'est pas le seul capable de laisser les gens dans le noir sur ses intentions.

Je pose mes armes improvisées le long de ma cuisse. Puis, attrapant le bas de mon absurde nuisette en satin, je commence à la déchirer. Pour en faire un long ruban. Ce n'est pas facile parce que le satin se déchire volontiers dans le sens de la hauteur, mais pas latéralement. Mon obstination finit tout de même par payer.

Et je suis parée. J'ai deux pieux en pin en guise de poignard.

Un bandeau sur la bouche et sur le nez pour (tant pis si c'est illusoire) éviter de respirer de vilains gaz anesthésiants.

Et un plan.

Je m'assois, les fesses sur le matelas, les bouts de bois sous la cuisse, bien cachés, et la bouteille d'eau sur les genoux.

Je regarde droit vers l'endroit où je sais que doit se trouver la porte.

Et, la main refermée sur mon arme, j'attends.

Je crois que je me suis encore assoupie. Perturbée par cette nuit absolue ? Désorientée par l'enlèvement ? Assommée par un somnifère dilué dans l'eau ?

Mais cette fois-ci, j'entends le pêne coulisser dans la serrure, un frottement bien reconnaissable. J'avais dit à mon subconscient ce qu'il fallait guetter, comme on règle un réveil, et il ne m'a pas trahie. Je me force à ne pas bouger, à ne pas relever la tête, à ne pas montrer que je suis réveillée. Il est possible que mon agresseur n'agisse pas seul. J'ai connaissance de plusieurs cas de kidnappeurs qui travaillaient en duo. Ce n'est pas le moment de faire l'idiote.

Mes mains menottées rassemblent les deux fins morceaux de bois en une arme plus large, plus lourde. Mon masque en satin, imbibé de salive, sent le renfermé.

Lentement, la porte s'ouvre. Sur d'autres nuances de noir. Pas de couloir illuminé qui inonderait brusquement la chambre de lumière et me réveillerait comme un coup de fouet. Non, on reste dans des jeux d'ombres. Une silhouette indistincte quitte le couloir obscur pour entrer dans les ténèbres encore plus épaisses de ma chambre.

Mes doigts se crispent sur les morceaux de bois.

Pas très grand, le type. À moins qu'il n'ait la tête rentrée dans les épaules ?

Il se déplace prudemment, très prudemment, comme pour ne pas me réveiller.

Je me dis une nouvelle fois qu'il ne faut pas bouger. Rester parfaitement immobile. Attendre que l'individu soit tout à fait entré dans la pièce.

Sauf que, sur le seuil, il s'arrête. Lève un bras…

Pour vaporiser une drogue ? Me faire perdre connaissance ?

Je n'y tiens plus.

Je bondis. Dans un bruit de chaînes, je me lève et je me jette vers l'avant en tirant sur ma longe.

Je ne réfléchis plus, j'agis, mes mains jointes refermées autour des morceaux de pin.

L'homme comprend trop tard ce qui se prépare. Il se retourne pour se défendre, lève un bras pour parer le coup.

Mais je suis mieux entraînée que lui. Je me baisse, passe sous son avant-bras et lui plante mon pieu entre les côtes.

Il hurle. Un cri aigu, strident, indiscutablement féminin.

Il s'effondre à terre, tandis que derrière lui la porte se referme en claquant.

Je reste tout abasourdie dans le noir, mon arme ensanglantée entre les mains. J'aimerais la brandir triomphalement au-dessus de mon adversaire terrassé.

Mais…

Il y a comme un problème. Ce cri. Féminin. Cette personne qui gémit en se traînant à mes pieds.

Lentement, je me laisse tomber à genoux. Je pose mes bouts de bois par terre. Et lentement, toujours plus lentement, je tends la main vers le corps roulé en boule à côté de moi.

Ma main rencontre une poignée d'épais cheveux longs. Ça me donne toutes les réponses que je n'avais pas envie d'avoir.

« Stacey Summers ? » demandé-je dans un murmure.

Les pleurs redoublent et je hoche la tête dans le noir.

J'ai enfin retrouvé celle que je cherchais depuis des semaines.

Et je viens de la poignarder.

25

Après son entrevue avec Colin Summers, D.D. regagna le QG comme promis. Aucun doute que son casier devait déjà déborder de rapports à finaliser, de demandes de mandats à avaliser et de comptes rendus d'auditions à relire. Elle était sur les nerfs, fébrile, et cela ne lui plaisait pas. Nerveuse à l'idée de revoir Phil ? Ou simplement shootée à l'adrénaline par cette série de crimes sans queue ni tête ?

D'abord l'affaire Devon Goulding, où la victime était en fait le prédateur et son assaillante leur suspect numéro un. Florence Dane avait agacé D.D. l'autre matin ; pas seulement parce qu'elle avait mis de la mauvaise volonté à répondre à des questions de routine, mais parce qu'elle ne rentrait tout simplement pas dans les cases.

Le travail d'enquête repose en grande partie sur des jeux de probabilités. Une femme assassinée chez elle ? Arrêtez le mari. Un enfant battu ? Passez les menottes aux parents. Un cadre empoisonné ? Convoquez son associée sexy et ancienne maîtresse. Il y avait rarement besoin d'être un génie pour savoir qui avait fait le coup. En apporter la preuve, voilà ce qui justifiait la fiche de paie de D.D. et de ses collègues.

Et puis il y avait les affaires comme celle de Florence Dane. Où vous aviez devant vous un animal à sabots et rayures et qui pourtant n'était pas un zèbre.

D.D. ne savait toujours pas qui était Flora. Dans quelle catégorie la ranger.

Pourquoi une fois rentrée chez elle saine et sauve une femme passerait-elle sa vie à se mettre en danger ? Car D.D. n'avait aucun doute sur ce point : après avoir rencontré Colin Summers, Flora s'était donné pour mission de retrouver Stacey. La question était de savoir si elle voulait vraiment sauver une jeune étudiante ou si elle cherchait surtout une nouvelle proie à abattre.

Dans l'esprit de D.D., c'était du cinquante-cinquante. Ce qui ne la rendait pas moins pressée de retrouver Flora ; au contraire, elle éprouvait un certain sentiment d'urgence, car cette histoire allait mal se terminer, d'une manière ou d'une autre.

Parce que Flora avait besoin d'un dénouement tragique, pensait D.D. Il s'était passé quelque chose, cinq ans plus tôt, entre elle et son premier ravisseur. Après quatre cent soixante-douze jours de captivité, un événement s'était produit, au terme duquel Jacob Ness était mort et Flora bien vivante. Mais celle-ci ne s'en était jamais remise. Et aujourd'hui encore elle cherchait à reproduire indéfiniment le même scénario.

En entrant dans le QG, D.D. aperçut Phil qui traversait le vaste hall tout de verre et d'acier, un gobelet de café fumant à la main. Comme elle ne se dérobait jamais devant un conflit, elle marcha droit vers lui.

« Ce ne serait pas pour moi, par hasard ? »

Phil serra le café contre lui. « Pas touche. Je viens de passer deux heures en face d'une fontaine. Crois-moi, j'en ai plus besoin que toi. »

.

D.D. se creusa la cervelle. « La mère de Kristy Kilker ? demanda-t-elle en humant les arômes de ce délice corsé.

– Elle tombait des nues. Elle était réellement persuadée que sa fille étudiait en Italie. Elle s'est décomposée quand je lui ai appris que sa fille ne s'était jamais inscrite à ce programme d'échange. Oh puis, zut, prends-le. Je vais m'en chercher un autre. »

Phil lui tendit son gobelet avec autorité. D.D. ne protesta pas. Gage de réconciliation, estima-t-elle en suivant résolument Phil dans la cafétéria où il pourrait s'en acheter un autre.

« Elle n'avait pas eu de nouvelles depuis des mois. Ça ne l'enchantait pas, mais elle pensait que Kristy était occupée par ses études. D'autant qu'elles avaient eu une petite fâcherie juste avant son prétendu départ. Donc elle se disait que Kristy pansait peut-être ses blessures dans son coin. Mais inutile de te dire qu'en découvrant que sa fille lui avait menti tout du long et qu'elle n'était jamais allée en Italie…

– Elle était proche de sa fille ? » demanda D.D., même si l'histoire de la « fâcherie » et la tromperie de Kristy semblaient indiquer le contraire.

« Elle l'a été. Mais d'après sa mère, Kristy a changé quand elle est partie pour l'université. Elle est devenue plus renfermée, plus cachottière. Nancy – sa mère – a eu peur qu'elle ait de mauvaises fréquentations ou un truc du genre. C'est elle qui a eu l'idée de ce programme à l'étranger. Elle se disait qu'un changement de décor lui ferait du bien. Elle a financé le voyage, aussi, ce qui n'a pas été facile avec son salaire de secrétaire. Alors découvrir que Kristy lui avait menti sur son inscription au programme et qu'elle avait empoché l'argent… Sale journée pour Nancy.

– Elle a su te donner les noms des amis de Kristy à l'université ?

– Oui, et j'ai envoyé des agents commencer les interrogatoires sur le campus : le responsable des admissions, ses professeurs… Mais je ne pense pas que ce soit là-bas qu'on trouvera nos réponses. »

Phil paya son deuxième café. Ils se dirigèrent vers l'agent d'accueil, montrèrent leur badge, furent admis à entrer. D.D. opta pour les escaliers, ne serait-ce que pour torturer un peu plus son ancien coéquipier.

« D'accord, alors où se trouvent nos réponses ? le relança-t-elle, alors qu'il commençait à monter poussivement.

– Kristy avait un boulot pour contribuer à ses dépenses quotidiennes : serveuse à mi-temps dans un bar. »

D.D. s'arrêta net. « Près du Tonic ?

– Gagné. Au Hashtag. Dans la même rue. Combien tu paries qu'après la fermeture, Goulding y traînait aussi ses guêtres ?

– Oh, tu n'auras pas mon argent aussi facilement. Tu as envoyé des agents là-bas avec des photos ?

– Ils y sont en ce moment même.

– Ça nous ferait un lien entre Devon Goulding et Kristy Kilker, dont le dernier signe de vie remonte à quand ?

– Maman n'a eu aucun coup de fil depuis le mois de juin. »

D.D. reprit son ascension. « Ça fait pratiquement cinq mois. Elle croyait vraiment que sa fille était toujours en Italie ?

– Kristy avait prévu de voyager toute seule après la fin des cours en septembre. Le plan sac à dos et auberges de jeunesse. Par définition, ça ne lui aurait pas laissé beaucoup d'argent pour passer des appels internationaux, et apparemment sa mère elle-même n'est pas trop fan des e-mails.

– Donc, nous avons Natalie Draga, qui est partie de chez elle il y a un an, et Kristy Kilker, aux abonnés absents depuis au moins cinq mois. Et on sait que Natalie a précisément travaillé au Tonic. Carol a pu parler à la directrice de l'établissement ?

– Oui. » Ils avaient passé deux paliers, continuaient d'un bon pas. « Elle a confirmé qu'elle avait bien travaillé chez eux. Mais il y a neuf mois, elle a cessé de venir. Elle n'a jamais appelé, n'est jamais venue chercher son dernier salaire. La directrice a toujours le chèque dans son dossier.

– Pas bon signe. Devon Goulding travaillait là-bas, il y a neuf mois ?

– Il y travaille depuis trois ans et donne entière satisfaction. Excellent barman. Certes, une petite tendance à flirter avec la clientèle et les collègues, mais que voulez-vous, ma pauv' dame ? Son physique attire les foules et tient en respect la racaille trop agressive. Qu'il soit un violeur ? Impossible. La patronne n'y croit pas une seconde. »

D.D. afficha une moue sceptique.

« Je ne te le fais pas dire, approuva Phil. D'autant que, quand Carol a commencé à l'interroger sur d'éventuelles crises de colère, une difficulté à se contrôler, la directrice a changé de musique. En fait, depuis environ un an, le comportement de Goulding s'est détérioré. Il en est même venu aux poings avec un client il y a quelques mois. La directrice a dû arranger ça et Goulding a promis que ça ne se reproduirait pas.

– Donc les crises de colère liées à l'usage d'anabolisants commençaient à se manifester, conclut D.D. Et maintenant il aurait un lien avec au moins deux des disparues.

– Voilà. »

Ils étaient arrivés à leur étage. D.D. se sentait regonflée à bloc, Phil avait l'air à deux doigts de tourner de l'œil.

« Alors que sont-elles devenues ? demanda-t-elle. Kristy Kilker, Natalie Draga ? Où sont-elles, maintenant ? »

Phil haussa les épaules. Sur son visage se lisait la réponse qu'ils connaissaient tous les deux : selon toute probabilité, ils recherchaient à présent des cadavres, et vu le nombre d'endroits où se débarrasser d'un corps à Boston... Demandez donc à Whitey Bulger. Boston était un vaste terrain de jeu pour les criminels.

« Les techniciens s'occupent de sa voiture », dit Phil.

Logique. Si Devon avait trimballé des cadavres, il avait dû utiliser son véhicule personnel. « Et s'il a un GPS..., suggéra D.D.

— On devrait pouvoir retrouver les itinéraires qu'il empruntait fréquemment. Quoi qu'il ait fait de leurs cadavres, il y a des chances qu'il ait voulu leur rendre visite.

— Absolument. Histoire de revivre ces instants d'extase, se gargariser de sa puissance, tout ça... Peut-être... » Elle repensa aux photos de Natalie Draga, si nombreuses, manifestement prises par un homme amoureux ou qui vénérait son idole de loin. « Peut-être même pour les pleurer, ajouta-t-elle. Si Natalie était la première... peut-être qu'il n'avait pas l'intention de la tuer. Il voulait juste lui parler, ou la reconquérir s'ils avaient été ensemble. Mais comme ça n'a pas marché... »

Phil haussa les épaules. Les raisons de tuer sont diverses et variées. À ce stade de l'enquête, il importait moins de savoir pourquoi Devon Goulding avait tué ces jeunes femmes que de découvrir où il les avait mises. Parfois la police travaille pour coffrer un criminel, parfois pour apporter des réponses aux familles.

À ce propos...

D.D. et Phil remontèrent le couloir vers les bureaux de la brigade criminelle.

Et D.D. trouva Rosa Dane en train de l'attendre, flanquée de Samuel Keynes.

Rosa avait clairement opté pour une tenue confortable : un pantalon de yoga et une intéressante superposition de hauts se terminant par une chemise à carreaux bleue trop grande. Celle de son fils ? Peut-être même celle de son défunt mari, vu l'usure des poignets et du col. Le contraste était frappant avec le costume classique de Keynes.

Mais Rosa était le portrait craché de Flora. Ou l'inverse. La bouche sévère, la mâchoire crispée. Des yeux gris clair qui regardaient D.D. sans ciller. Les cheveux de Rosa étaient plus clairs, d'un blond mêlé de gris. Mais à part cela, elle aurait pu être la grande sœur de Flora.

D.D. repensa à ce que Pam Mason leur avait dit sur le fait que Stacey Summers était proche de sa mère. Elle se demanda si Rosa voyait le parallèle avec la relation qu'elle-même entretenait jadis avec sa fille et si c'était une aide ou une source de souffrance lorsqu'elle conseillait les Summers.

« Elle a disparu. » Rosa avait dit cela sur le ton de l'affirmation. Toujours le regard clair, l'air buté. « Quand Samuel m'a appelée, dit-elle avec un signe de tête dans sa direction, il ne me l'a pas dit, mais il m'a posé des questions qu'on m'avait déjà posées.

– J'ai suggéré qu'elle vous rencontre en personne, intervint Samuel Keynes, et je lui ai assuré que vous faisiez tout ce qui était en votre pouvoir pour retrouver Flora. »

D.D. résista à l'envie de répondre par un sarcasme. Le moment aurait été mal choisi. Avec un dernier regard à Phil, qui avait l'air de compatir, elle invita Rosa et Keynes à la suivre jusqu'à son bureau.

« Après ma conversation avec Samuel, continua Rosa en lui emboîtant le pas, j'ai essayé de rappeler Flora. Quatre ou cinq fois. Et elle ne m'a pas rappelée. Ça ne lui ressemble pas de rester aussi longtemps sans donner de nouvelles, elle n'est pas folle.

– Vous voulez du café ? demanda D.D.

– Alors j'ai pris ma voiture. En espérant de bonnes nouvelles, parce que les mamans sont comme ça. Mais je savais. Pendant tout le trajet. Je roulais, je roulais, je roulais, et je savais qu'elle avait disparu. Alors quand je suis arrivée à son immeuble, que j'ai vu les voitures de police... J'ai été voir les Reichter. Ils m'ont raconté ce qui s'était passé. »

D.D. était enfin arrivée à son bureau. Pas le plus grand ni le plus prestigieux du service, mais parfait pour les conversations en petit comité. Elle fit entrer Rosa et Keynes, proposa une nouvelle fois du café, de l'eau, tout autre rafraîchissement. Keynes déclina. Rosa la regarda avec des yeux ronds. D.D. se le tint pour dit.

« Nous recherchons activement votre fille, dit-elle en s'installant derrière son bureau. Nous craignons pour sa sécurité. »

Rosa sourit. Un sourire sans joie qui rappela aussitôt à D.D. l'attitude de Flora la veille au petit matin, dans la voiture de patrouille. Des rescapées, se dit-elle. Elle avait affaire non pas à une mais à deux femmes qui avaient survécu à un dramatique enlèvement sept ans plus tôt. La mère et la fille. Toutes deux en portaient les séquelles.

Et Keynes, qui attendait patiemment à côté de la porte pendant que Rosa prenait un siège, quel était son rôle dans cette histoire ? Comment se faisait-il que le victimologue soit resté si proche de la mère et de la fille cinq ans après la libération de celle-ci ?

« Je suis là pour remplir un signalement de disparition. Ça fera avancer les choses, n'est-ce pas ? » demanda Rosa d'une voix égale.

D.D. confirma, sans quitter des yeux Samuel, qui n'avait pas ouvert la bouche depuis qu'il était entré dans son bureau et qui semblait pourtant se considérer comme partie prenante de cet entretien. À quel titre ?

« La dernière fois que je l'ai vue, il était environ treize heures quinze hier, samedi, dit Rosa. Il faut aussi que vous le sachiez. »

D.D. attrapa un calepin, nota l'information. La mère connaissait son affaire.

« Elle portait sa tenue de nuit : un caleçon en coton bleu écossais et un tee-shirt blanc. Pour autant que je le sache, elle avait l'intention de faire la sieste après… après avoir passé toute la nuit dehors. Je peux regarder dans sa garde-robe et vous dire s'il manque autre chose.

– Ce ne sera pas nécessaire.

– Donc vous pensez qu'elle a été enlevée chez elle. Carrément kidnappée dans son lit.

– Il n'y a aucun signe de résistance, indiqua D.D.

– Il l'a attaquée par surprise. Droguée ?

– Les investigations sont en cours. »

Rosa hocha la tête, le visage toujours figé. Ni calme, ni bouillonnant de la colère mal contenue qui animait tout le corps de Colin Summers. En fait, elle montrait une maîtrise d'elle-même hors du commun. Comme un policier, songea D.D. Comme une femme qui en était déjà passée par là.

Rosa leva les yeux vers Keynes. Sur un léger signe de tête de sa part, elle se mit à farfouiller dans un immense sac à bandoulière en tissu pour en sortir une enveloppe en papier kraft. « Une photo récente, dit-elle en la posant sur le bureau de D.D. Et une fiche signalétique. Ses empreintes digitales sont déjà dans vos fichiers. »

D.D. prit l'enveloppe.

« Et le code du portable de Flora ? demanda-t-elle. Nous avons requis les archives de ses textos et de sa messagerie auprès de son opérateur, mais ça prendra quelques jours, alors qu'il suffirait de pouvoir ouvrir son téléphone. »

Rosa lui donna quatre chiffres. D.D. les nota et observa : « Ce n'est pas une date de naissance.

– Non. Des chiffres pris au hasard. C'est plus sûr. Flora ne plaisantait pas avec la sécurité. »

Une première craquelure apparut dans son flegme. Elle se redressa, serra les dents. « Mais elle m'a quand même donné le code. Là aussi, mesure de sécurité... au cas où il lui arriverait quelque chose.

– Est-ce que vous étiez inquiète pour Flora, madame Dane ?

– Oui. » Aucune hésitation, aucune dérobade.

« Saviez-vous ce qu'elle faisait ? Avant même sa rencontre avec Devon Goulding ?

– Oui. »

D.D. se pencha en avant, posa les coudes sur la table. « Madame Dane, pensez-vous que Flora essayait réellement de sauver le monde ou croyez-vous possible qu'elle ait eu envie de mourir ? Qu'elle n'ait pas œuvré pour la bonne cause, mais plutôt pour que tout s'arrête ? »

La façade de Rosa Dane se fissura. Une faille béante s'ouvrit sur une vie de souffrance, de chagrin et de résignation. L'amour d'une mère pour sa fille, un amour douloureux, si puissant et pourtant si impuissant.

Keynes posa une main sur son épaule et lui donna une petite pression.

« Flora était mon enfant pleine de joie de vivre, murmura Rosa. Darwin... lui était assez grand pour avoir souffert de la mort de son père. Pour avoir appris dès son plus jeune âge qu'un coup de téléphone peut faire basculer une vie. Mais Flora n'était qu'un bébé. Elle n'avait pas été marquée par cette épreuve. Elle adorait la ferme. Courir après les poules, repiquer les semis de printemps, vagabonder dans les bois, nourrir les renards en cachette. Elle aimait tout et tout le monde. Je n'avais qu'à ouvrir la porte pour qu'elle soit heureuse.

« Il l'a mise dans une caisse, vous savez. Enfermée dans un cercueil, pendant des jours et des jours. Et il ne l'en a laissée sortir qu'à condition qu'elle l'appelle par le nom de son père. »

D.D. se leva pour attraper la boîte de mouchoirs en papier sur le meuble-classeur derrière elle et la poser devant Rosa Dane. Mais celle-ci gardait les yeux secs, stoïque. Un chagrin trop profond pour les larmes. Keynes avait toujours la main sur son épaule et ne semblait pas pressé de la retirer.

« Vous avez des enfants ? demanda Rosa.

– Un fils, Jack. Il a quatre ans et ne jure que par Candy Land.

– Et s'il lui arrivait quelque chose ?

– Je ferais absolument tout ce qu'il faudrait pour le retrouver.

– C'est ce que j'ai fait. J'ai rempli des dossiers, créé des affichettes, appelé la terre entière. Et ensuite, après la première carte postale... j'ai porté les vêtements que les avocats des victimes me disaient de porter. J'ai dit ce que les experts du FBI me disaient de dire. Je suis allée sur les chaînes nationales pour le supplier d'épargner ma fille.

« Et j'ai attendu, attendu, attendu. Je suis allée dans les émissions matinales, les journaux de fin de soirée. J'ai vu mon fils arrêter ses études et se perdre dans des campagnes Facebook, des appels sur Twitter. Nous n'y connaissions rien, ni l'un ni l'autre. Nous n'étions qu'une famille de fermiers du Maine. Mais ma fille a disparu et pendant quatre cent soixante-douze jours...

– Je suis certaine que la police vous a su gré de votre coopération.

– Pas du tout ! s'insurgea Rosa. Ces enquêteurs étaient nuls. Aucune piste, aucun indice. Ils ont commencé par me dire : ne nous appelez pas, c'est nous qui vous appellerons. Et plus tard, c'est devenu : pourquoi est-ce que vous n'avez pas fait ci, pourquoi est-ce que vous ne faites pas ça ? comme si d'un seul coup c'était de ma faute s'ils n'arrivaient pas à la retrouver. Vous savez qui nous a aidés à retrouver Flora ? »

D.D. fit signe que non.

« Jacob Ness. Lui et ses fichus messages. Au bout d'un moment, les cartes postales ne lui ont plus suffi. Il a commencé à envoyer des e-mails et même à publier sur la page Facebook de ma fille. L'escalade, comme on dit. Mais il a envoyé le message de trop et un agent du FBI en Géorgie a pu retrouver l'adresse IP de l'ordinateur, dans le café Internet d'un relais routier. Sans ce message, Flora serait encore portée disparue. Ce n'est pas grâce à l'intelligence de la police que nous l'avons retrouvée, mais grâce à la stupidité de Jacob.

– C'est ce que vous avez dit à M. et Mme Summers ?

– Oui.

– Saviez-vous que Colin avait rencontré Flora ? Et qu'elle avait accepté de les aider à retrouver Stacey ? »

Pour la première fois, Rosa se tut. Elle se recula dans son siège. Elle ne disait ni oui ni non, elle analysait l'information.

« Vous pensez que la personne qui a enlevé Stacey aurait aussi kidnappé Flora ? finit-elle par demander.

– Nous ne savons pas quoi penser, mais cela fait certainement partie des hypothèses.

– J'aime Flora », murmura Rosa.

D.D. ne dit rien.

« Je l'aimerai toujours. Les mères sont là pour ça. Mais... elle me manque. »

D.D. garda le silence. Rosa leva les yeux, ces yeux qui ressemblaient tant à ceux de sa fille, et chercha ceux de D.D.

« Ma fille a disparu un 18 mars. Mon enfant belle et joyeuse. La fillette qui aimait grimper aux arbres et manger les myrtilles à mesure qu'elle les cueillait. Je me souviens de son visage, de son sourire éclatant. Je me souviens de sa façon de me serrer dans ses bras, comme si sa vie en dépendait. La musique de sa voix quand elle sortait – au revoir, maman –, toujours gaie, jamais inquiète, parce qu'on allait se retrouver, bien sûr. Ma fille a disparu un 18 mars. Il y a sept ans. Jacob Ness l'a détruite, aussi sûrement que s'il lui avait mis une balle en pleine tête. Et aujourd'hui... je l'aime. Je l'aimerai toujours. Mais cette nouvelle Flora me fait peur. Et elle le sait.

– Est-ce que Flora vous a parlé de l'affaire Stacey Summers ?

– Jamais.

– Mais ça ne vous étonnerait pas qu'elle s'y soit intéressée, qu'elle se soit mise à chercher Stacey.

– J'ai vu les murs de sa chambre, commandant.

– Elle se faisait aider, elle suivait une thérapie ? »

Rosa leva les yeux vers Keynes, le bras ballant maintenant qu'il avait enfin retiré sa main de son épaule. Est-ce que c'était D.D. ou bien est-ce qu'il avait l'air plus petit ? Plus seul ?

« Samuel avait mis sur pied un programme de réadaptation, expliqua Rosa en regardant le victimologue. Au début, cela incluait des séances avec un psycho-traumatologue. Mais cela n'intéressait pas Flora. Elle disait que ces rendez-vous ne l'aidaient pas. Bizarrement, c'est son premier cours d'autodéfense qui a provoqué le déclic. Après s'être sentie si longtemps impuissante, elle a été ravie de découvrir sa propre force. Samuel y était favorable puisque le meilleur antidote à l'anxiété est la confiance en soi.

– Mais elle ne s'est pas arrêtée au bout de quelques cours, fit remarquer D.D.

– C'est devenu… une obsession. D'abord les questions de sécurité, ensuite les affaires de disparition. Tous les autres enfants qui n'étaient pas encore rentrés chez eux.

– Vous croyez qu'elle aurait été capable de retrouver Stacey Summers ?

– J'en ai peur.

– Peur… » D.D. comprit vite ce que cette phrase sous-entendait. « Vous pensez qu'il ne s'agit pas seulement de sauver les autres, mais aussi de châtier les coupables. »

Cette fois-ci, Rosa ne regarda pas vers Keynes avant de répondre.

« Après tout ce qu'il lui a fait, Jacob Ness a eu une mort trop douce, dit-elle en regardant D.D. droit dans les yeux.

– Que s'est-il passé lors de la libération de Flora ?

– Je ne sais pas. Vous devriez contacter Kimberly Quincy, l'agent du FBI à Atlanta. C'est elle qui a localisé Jacob et qui a mené l'assaut. »

D.D. regarda Samuel, qui lui répondit d'un signe de tête.

« Vous étiez présent ? lui demanda-t-elle.

– Non.

– Mais vous savez ce qui s'est passé.

– Seulement par ouï-dire. Quant à ce que Flora a pu me confier... Nous avons passé un accord, le premier jour. Elle m'a raconté son histoire une fois. Je l'ai consignée dans le compte rendu officiel. Et maintenant, nous faisons tous les deux en sorte qu'elle regarde vers l'avenir. »

D.D. redirigea son attention vers Rosa.

« Vous avez parlé d'un frère...

– Darwin.

– Est-ce que Flora et lui sont proches ? Est-ce qu'elle lui aurait parlé de ses projets ?

– Darwin est à Londres.

– C'est pour ça qu'on a inventé les textos, les e-mails et Skype », dit D.D. sans se démonter.

Elle ne quittait pas Rosa des yeux, qui hésitait manifestement.

Curieusement, ce fut Keynes qui prit la parole le premier, et pour s'adresser non pas à D.D. mais à Rosa. « Vous l'avez mis au courant ?

– Non.

– Un instant, intervint D.D., vous voulez dire que vous n'avez pas informé Darwin que sa sœur avait disparu ? »

Keynes continua comme si elle n'avait rien dit : « Et vous allez le faire ? »

De nouveau cette hésitation. « Il est tout juste en train de reprendre sa vie en main. Si vous aviez vu l'état dans lequel il était, la première fois qu'elle a disparu. Désespéré, impuissant. Il a arrêté l'université, mis toute sa vie entre parenthèses. Et ensuite elle est revenue. Tout était bien qui finissait bien. Sauf qu'elle n'était pas heureuse. Les sautes d'humeur, les terreurs nocturnes. La sensation qu'un imposteur avait pris sa place. Ce n'était plus ma fille, ni sa sœur. Ça ne pouvait pas être notre Flora. »

Rosa regarda D.D. « Il s'en remet à peine. Comment l'appeler pour lui balancer ça ? Encore une fois. Et pour quoi faire ? Pour qu'il laisse tout tomber, encore une fois ? Qu'il se sente démuni et impuissant, encore une fois ? Et même s'il revenait, que ferait-il ? On n'a pas de cartes postales, cette fois-ci. Du moins, pas encore. En fait, j'ai comme l'impression que vous n'avez aucune piste.

– Alors, vous allez le lui dire ? » D.D. répétait la question de Keynes parce qu'elle la trouvait bonne.

« Darwin ne peut pas vous aider, dit Rosa. Il est parti depuis des années. Il vit sa vie, trouve sa voie. Je ne sais pas ce qu'a mijoté Flora, mais elle ne lui a certainement pas confié. Elle lui a déjà fait trop de mal et elle le sait. Maintenant, si ça ne vous ennuie pas, il se fait tard et je suis fatiguée. Il me faut un endroit pour dormir et j'aimerais utiliser l'appartement de ma fille, si c'est possible.

– Vous ne retournez pas dans le Maine ? demanda Keynes.

– Non. »

D.D. consulta sa montre, prit conscience de l'heure. Dimanche, dix-neuf heures. Où donc était passée la journée ? Ce matin encore, elle enquêtait sur la mort d'un violeur et maintenant… ça demandait réflexion.

Elle répondit : « L'appartement n'est pas accessible cette nuit ; les constatations sont en cours. Combien de temps comptez-vous rester ?

– Combien de temps mettrez-vous à retrouver ma fille ? »

D.D. était bien incapable de répondre.

« Je ferai mon possible pour ne pas être dans vos pattes, commandant, dit Rosa Dane en rassemblant ses affaires. Mais ne vous imaginez pas que je vais rester sur la touche. Ma fille n'est pas la seule à avoir appris des leçons à ses dépens il y a sept ans. Vous avez votre boulot. De mon côté, je vais faire le mien. »

Rosa sortit du bureau en coup de vent, Samuel Keynes dans son sillage.

« Une petite minute ! » protesta D.D.

Mais ni l'un ni l'autre ne se retourna.

26

La fille pleure.

Dans ce noir, je ne peux pas la voir, seulement l'entendre. Je devrais faire quelque chose. Bouger, parler, l'aider. Je ne peux pas. Je... je ne peux pas, c'est tout. J'ai battu en retraite jusqu'au mur du fond, je me suis assise sur le matelas, aussi loin d'elle que possible, et j'ai pris mes genoux entre mes bras. Je suis trop assommée pour réagir. Je sais comment prendre soin de moi. Tu as mal ? Tu as faim ? Tu as soif ? Tu ressens un malaise ? Non. Alors, tu vas bien.

Mais non, je ne vais pas bien, me dis-je, éperdue. J'ai de l'entraînement et de l'expérience, je me suis préparée, mais jamais je n'ai vu venir une situation pareille. Je suis censée m'occuper de moi, me battre pour sauver ma peau. Pas gérer... ça.

Elle pleure tout bas. Plus des geignements que des sanglots. C'est ce qui arrive quand on est à bout de forces et déshydraté. Quand on a déjà épuisé sa réserve de vraies larmes et qu'il ne nous reste plus que ça.

Je reconnais ces pleurs. Moi aussi, j'ai pleuré comme ça.

De l'eau. À un moment donné, j'ai lâché la bouteille. Je devrais retourner la chercher. Je devrais retourner aider cette fille.

Pas facile. Atrocement difficile, en fait. Mais pourquoi ?
C'est moi qui collectionne les photos de personnes disparues. Moi qui me suis désignée sauveteuse en chef de Stacey
Summers. Et maintenant, devant la possibilité de lui porter
réellement secours…

Je n'ai pas envie que ce soit elle.

Je n'ai pas envie qu'elle croie que je pourrais la sauver.

Je n'ai pas envie qu'elle ou qui que ce soit d'autre dépende
de moi.

Cette fille est une ressource. Est-ce que c'est une pensée
froide, cynique ? En tout cas, elle me traverse l'esprit. Cette
fille est une ressource. Ses vêtements, les objets qu'elle pourrait
avoir dans les poches, ses épingles à cheveux. Et qui sait ? Si
elle jouit de davantage de liberté et de privilèges, peut-être
une boucle de ceinture – une mine de possibilités.

Alors il faut que je m'approche. Que j'aille au contact.
Cette fille est une ressource, et les victimes doivent utiliser
toutes les ressources à leur disposition.

Je bascule à quatre pattes et je reprends ma reptation de
chenille arpenteuse, le poids du corps sur les coudes, dans
le noir.

Elle est tombée là où je l'ai agressée, devant la porte dérobée. Qui est désormais refermée, verrouillée. Plus aucun signe
de sa présence. Le mur est redevenu un simple mur, et la fille
en larmes est le seul indice qu'il s'est passé quelque chose.

« Stacey ? » murmuré-je en avançant vers elle.

Elle ne répond pas, continue à gémir.

Mes mains liées rencontrent la bouteille d'eau, la renversent
sur le côté. Je m'arrête, cherche à tâtons autour de moi
jusqu'à l'attraper entre mes doigts. Je continue mon chemin
et bute sur la fille.

Une jambe. En pantalon. Un jean. Elle porte de vrais vêtements, contrairement à moi avec mon absurde nuisette. Cette découverte me donne de l'espoir. Si elle a un pantalon, elle a peut-être aussi une ceinture. Avec une boucle métallique. Ce serait l'idéal. Oh, toutes ces serrures qu'on peut crocheter, ces miracles qu'on peut accomplir avec l'ardillon d'une boucle de ceinture.

« Stacey », répété-je tout bas.

Toujours pas de réponse.

Il me paraît inconvenant de la fouiller comme si elle était un suspect sur une scène de crime. D'un autre côté, elle refuse de me parler. J'essaie de réfléchir à l'attitude à adopter.

Le dernier jour, quand les policiers ont investi la chambre d'hôtel, telle une invasion de fourmis noires se déversant par la porte et les fenêtres, dans quel état est-ce que j'étais ? Qu'est-ce que je voulais ?

J'ai pleuré. Ça, je m'en souviens, mais ça me paraît à des années-lumière, comme si c'était arrivé à quelqu'un d'autre, dans une autre vie. Il y avait là un agent du FBI, une femme. Elle n'arrêtait pas de répéter : « *Florence Dane.* » Ce nom me laissait perplexe. Il me chatouillait la mémoire, comme si j'avais dû le connaître.

« *Flora* », a-t-elle encore essayé.

Je crois que j'ai répondu, à ce moment-là. Je crois que j'ai dit : « *Je m'appelle Molly.* »

Ils ont échangé des regards, des réactions à mi-voix. La femme a posé une main sur mon épaule. « *Je suis l'agent spécial Kimberly Quincy, FBI. Vous êtes en sécurité, maintenant. D'accord ? En sécurité.* »

J'ai frémi quand elle m'a touchée. Et ensuite je suis devenue incroyablement immobile. Je n'étais ni sous le choc, ni transportée de joie, ni soulagée.

J'étais méfiante. Je me blindais en prévision du coup à venir.

Elle a lâché mon épaule et m'a proposé de l'eau. Elle m'a présenté les deux ambulanciers qui voulaient m'examiner.

« *Est-ce que vous voulez appeler votre maman ?* » m'a-t-elle demandé.

Mais je n'arrivais à penser qu'à Jacob. Ce pauvre, pauvre Jacob.

Et à tout ce sang sur mes mains.

J'étais incapable de répondre aux sollicitations de cette Kimberly. Je n'ai pas parlé. Ni crié. Je suis simplement restée prostrée. Ce jour-là, et le suivant, et le suivant.

Une fille qui était née et qui avait grandi dans un cercueil en pin.

Je ne suis pas cette fille-là, me rappelé-je à présent. Mais dans ce cas, je dois être l'agent du FBI, cette Kimberly. Alors, quelle était son attitude ? Elle parlait d'une voix ferme, agissait avec autorité. Elle m'a accompagnée pendant que je passais une kyrielle d'examens médicaux et qu'on me posait les questions indispensables, et jamais elle n'a cessé de me parler, que je lui réponde ou non.

C'était une fille normale, me dis-je. Elle parlait normalement, elle agissait normalement. Voilà ce qu'elle essayait de me donner : après quatre cent soixante-douze jours, elle m'offrait la normalité.

Je respire à fond et je me lance.

« Je m'appelle Flora. » C'est moi ou ma voix s'est brisée en prononçant mon nom ? Je le répète, rien que pour moi, cette fois-ci. « Je m'appelle Flora. » Pas Molly.

« Je suis désolée de t'avoir agressée. » Est-ce que c'est vrai ? Peut-être. Mais je ne sais pas encore qui elle est, ni quel rôle elle joue dans cette histoire. Gardons-nous des conclusions hâtives.

« Je vais essayer de t'aider. Je suis désolée si ça te fait mal, mais il faut que je sonde la plaie. J'ai de l'eau. Tu en veux ? »

Ses pleurs se sont taris. Elle a l'air de m'écouter. Sa respiration est toujours irrégulière et tremblotante. Le choc ? La peur ? Tout est possible.

Elle ne répond ni par oui ni par non, elle pousse un gémissement.

« Je vais te toucher, lui dis-je. Je suis désolée. Tu ne veux sans doute pas qu'on te touche. » À l'époque, moi, je ne voulais pas. « Mais je ne peux pas te voir. C'est la seule solution que j'ai pour savoir ce qui ne va pas. » Je déteste le sentiment d'impuissance que j'éprouve.

Je ne vois pas quoi faire d'autre. Elle ne dit rien, mais au moins elle se tient tranquille. Est-ce que c'est un oui muet ou le non d'une femme folle à lier ? Je me demande si l'agent du FBI s'est posé la même question il y a cinq ans. Si elle a eu l'impression d'avoir affaire à un chat sauvage plutôt que de sauver une fille terrifiée.

Ses pieds sont nus. C'est ma première constatation. Elle porte un jean, mais ni chaussures ni chaussettes. La preuve qu'elle n'a pas le droit de quitter la maison ? Je m'accorde un bref instant pour regretter l'absence de lacets. Toujours la question des ressources. Mais ça n'a pas de sens de regretter ce qu'on n'a jamais eu.

Ensuite, je remonte mes mains liées le long de sa jambe, mes doigts légers sur la couture du tissu assoupli par l'usure. Un vieux jean. Son préféré ? Je tire un peu dessus pour me rendre compte, sans savoir si c'est déplacé ou non. Mais, comme je m'y attendais, ce pantalon est trop large pour elle. Si c'est celui qu'elle portait le soir de son enlèvement, elle a perdu beaucoup de poids ces derniers temps.

Elle doit être allongée sur le côté parce que ensuite j'arrive à la courbe douce de sa hanche. Elle prend une brève inspiration entre ses dents et je devine que je ne dois pas être loin de la blessure. Quand la porte s'est ouverte et que je me suis jetée sur elle, je visais le ventre, je voulais l'étriper. J'espère pour nous deux que j'ai plutôt touché la cage thoracique.

Lorsque j'arrive à la ceinture de son jean, ça me fait bizarre et mes joues s'empourprent dans le noir. Un jean taille basse, râpé sous mes doigts. Même si je ne cherche pas à frôler sa peau nue, bien sûr ça se produit quand même. Elle frissonne, se raidit et je rougis de plus belle. Je dois me forcer à continuer. J'ai besoin de savoir si elle porte une ceinture. En cuir, tressée, peu importe, pourvu qu'elle ait une boucle...

Raté.

Bon, il faut y aller. La plaie. Je ne dois pas en être loin. Et je ne suis plus gênée, mais carrément pétrifiée. Je ne vois rien. Rien de rien. Et si, en touchant un morceau de bois, je l'enfonçais davantage ? Si j'aggravais sa blessure ?

Je ne suis pas taillée pour une telle situation. Je ne me suis pas entraînée à l'affronter. J'étais censée être seule. Seule, je suis bien.

Tandis que là, je suis mal à l'aise. Ce qui n'est pas la même chose que d'aller bien.

Mes mains tremblent comme des feuilles. Je les tiens au-dessus d'elle, mais sans me résoudre à passer à l'action. Je vais lui faire mal. Je vais aggraver son état. Je vais découvrir une fois pour toutes l'ampleur des dégâts que j'ai causés.

Soudain ses doigts se referment sur les miens. Elle ne dit pas un mot. Il n'y a que le bruit de sa respiration, non pas calme et régulière, mais saccadée et apeurée. Elle attrape mes mains liées et les descend vers son flanc, qui est une vraie mare de sang.

La plaie n'est pas jolie-jolie. Pas besoin de lumière pour le savoir. Je reconnais les coulures, leur toucher poisseux et leur odeur de rouille. Du sang mêlé à des morceaux de bois. Des échardes, à vrai dire. Le pin est un bois trop tendre pour faire une arme efficace. Comme je l'espérais, je ne l'ai pas touchée au ventre, c'est au niveau des côtes que j'ai frappé. Malheureusement, au contact des os, le bois a déclaré forfait et s'est désintégré en une multitude de fragments. Sous mes doigts, j'ai plus l'impression d'avoir un porc-épic qu'une plaie à l'arme blanche.

La fille pleure de nouveau, avec les hoquets tremblants et les frissons de quelqu'un qui souffre beaucoup.

Je me fige. Je suis incapable de faire ça. L'agent Kimberly n'a jamais eu à le faire.

Tout ce sang. Tellement de sang, il y a cinq ans. Sur mes mains, mon visage, mes vêtements. Mais ce n'était pas mon sang à moi.

Je me balance d'avant en arrière. Non, ce n'est pas le moment. Des larmes roulent sur mes joues. Non, personne ne va pleurer.

Je suis une battante, une battante, une battante, et Samuel lui-même m'a dit que les survivants ne devaient jamais regretter ce qu'ils avaient pu faire dans le passé.

« Je vais retirer les morceaux de bois », dis-je.

Elle m'a lâché la main. Elle tremble des pieds à la tête, clairement en proie à la souffrance. Je m'efforce d'être aussi douce que possible, mais étant donné que je dois trouver tous les fragments à tâtons, impossible de ne pas irriter la plaie. La fille inspire entre ses dents, gémit, mais reste passive sous mes mains maladroites.

Pour autant que je le sache, je ne fais aucun bruit, mais j'ai un goût de sel dans la bouche, donc des larmes doivent couler sur mes joues pendant que je pince et retire avec précaution un fragment après l'autre. Certains sont très petits, presque des échardes. Il y a deux morceaux plus épais et volumineux. Des esquilles. Est-ce qu'elles sont plus douloureuses ? Est-ce que ça fait une différence, au point où on en est ?

Je l'ai poignardée avec deux morceaux de bois tenus ensemble. Le résultat final est une bouillie sanglante, à mi-chemin entre la vilaine écorchure et la pelote d'épingles.

Je n'arrête pas de me dire que ça ne peut pas marcher. Dans le noir, je ne vais jamais réussir à tous les retirer, seulement les plus évidents. Et comme le sait quiconque a eu une écharde, même le plus petit corps étranger logé sous la peau peut s'infecter et provoquer une inflammation.

Mais je ne vois pas quoi faire d'autre, alors je continue, les bras tremblant de fatigue nerveuse à force de surveiller tous mes gestes, les joues raidies par le sel. Cinq, dix, vingt minutes. Mais finit par arriver le moment où, passant la main sur la plaie, je ne sens plus rien qui dépasse. Elle a sûrement encore des bouts de bois dans la chair. Comment pourrait-il en être autrement ? Mais dans ces conditions, sans même une lampe torche pour m'éclairer, je ne peux rien faire de plus.

Il nous faudrait de la lumière. Et des pansements. Et de l'eau oxygénée. Et tiens, pourquoi pas un vrai médecin plutôt que moi ?

Je palpe doucement la plaie. J'ai l'impression qu'elle mesure cinq centimètres de large sur une dizaine de centimètres de haut. Mais peut-être qu'elle est superficielle ? Ou alors, c'est que je prends mes désirs pour des réalités.

La fille gémit de nouveau. Elle frissonne.

« Est-ce que… est-ce que tu as mal ailleurs ? » Je ne sais pas quoi chercher d'autre. Quoi faire d'autre. J'ai les doigts poisseux. Pleins de sang. Son sang.

Elle ne répond pas. Je continue à parler tout haut, à prendre les décisions pour deux : « Je crois… je crois qu'on devrait laisser la plaie à l'air libre pour l'instant. » Plutôt que de déchirer encore ma nuisette en satin pour la bonne cause. « Je ne pense pas que ce soit profond, mais ce n'est pas joli. Il faut que ça sèche. Qu'une croûte se forme. » Et puis j'ai peur d'enfoncer davantage des échardes qui seraient restées sous sa peau si j'essaie de panser la blessure.

Elle ne décroche toujours pas un mot.

« J'ai de l'eau. Je vais… je vais en verser un peu sur la plaie. Pour la laver. »

Est-ce un gaspillage de ressources ? Aucune idée. J'ai voulu lancer une offensive contre mon ravisseur. Bien sûr, c'est cette fille que j'ai frappée à sa place, mais mon geste de défi a dû le surprendre et peut-être le mettre en colère. Il pourrait me couper les vivres. Fini les repas livrés à domicile et autres cadeaux emballés dans des cercueils en pin.

Ce qui me conduit à une autre question : les mains de la fille. Est-ce qu'elle est ligotée comme moi ? Et pourquoi a-t-elle été envoyée dans cette pièce ?

Je termine ce que j'ai commencé. Je débouche la bouteille d'eau et j'en fais couler un mince filet sur le flanc de la fille. J'économise. C'est plus fort que moi. J'ai appris certaines leçons au prix fort.

J'en dépose un peu sur mes mains, je les frotte l'une contre l'autre et je les essuie du mieux que je peux sur la moquette mince. Je rebouche la bouteille et je m'assois sur mes talons.

Il n'y a aucun moyen de faire ça poliment, alors j'y vais : je finis de la palper dans le noir. Un haut en coton, peut-être un tee-shirt. Le torse, le cou, le visage, d'épais cheveux mi-longs. Ses bras, que je suis jusqu'à ses poignets menottés. Et ensuite, parce que j'ai une certaine expérience de ces choses-là, je suis le contour des menottes et je sens des croûtes récentes et rugueuses qui s'entrecroisent avec les reliefs lisses d'anciennes cicatrices.

« Toi aussi, tu as été kidnappée. Il y a un bon moment. Suffisamment longtemps pour que tes premières plaies aient eu le temps de cicatriser. »

La fille ne bouge pas. Ne parle pas.

« Est-ce que tu es Stacey Summers ? »

Rien.

« Je connais tes parents. J'ai rencontré ton père. Ils n'ont pas perdu espoir. Ils continuent à te chercher. »

Un petit hoquet. La surprise ? La stupeur ? Un sursaut d'espoir ?

« Je m'appelle Flora. »

J'attends. Les doigts toujours sur ses poignets.

Et là, juste au moment où j'allais perdre espoir, je sens ses mains se refermer sur les miennes.

« M-m-m-molly, murmure-t-elle dans le noir. Je m'appelle M-m-molly. »

Et, sept ans plus tard, ces seuls mots suffisent.

Mon sang se glace dans mes veines.

Mes mains tremblent, se replient sur ma poitrine en un geste protecteur.

Et je sais... et je me souviens... et je sens... je sens... je... je...

« Non », murmuré-je.

Mais cette pauvre fille, ma douleur, mon châtiment, a enfin retrouvé sa voix : « Je m'appelle Molly. Molly. Molly. Molly. Je m'appelle Molly. »

Je ne regarde pas vers le miroir sans tain. Je ne regarde pas vers ce mur lisse où je sais maintenant que se trouve une porte.

Je regarde la moquette. Je regarde tout au fond de moi. Et je me dis, après toutes ces années : Mon Dieu, mais qu'est-ce que j'ai fait, qu'est-ce que j'ai fait, qu'est-ce que j'ai fait ?

27

Allez, vas-y. Va le voir, le cow-boy. Tu l'abordes et tu lui dis que tu as été kidnappée. Qu'on voie si ce pochetron vole à ton secours. Non ? Tu as peur qu'il ne te croie pas ? Ou bien tu as peur qu'il te croie ?

Debout à côté de moi au comptoir, Everett parlait d'une voix tendue. Il avait déjà descendu plusieurs verres, mais l'important n'était pas là. Il filait un mauvais coton, ces derniers temps. Colérique, maussade, exigeant. Rien de ce que je faisais ne lui convenait et rien de ce que je lui donnais ne lui faisait plaisir.

Je ne savais pas ce qui avait changé, mais... quelque chose.

Trois jours de congé avant le prochain transport. Il nous avait trouvé un motel bas de gamme. Au début, j'aimais bien les moments passés hors du camion. Un plancher qui ne vibrait pas en permanence sous mes pieds. Une vue sur des arbres qui n'étaient pas flous parce que nous ne filions plus sur l'autoroute.

Mais Everett... moins de route voulait dire plus d'alcool. Plus de sexe. Et rien de tout cela ne lui suffisait jamais. Sa frustration ne faisait que grandir.

Ce soir-là, il était revenu à la chambre avec un sac. Il me l'avait lancé.

« *Lave-toi. T'as vraiment une gueule de tache et tu schlingues à mort. Et puis c'est quoi, le problème avec tes cheveux ?* »

La plupart du temps, je n'avais pas le droit de me doucher. Encore moins de me raser les jambes. Mais ce soir-là, j'ai fait ma toilette. Et en ouvrant le sac, j'ai découvert une robe. Si on peut dire. Pas une robe à fleurs roses ou jaunes, pas une robe bain de soleil fluide comme j'avais pu en porter dans une vie antérieure par un après-midi d'été dans le Maine ou un matin de printemps à Boston.

Non. Cette robe-là était rouge, moulante et très, très courte.

J'ai frémi quand je l'ai eue en main. Et mon regard s'est tourné vers le reflet de la fille dans le miroir embué… le teint blafard, les joues creuses, des yeux gris immenses et caves.

Un fantôme, j'ai pensé. Et je me suis mise à trembler des pieds à la tête.

Everett m'attendait à la sortie de la salle de bains. Je tirais avec gêne sur le bas de la robe, plaqué sur le haut de mes cuisses. Ni soutien-gorge, ni culotte. Everett ne voyait pas l'utilité de ces choses-là.

Il m'a toisée sans un mot. Il a juste poussé un grognement et fini sa bière avant de me donner un coup d'épaule en se rendant dans la salle de bains pour se débarbouiller et lisser ses cheveux en arrière.

Pendant son absence, j'ai voulu m'exercer à m'asseoir. J'essayais d'arranger le haut de la robe dos nu pour couvrir davantage ma poitrine, je tirais sur le tissu. Dans le sac, j'ai trouvé une paire de sandales à semelles compensées, avec des lanières noires. Je n'ai pas pu m'empêcher de me dire qu'elles n'allaient pas avec la robe. Mais dans une autre vie, avec une autre tenue, ces chaussures m'auraient plu.

Une fois de plus, cette étrange impression de déjà-vu.

Un fantôme.

Alors j'ai compris : la nouvelle robe, les nouvelles chaussures, l'irritation grandissante d'Everett. On y était. Il m'avait toujours prévenue que le jour où il commencerait à s'ennuyer, il ferait ça.

Il me tirerait une balle. Il m'étranglerait. Me poignarderait. Je ne me souvenais même plus. Il avait évoqué tellement de méthodes. Mais le dénouement était invariable : il jetterait mon corps en pâture aux alligators et ma mère ne saurait jamais ce que j'étais devenue.

La porte de la salle de bains s'est ouverte. Everett en est ressorti furieux, les poings fermés.

« On sort », a-t-il annoncé.

Je l'ai suivi docilement.

Les fantômes ne discutent pas les ordres.

Les fantômes sont fichus d'avance.

Le bar était un petit bastringue. Le sol jonché de coquilles de cacahuètes. Alan Jackson sur le juke-box. C'était bondé. Est-ce qu'on était vendredi soir ? Samedi ? J'avais du mal à m'y retrouver dans les jours de la semaine. Comme dans les villes, les États, les notions de géographie les plus élémentaires.

J'ai vu des hommes en jean et tee-shirt, des femmes en jean plus serré et tee-shirt. Mais rigoureusement personne en robe moulante rouge.

À notre arrivée, les clients m'ont dévisagée, puis les regards se sont tournés vers Everett. Mais personne ne m'a reconnue, personne n'a soupçonné quoi que ce soit. Après tout ce temps, je ne m'attendais plus à ce que les gens nous remarquent. Et même ce soir-là, l'un après l'autre, ils se sont désintéressés de la fille trop pâle et trop maigre habillée comme une pute, et ils ont recommencé à boire.

Everett, après m'avoir dressée pendant des jours, des semaines et des mois à courber l'échine et à me taire, rayonnait à côté de moi. Ce qui ne faisait qu'augmenter mon anxiété.

Le fantôme a traversé le bar comme un zombie. Le fantôme a commandé une bière.

Est-ce que je hochais la tête au rythme de la musique ? Est-ce que je frappais du bout des doigts le comptoir en bois luisant ? De vieilles habitudes héritées d'un temps révolu où c'était sympa de sortir dans un bar, où la vie était faite pour être vécue et où on ne savait jamais quelles bonnes surprises nous attendaient au coin de la rue.

À côté de moi, Everett a descendu sa bière d'un trait, s'est envoyé un petit verre d'alcool fort et a redemandé la même chose. Il avait l'habitude de boire. Beaucoup. Souvent. Mais rarement dans des bars. Trop cher, se plaignait-il. Pourquoi donner quatre fois plus d'argent à des connards pour un truc qu'on pouvait s'acheter soi-même ?

Mais ce soir-là, il ne regardait pas à la dépense. Il pianotait indéfiniment sur le comptoir couvert de balafres.

« Tu es la plus jolie fille de la salle », m'a-t-il dit après l'avoir parcourue du regard.

Les yeux droit devant moi, les mains serrées autour de ma bouteille de Bud moite, je me suis figée. Puis j'ai pris une gorgée.

« Tu m'as bien entendu, a-t-il repris avant de s'envoyer son whisky. La plus jolie fille de la salle. Tu devrais continuer à te teindre en rousse. J'aime bien. »

Lâchant son verre à liqueur, il a posé sa main sur ma nuque dénudée. Je n'ai pas bronché. Après tout ce temps, je l'ai simplement regardé en me demandant ce qu'il allait faire.

Il a ri. Il s'est commandé un autre verre. Toujours sa main sur ma nuque, une lueur dure et carnassière dans le regard.

Je buvais ma bière à petites gorgées. Un fantôme qui essayait juste de passer entre les gouttes.

Et là, j'ai commis une erreur : j'ai levé les yeux et j'ai vu un type au bout du bar qui me regardait fixement.

Everett ne ratait jamais rien : « Vas-y. Va lui parler. Dis-lui que tu as été kidnappée. Qu'on voie s'il vole à ton secours. »

J'ai secoué la tête discrètement, je me suis reconcentrée sur ma bière. La deuxième, la troisième ? La soirée passait trop vite. Et Everett me fichait les jetons.

« Comment tu t'appelles ? »

Il s'était penché vers moi, son haleine de buveur caressait ma joue.

Je n'ai pas répondu.

« Sérieusement. Je ne plaisante pas. Comment tu t'appelles ?

— Molly, j'ai murmuré en fixant ma bouteille de Bud.

— Non, arrête tes conneries. Ton nom, ton nom, ton nom. Ton vrai nom ? »

Je l'ai regardé. Très longtemps. Son visage rougeaud, ses yeux trop brillants.

Et j'ai compris qu'il prenait des trucs. En plus de l'alcool. Ces sautes d'humeur, cette nervosité, ces marathons sexuels qui duraient toute la nuit. Il marchait à quelque chose. Il faisait déjà assez peur comme ça quand il était en période de beuverie, alors pire, je n'osais pas imaginer.

« Je t'en prie. » Je murmurais. Je suppliais. Mais dans quel but ? Depuis quand mes prières avaient-elles le moindre effet ?

« Tu sais quel jour on est aujourd'hui ? m'a-t-il demandé d'un seul coup.

— Non.

— C'est notre anniversaire, ma chérie. Un an. Toute une année. Rien que toi et moi. C'est fou, hein ? »

Il a fait tinter son verre à liqueur contre ma bouteille de bière, il a sifflé le whisky et tourné son doigt en l'air pour réclamer une autre tournée.

J'étais suffoquée. Je le regardais, ses joues rouges, son visage bouffi, ses cheveux gras. Mais dans ma tête, j'étais ailleurs. Très loin, là où un vent vif et pur soufflait dans les arbres, et un instant... j'ai vu un renard filer comme un éclair derrière un buisson.

« Tu es morte. »

Il a prononcé ces mots sur le ton de l'évidence, me tirant en sursaut de ma rêverie.

Le barman était revenu. Un whisky et une bière pour Everett. Une nouvelle Bud pour moi. J'aurais préféré de l'eau. C'était ça qui m'aurait fait du bien.

« Tu sais comment ils cherchent les filles disparues ? Ils se décarcassent surtout les deux premiers jours. Ensuite, bien sûr, ils font semblant pendant une semaine, ou deux, ou trois, ils donnent aux journaux du coin de quoi faire leurs gros titres. Je sais que tu as vu ta mère une fois à la télé, un après-midi. Bien sûr qu'elle a fait tout un cirque. Ça se passe comme ça pendant quelque temps. Mais après cinquante-deux semaines ? Tu ne fais plus la une, ma petite. Ce serait du réchauffé. Entretemps, il y a peut-être six, huit, dix autres mignonnes qui ont disparu. Ce sont elles qui font les gros titres. Et toi... ton affaire est déjà classée. En ce moment, il y a un enquêteur dans son bureau qui essaie de trouver le courage d'appeler ta mère pour lui expliquer comment les alligators bouffent les cadavres.

« Tu crois qu'elle fera des funérailles ? Sans même avoir le corps, je veux dire. Peut-être juste une petite réunion, la famille, les amis. Pour que ta mémoire repose en paix. »

Je suffoquais.

« C'est ce que tu voudrais, non ? » Il parlait tout bas maintenant, il avait presque un air de sollicitude. « Tu voudrais que ta mère reprenne le cours de sa vie, n'est-ce pas ? Plutôt qu'elle souffre indéfiniment.

— C'est ce qui est arrivé à Lindy ? Elle aussi, tu l'as balancée aux alligators ? »

Il a eu un petit mouvement de recul, serrant son verre à liqueur dans son poing. « Ta gueule, pétasse.

— Tu es désolé ? Tu regrettes de ne pas l'avoir gardée plus longtemps ? C'est pour ça que tu la pleures encore la nuit ?

— Tu vas la fermer, oui ? »

Mais j'étais lancée. Encouragée par trois bières, une robe trop serrée, trop rouge, et le fait de savoir que nous étions dans un lieu public. Plus tard, il me le ferait payer, mais pour l'instant, en ce premier anniversaire de notre rencontre...

« Tu l'aimais ? »

En un éclair, sa main est revenue se poser sur ma nuque. Ses doigts s'enfonçaient lentement, ils serraient de plus en plus. Mais j'ai gardé les yeux ouverts, j'ai fixé son visage et j'y ai lu une souffrance. Aiguë et déchirante. Puis un chagrin. Long et profond.

Je ne savais toujours pas comment ni pourquoi, mais Lindy exerçait un pouvoir sur lui. Lindy, cette inconnue légendaire, était tout ce que je n'étais pas.

« Jalouse ?

— Tu vas me tuer ?

— Ouais.

— Ce soir ?

— Peut-être.

— Demain ?

— Sans doute demain aussi.

— Tu seras tout seul.

– *Non, je n'aurai qu'à retourner en Floride. Ça fait un an pile : figure-toi que les étudiantes sont en vacances de printemps.* »

Je l'ai regardé. Longuement. Et j'ai presque fini par nous voir de l'extérieur. Après tout ce temps à vivre une minute après l'autre, à garder la tête basse, à espérer, à prier, à supplier simplement pour survivre.

Voilà où nous en étions. Un an plus tard. La Belle et la Bête. Un monstre et son jouet.

Une jeune fille qui ne rentrerait plus jamais chez elle..

« *Vas-y* », lui ai-je dit, et maintenant c'était mes yeux qui étaient trop brillants. « *Fais-le. Serre ma gorge. Personne ne regarde. Tout sera fini avant que les gens ne s'en aperçoivent. Allez. Je sais que tu en as envie. Alors tue-moi. Vas-y.* »

Son visage s'est assombri. Il en avait vraiment envie. L'idée l'enivrait, l'excitait. Je sentais ses doigts rugueux s'enfoncer dans ma peau, ça le démangeait d'en finir.

J'allais mourir en robe de pute. Mais au moins, dans ce lieu public, il serait obligé de fuir et d'abandonner ma dépouille.

C'est marrant, les choses qu'on en vient à considérer comme des victoires.

« *Tu vas aller te taper le cow-boy, m'a-t-il dit.*

– *Hein ?* » Le changement de sujet m'a désarçonnée.

« *Au bout du bar. Le connard qui n'arrête pas de te reluquer. Allez. Vas-y. Fais-lui sa fête.*

– *Non.*

– *Pourquoi, tu es trop bien pour lui ?* »

Je n'ai pas répondu.

« *Dis-lui la vérité. Je m'en fous. Dis-lui ton nom. C'est quoi, ton nom, déjà ?* »

J'ai secoué la tête, je me suis cramponnée à ma bière. Pourquoi est-ce qu'il n'arrêtait pas de me demander ça ? Mon *nom, mon nom, mon nom. Mon* vrai *nom. Il me filait mal au crâne.*

« *Tu es finie, m'a-t-il murmuré. Je parie qu'au bout d'un an, ta mère a déjà vidé ta chambre. Elle a mis ta tenue de pom-pom girl et tes nounours dans des cartons. Elle a rangé tout ça au grenier. Qu'est-ce qu'elle va faire, à ton avis ? Transformer ta chambre en bureau ? Peut-être en atelier ? Mais il faut regarder les choses en face : si tu te pointais chez elle demain, il n'y aurait plus de place pour toi. Je suis tout ce qu'il te reste. Toi et moi, petite fille, jusqu'au bout de la vie. Ou jusqu'à demain matin, quand je me réveillerai et que je n'en pourrai plus de voir ta gueule. Allez. Le cow-boy. Au bout du bar. Va te le faire.*

— Non. »

Ses doigts bougeaient. Ils ne serraient plus. Ils caressaient ma nuque et mes poils se hérissaient.

« *Tu ne voulais pas de moi. Une jolie fille comme toi. Si je ne t'avais pas prise saoule et en vrac sur cette plage, tu ne m'aurais jamais accordé un regard. Mais maintenant, tu m'as. Je t'ai nourrie, je t'ai habillée. Hé, je t'ai même sortie et fait voir du pays.* »

Je n'ai rien répondu.

« *Je suis ton premier vrai mec. Le premier qui t'a dit les choses comme elles étaient, qui t'a montré le monde réel. Qui ne t'a jamais menti, jamais doré la pilule. Pendant le reste de ta courte vie, où que tu ailles, quoi que tu fasses, jamais tu ne rencontreras un type comme moi.* »

J'ai risqué un regard pour croiser ses yeux fiévreux.

« *Je suis ton monde, Molly. Ton monde entier. Je suis tout pour toi. Alors que pour moi... tu n'es qu'une moins-que-rien. Ici aujourd'hui, morte demain. Remplacée à mon premier passage à Palm Beach. Ni vu ni connu. Allez. Le cow-boy au bout du bar. C'est un ordre.*

— *Non.*

— *Mais...*

— *Pas le jour de notre anniversaire.* »

Il s'est arrêté, furieux. M'a dévisagée.

Et j'ai compris. Le fantôme. Cette impression de déjà-vu qui m'avait hantée toute la soirée. Everett était méchant. Il était cruel. Et un jour il me tuerait et balancerait mon cadavre dans un marécage.

Mais ce soir, il avait raison.

Un an avait passé et je ne rentrerais plus jamais chez moi. La fille que j'étais autrefois était morte.

Il ne restait plus que moi et mon étrange relation perverse avec cet homme. Je pouvais continuer à suivre simplement le mouvement et survivre tant bien que mal jour après jour. Ou alors...

J'ai tendu la main et, pour la première fois de ma propre volonté, je l'ai posée sur son torse. Il a sursauté malgré lui. Et j'ai lu dans ses yeux des doutes, du désir, de la peur.

Des émotions que j'associais à Lindy, mais qu'il reportait peu à peu sur moi.

Personne n'aime être seul. Même pas le monstre du placard.

Je me suis levée de mon tabouret. Je lui ai retiré son verre de la main. Je me suis approchée et, en me collant à lui, j'ai susurré : « Je voudrais un cadeau.

— *Quoi ?*

— *Un cadeau. Pour notre anniversaire.*

— *Tu rêves...*

— *Ton nom. Ton vrai nom. Ce n'est pas ce que tu m'as demandé toute la soirée ? Je crois que tu as raison. Il y a quelque chose de spécial entre nous. Nous étions faits l'un pour l'autre. Je voudrais connaître ton vrai nom. Au bout d'un an, où est le mal ? »*

Il me regardait, mes lèvres frôlaient les siennes. Je le voyais cogiter. Peser le pour et le contre. Puis j'ai senti ses mains sur mes hanches.

« Jacob, a-t-il répondu d'une voix rauque. Je m'appelle Jacob.

– Ravie de faire ta connaissance, Jacob. Maintenant ramène-moi à la maison et je te montrerai à quel point j'apprécie les vrais mecs comme toi. »

28

D.D. rentra chez elle juste à temps pour mettre Jack au lit. Sa petite bouille ronde s'illumina à la seconde où il l'aperçut et deux bras potelés se tendirent vers elle. Elle ressentit ce coup au cœur si familier. Un amour contre lequel une meurtrière présumée l'avait un jour mise en garde, une émotion profonde et puissante qui déplacerait des montagnes. Et qui, oui, si les circonstances l'exigeaient, justifierait d'appuyer sur la détente.

Mais pour l'instant, elle n'avait pas lieu de penser à des choses aussi tragiques. C'était l'heure de se blottir à côté de son petit homme, bien au chaud dans son lit rouge en forme de voiture de course, et de lire *Je vais me sauver !*.

Alex les regardait depuis le pas de la porte, tout sourire. De temps à autre, elle levait les yeux dans sa direction, tirait la langue, louchait. Rire un peu avec ses deux hommes préférés : à une certaine époque, D.D. n'aurait jamais pensé qu'elle pourrait un jour avoir tout cela. Et maintenant elle n'en revenait pas d'avoir pu s'en passer. Elle en avait besoin, surtout après une journée pareille. Alex, Jack, sa famille, ces moments privilégiés : ils étaient ses repères.

Une fois de plus, elle se demanda ce qu'elle ferait s'il arrivait malheur à Jack. Si, dans une douzaine d'années, le téléphone sonnait en pleine nuit pour lui annoncer que son fils adolescent avait disparu. Franchement, D.D. ne savait pas comment les mères et les pères comme Rosa Dane ou Colin Summers trouvaient la force de continuer.

Bien sûr, la vie de famille n'était pas rose tous les jours. Le travail de D.D. était prenant, et Jack avait atteint l'âge où il avait un avis sur la question. Il ne l'avait pas vue de tout le week-end et elle n'était revenue qu'au dernier moment pour lui lire une histoire.

Alors évidemment, à l'instant où elle referma le livre pour s'extirper (avec l'agilité d'un hippopotame) de son petit lit au ras du sol, il commença à lui faire son numéro.

Il sortit sa lèvre inférieure. La supplia avec ses yeux d'un bleu limpide qui ressemblaient tellement aux siens. Alex lui avait donné son bain avant de le coucher et ses cheveux châtain clair étaient dressés sur sa tête, la plus attendrissante crête d'Iroquois qu'on ait jamais vue.

« Bonne nuit », répéta D.D. avec fermeté.

La lèvre se mit à trembler. Puis tout le menton. Et ensuite…

L'assaut frontal. Il s'élança en travers du lit et referma ses bras et ses jambes autour de D.D. Elle recula en titubant et ses mains descendirent vers deux petits bras qui l'enserraient à présent avec la force de tentacules de pieuvre. Les tueurs en série, elle en faisait son affaire, mais elle restait sans défense devant un petit garçon qui ne voulait pas se coucher.

Elle entendit rire derrière elle. Alex s'amusait de ce spectacle, sans toutefois esquisser le moindre geste pour intervenir. Il avait déjà passé le week-end à ferrailler avec le bambin. Au tour de D.D.

Celle-ci avait découvert que les jeunes enfants ressemblent beaucoup aux criminels. Avec eux, il y a deux stratégies possibles : promettre une récompense ou menacer d'une punition.

Elle ne pouvait pas punir son fils parce qu'elle lui manquait autant qu'il lui manquait à elle, alors elle opta pour la promesse d'une deuxième histoire s'il voulait bien se recoucher. Deuxième histoire qui fut suivie d'une troisième, puis d'une quatrième, avant que les paupières lourdes de son fils ne finissent par se fermer et que D.D. ne sorte du lit en chancelant et en se disant que Jack venait sans doute de remporter une victoire, mais qu'elle était trop crevée pour s'en soucier.

Alex l'attendait dans le séjour. Il leur avait servi deux verres de vin rouge et tenait une poche de glace à sa disposition.

« Je ne sais pas lequel des deux j'attendais avec le plus d'impatience, dit-elle en regardant alternativement le verre de vin et la poche de glace. Triste, non ? »

Il sourit et l'aida à retirer sa veste en cuir. Une poche de glace sur l'épaule, un verre de vin à la main, la vie était de nouveau belle. Elle s'assit dans le canapé, posa les pieds sur la table basse et poussa un soupir.

« Comment va ta justicière ?

– Envolée.

– Elle a fui le nouveau shérif de la ville ?

– Non. » Elle tourna la tête contre le coussin du canapé et le regarda sérieusement. « On pense qu'elle a peut-être été kidnappée. Par le ravisseur de Stacey Summers, si ça se trouve. »

Il lui demanda de reprendre depuis le début. Vu le nombre d'heures de travail qu'elle avait accumulées en quarante-huit heures, cela aurait dû être éreintant, mais D.D. avait découvert cette chose extraordinaire à propos de son mariage : quoi qu'il ait pu se passer dans une journée, cela ne lui paraissait pas totalement vrai, réel ou significatif tant qu'elle n'était pas rentrée chez elle et qu'elle ne l'avait pas raconté à Alex. Évidemment, le fait qu'il soit spécialiste des scènes de crime (des traces de sang, pour être précis) ne nuisait pas. Il mettait souvent le doigt sur des détails qui lui avaient échappé.

« Des images ? demanda-t-il en songeant aux diverses caméras de surveillance.

— Quand je suis partie, les premières vidéos arrivaient. La nouvelle enquêtrice, Carol, a promis de commencer à les visionner.

— À la façon dont tu prononces son nom, on croirait que tu mords dans un citron.

— Même pas vrai.

— Si, c'est vrai. »

Elle le regarda d'un œil noir. « On verra bien demain matin comment elle s'est débrouillée.

— Mais vous ne communiquez rien à la presse ? »

Elle soupira, prit une gorgée de vin. « On hésite. Ça fera sensation, c'est sûr. Une ancienne victime de kidnapping, déjà un peu connue du grand public, qui se fait enlever une deuxième fois ? On préfère assurer nos arrières et avoir entière confirmation avant de balancer une histoire qui fera sortir tous les tarés du bois.

— Quel genre de confirmation ?

— Des images vidéo ? Qui, tant qu'à faire, montreraient Flora entraînée par son ravisseur ? Ou, maintenant qu'on a le code de son téléphone, peut-être la preuve qu'elle enquêtait sur la disparition de Stacey, voire qu'elle avait une piste sérieuse susceptible de lui attirer des ennuis ? Il faut être lucide : à la seconde où on rendra publique une information de ce genre, ce sera le grand barnum médiatique. Et malheureusement, ce sera autant de temps, d'énergie et de moyens humains qui ne seront plus consacrés aux recherches proprement dites. Pour l'instant, ça ne dérange pas la maman de Flora de garder le silence. J'ai comme l'impression qu'elle ne porte pas la presse dans son cœur.

– Mais si Flora a réellement disparu...

– Dans ce cas, il faudra qu'on trouve d'autres témoins et qu'on demande à la population de participer aux recherches, ce qui exigera une conférence de presse.

– Je sens que ça va te plaire. »

Elle lui fit une grimace.

« Vous avez trouvé des indices dans l'appartement ?

– Non. À part le lit défait, il est nickel. La mère est une maniaque de la propreté et elle avait fait le ménage dans les heures précédentes. Comme Flora savait se défendre, on pense que son assaillant a dû lui tomber dessus par surprise. Peut-être même qu'il l'a droguée. Sinon, on devrait voir des traces de résistance.

– Je pourrais passer voir, proposa Alex. J'ai un peu de temps avant d'aller à l'école de police demain matin. Si tu veux une deuxième paire d'yeux...

– Étant donné le peu que nous savons à l'heure qu'il est, j'adorerais avoir une deuxième paire d'yeux, et même une troisième ou une quatrième. » Elle changea légèrement de position sur le canapé, replaça la glace sur son épaule. « Le détail le plus étrange sur la scène de crime, c'est que la porte d'entrée et toutes les fenêtres étaient ouvertes. Bon, la porte d'entrée, je comprends encore. Le type avait eu l'intelligence de se faire faire un double des clés et il s'en est servi pour entrer chez Flora. Mais pourquoi ouvrir les verrous de toutes les fenêtres ? Pourquoi prendre le temps d'une mise en scène aussi subtile ?

– Pour prouver qu'il pouvait le faire ? Souligner que personne n'était à l'abri ?

– Arrogance », murmura D.D.

Alex se remplit son verre de vin à ras bord. « Ça s'est déjà vu. Mais on dirait que ta disparue est assez dégourdie, de son côté. Elle a peut-être été enlevée, mais elle n'a pas franchement le profil de la victime sans défense.

– C'est vrai. Je crois que je vais passer un coup de fil demain matin. À un agent du FBI à Atlanta, Kimberly Quincy.

– Ce nom me dit quelque chose.

– J'ai déjà été en contact avec elle il y a quelques années, pour l'affaire Charlene Grant. Et apparemment c'est elle qui a fini par localiser Jacob Ness et mener l'assaut pour libérer Flora.

– Et pourquoi tu veux lui parler ?

– Je ne sais pas, répondit D.D. avec franchise. Mais d'une certaine manière… Flora ne s'est jamais remise de ce qui s'est passé il y a cinq ans.

– Comment aurait-elle pu ?

– Je te l'accorde. Mais la plupart des victimes d'enlèvement arrivent à prendre du recul, même après une longue captivité. Elles travaillent à leur convalescence, essaient d'apprécier chaque journée à sa juste valeur, écrivent un livre, vendent les droits pour faire un film, je ne sais pas. D'après sa mère, Flora ne parle jamais des mois qu'elle a passés avec Jacob Ness. Et pourtant… Elle a pris des cours d'autodéfense. Les murs de sa chambre sont tapissés d'articles sur des affaires de disparition. Elle est obsédée par Stacey Summers. Toute sa vie tourne encore à cent pour cent autour de ce qui lui est arrivé. Voilà mon hypothèse : pour comprendre ce qu'elle a pu faire qui a conduit à son enlèvement d'hier soir, mais aussi ce qu'elle est capable de faire maintenant, il faut que je sache par où elle est passée. Elle a déjà survécu une fois à l'impensable. Alors qu'est-ce qui peut bien la pousser à se remettre dans la même situation ? Une blessure pas encore cicatrisée ? Une leçon mal assimilée ?

– Culpabilité du survivant.

– Possible, dit D.D. en replaçant la poche de glace sur son épaule. Mais je vais te dire de quoi elle devrait se sentir coupable : sa mère. La malheureuse. Devoir revivre ça. »

D.D. ne passa pas une bonne nuit. Rien d'inhabituel quand elle travaillait sur une affaire de grande ampleur. Les détails de l'enquête tourbillonnaient dans sa tête et elle avait rêvé de filles sans visage qui couraient dans des couloirs obscurs et sans fin. D.D. elle-même, à bout de souffle, galopait dans une maison pleine de ténèbres... un sous-sol... la maison de nouveau... son cœur battait à tout rompre dans sa poitrine.

Elle prit un virage et se retrouva nez à nez avec Flora Dane. Ou Stacey Summers ? Non, pas d'erreur, c'était bien Flora Dane qui braquait un pistolet sur sa tempe.

« Boum, disait la Flora du rêve. Tu es morte. »

D.D. se réveilla. Et sortit de son lit.

Elle entra à pas de loup dans la chambre de son fils et se rasséréna en le regardant dormir à poings fermés. Puis elle alla dans la cuisine et commença pour de bon sa journée.

Les agents du FBI font généralement des horaires de bureau. Bien sûr, ils se vantent d'avoir toujours un sac tout prêt et de pouvoir décoller au pied levé, mais comparé aux exigences du travail des policiers de terrain, disons, au hasard, à celui d'une enquêtrice de Boston, le rythme est relativement pépère.

Si D.D. avait bonne mémoire, l'agent spécial Kimberly Quincy avait deux filles, ce qui voulait sans doute dire que, comme la plupart des parents, elle se levait de bonne heure.

En croisant cette information avec les difficultés de circulation à Atlanta (le fameux échangeur-spaghetti) et le fait que tout banlieusard avait donc intérêt à prendre le chemin du bureau pas trop tard, D.D. en arriva à la conclusion que c'était aux aurores qu'elle avait les meilleures chances de joindre l'agent fédéral.

Cinq heures trente du matin, c'était tout de même un poil trop tôt, alors D.D. fit ses exercices de rééducation du bras et de l'épaule, puis elle se doucha, s'habilla et entendit Jack l'appeler. Elle le sortit de son lit-voiture de course en le prenant dans son bras valide et se souvint alors des *vroum, vroum* de rigueur ; ensuite, zigzags dans le couloir, descente des escaliers sur les chapeaux de roues et sprint pied au plancher vers la cuisine et les pancakes en forme de dinosaures. Quand Alex avait acheté ces moules sur un coup de tête, D.D. avait levé les yeux au ciel, mais il fallait reconnaître que Jack les adorait. Les pancakes étaient indiscutablement deux fois meilleurs quand ils ressemblaient à des brontosaures.

Jack prit son petit déjeuner en grenouillère, attendu qu'un repas de pancakes arrosé de sirop d'érable était la garantie de vêtements tachés, sans parler de la quantité de sirop qu'il arrivait à mettre dans ses fins cheveux. Le pyjama irait à la machine. Quant à la coiffure… D.D. trouvait que le look hérisson lui allait bien. Sirop d'érable, gel capillaire : quelle différence pour les tout-petits ?

Après tout ce temps passé loin de son fils, elle se fit un plaisir de l'habiller pour la maternelle. Après quoi elle sortit Candy Land et tout un paquet de cartes colorées, parmi lesquelles figurait bien sûr Jolly la boule de gomme, histoire d'occuper Jack dans le salon pendant qu'elle se réfugiait dans la cuisine pour appeler Atlanta.

La première tentative fut la bonne.

« Quincy, répondit l'agent du FBI.

– Bonjour. Commandant D.D. Warren, police municipale de Boston. On s'est déjà parlé, il y a quelques années. L'affaire Charlene Grant. Vous aviez enquêté sur le meurtre de son amie à Atlanta.

– Bien sûr. Au fait, chapeau sur ce coup-là. Sincèrement, je ne pensais pas que Charlene survivrait au 21 janvier.

– Disons que, de temps à autre, ce boulot procure quelques satisfactions. En ce moment, je suis sur une autre affaire et votre nom est apparu dans le dossier. » D.D. mit l'agent du FBI au courant des récentes activités de Flora, qui avaient conduit à sa disparition. « D'après ce que j'ai compris, c'est vous qui avez finalement localisé Jacob Ness.

– Exact », dit Quincy d'une voix plus sourde, plus grave. Certaines affaires vous marquent à vie. D.D. se doutait bien que celle de Flora et l'assaut qui avait permis sa libération en faisaient partie. « Que savez-vous de son enlèvement d'il y a sept ans ? demanda Quincy.

– Pas grand-chose. Boston n'était pas dans la boucle puisqu'elle avait disparu en Floride.

– C'est juste. Un kidnapping assez classique. Une étudiante en vacances de printemps sortie prendre un verre avec des amies. Elle va aux toilettes, elles la laissent y aller seule et pouf, elle disparaît.

– J'ai un autre cas similaire en ce moment, dit D.D. en se demandant si c'était à cause de cette ressemblance que Flora avait réagi aussi vivement à l'enlèvement de Stacey Summers.

– Malheureusement, les recherches ont été lentes à démarrer. Les copines éméchées ne sont pas très douées pour faire des signalements. Surtout qu'elles s'étaient mis en tête que Flora était rentrée chez elle – et je ne parle pas de leur chambre d'hôtel. À un moment donné d'une soirée en boîte bien arrosée au rhum, elle avait décidé de retourner dans le Nord, si bien que les copines n'ont pas vraiment écumé la plage pour la retrouver.

– Punaise…

– Une des filles a fini par avoir l'idée d'appeler la mère de Flora dans le Maine. Une femme solide, intelligente. Ruth ? Rachel ?

– Rosa.

– Rosa, voilà. Rosa a rempli le formulaire de signalement de disparition, ce qui a permis d'ouvrir l'enquête, mais à ce moment-là il s'était déjà écoulé deux jours, deux jours et demi, la piste était froide. La police locale a cherché un peu, mais n'a rien trouvé. »

D.D. n'était pas étonnée : une affaire de disparition est toujours une course contre la montre. En l'occurrence, Flora était déjà mal partie.

« Pourquoi a-t-on fait intervenir le FBI ?

– À cause d'une carte postale. Je ne me rappelle pas tous les détails, mais quelques semaines plus tard, peut-être un mois, Rosa a reçu une carte postale de sa fille. Postée à Jacksonville. L'écriture ressemblait à celle de Flora, mais le texte avait de quoi inquiéter.

– C'est-à-dire ?

– Je pourrai vous en envoyer une copie, mais… le ton frisait l'hystérie. *Maman, je m'amuse comme une folle ! J'ai rencontré le mec le plus mignon de la terre ! Tu devrais voir où je dors. La chambre idéale ! C'est le bonheur parfait. Et on baise comme des fous. Embrasse Chili pour moi.*

– Rien que ça ? s'exclama D.D., stupéfaite.

– Oui. Pas vraiment le genre de carte postale qu'une fille envoie à sa mère. Rosa Dane s'est inquiétée, et le mot est faible. Quant à la référence à Chili : c'était le premier chien de Flora, mort depuis des lustres. Le profileur du service d'analyse comportementale qui nous a aidés sur cette affaire pensait que Jacob avait obligé Flora à introduire ce détail dans le message pour l'authentifier : il ne pouvait pas avoir été envoyé par le premier venu qui aurait appris la disparition de Flora par voie de presse. Le ravisseur voulait que Rosa et nous tous sachions que nous avions affaire au vrai coupable.

– J'imagine que vous avez aussi analysé l'écriture ?

– Oui, mais on ne peut pas dire que ça ait donné des résultats fracassants. Certaines lettres correspondaient à l'écriture de Flora, mais elles étaient petites, toutes rabougries et tremblées, ça perturbait l'analyse. »

D.D. réfléchit un instant.

« Parce que Flora écrivait sous la contrainte ? Ou parce qu'elle-même avait changé ? Qu'elle était terrifiée ? Martyrisée ? Affamée ?

– Toutes ces hypothèses ont été envisagées à l'époque. Mais l'information la plus importante était dans le contenu du message : Flora s'amusait comme jamais, elle était avec un mec mignon et ils baisaient comme des bêtes. Pas de : au fait, maman, désolée d'avoir pris la poudre d'escampette pendant les vacances, mais ne t'inquiète pas, je suis avec des amis. Autrement dit, le ravisseur ne cherchait pas à dissimuler la disparition de Flora. Il voulait juste torturer la mère en lui faisant clairement savoir que sa fille avait été enlevée.

– C'est là que le profileur vous a expliqué que le criminel avait appris la propreté sous la menace d'une arme ?

– Oh, il n'était pas à court d'idées sur la question. Mais à l'époque, nous en étions encore à rassembler des informations. Nous avions un premier message et un cachet de la poste. La police de Jacksonville a pu établir que la carte avait été postée dans un bureau situé au bord d'une autoroute très fréquentée. Mais les boîtes aux lettres extérieures n'ont pas de caméras de surveillance, donc on a abouti à une impasse.

– Mais il y a eu d'autres messages.

– Oui. Une deuxième carte est arrivée trois mois plus tard. La première représentait une plage au coucher du soleil, celle-là montrait une pêche de Géorgie et elle avait été postée à Atlanta.

– C'est là que vous êtes entrée dans le jeu, devina D.D.

– C'est là que je suis entrée dans le jeu. Le contenu de la carte était presque le même : C'est le pied. Le mec idéal. La baise est de mieux en mieux et, bonne nouvelle, j'ai enfin perdu ces cinq derniers kilos.

– Elle avait maigri ? Et elle avait du poids à perdre ?

– Non, c'était une jeune fille active qui passait sa vie au grand air. D'après sa mère, elle n'avait pas cinq kilos de trop.

– Oh, mon Dieu. » D.D. comprit enfin comment il fallait lire les messages et cela lui donna la nausée. « Il l'affamait. C'est de l'ironie. Du début à la fin… le mec mignon, c'est un type moche comme un pou. Le sexe d'enfer, ce sont les interminables nuits de viol. Et les cinq kilos… Mais quel… » D.D. n'avait pas de mots assez durs pour qualifier Jacob Ness. Heureusement qu'il était déjà mort, sinon elle se serait sentie obligée de le traquer pour le tuer de ses propres mains.

« À ce moment-là, Flora avait disparu depuis environ quatre mois. Maintenant qu'on avait la preuve qu'elle était encore en vie et qu'elle avait franchi une frontière entre États, ç'a été la mobilisation générale au FBI. Sauf qu'on n'avait aucun élément sur lequel nous appuyer. Il n'existait aucune vidéo, aucun témoin de l'enlèvement. Est-ce qu'elle avait suivi un type ? Est-ce qu'elle était tombée dans un traquenard ? Impossible de trouver quelqu'un qui aurait vu quoi que ce soit.

– Moi, j'ai la vidéo d'un enlèvement et, malgré cela, personne ne sait rien, observa D.D. Et les cartes postales ?

– Nous avons pu retrouver dans quel bureau la deuxième avait été postée, mais là encore, pas d'images, pas de témoins. Tout ce que nous savions, c'était que les deux bureaux se trouvaient à proximité de grands axes. Des étapes pratiques pour quelqu'un qui est sur la route.

– La deuxième carte contenait des détails personnels ?

– *Merci de nourrir les renards.* Quand elle était petite, Flora aimait apprivoiser les renards sauvages dans la ferme de sa mère.

– Le collier de Rosa, se souvint D.D. Elle porte un pendentif en forme de renard.

– Exactement. Sur cette deuxième carte postale, l'écriture s'était encore dégradée. Elle était toute grêle, tremblante, faiblarde. Si on croit à la graphologie et à la possibilité de déchiffrer la personnalité d'un individu à partir, disons, de l'inclinaison de son écriture, Flora était en train de perdre pied.

– Je connais la graphologie, dit D.D. Je ne sais pas trop quoi en penser, mais dans une affaire où on n'a pas grand-chose d'autre à se mettre sous la dent...

– On prend ce qui vient, confirma Kimberly. Vu l'absence de pistes et le fait que l'individu s'intéressait visiblement à la maman, le profileur a préconisé une conférence de presse dont Rosa serait la vedette. Puisque le ravisseur s'adressait directement à elle, c'était à son tour de s'adresser à lui. Pour voir si nous arrivions à le faire réagir.

– Ça a marché ?

– Pas sur le coup, à notre connaissance. Le profileur avait préparé un discours qui devait humaniser Flora en insistant sur sa famille aimante, son enfance hors norme dans les forêts du

Maine, son attention aux autres, etc. On a relooké Rosa pour que toutes les mères d'Amérique puissent s'identifier à elle. Au fond, le ravisseur écrivait sa version de l'histoire : Flora était une étudiante nymphomane obsédée par les hommes. Et nous sommes allés à l'extrême inverse : c'était une gentille fille qui aimait la nature, adorée de tous ceux qui la connaissaient. »

D.D. ne put s'empêcher d'afficher une moue sceptique. Ce deuxième portrait ne correspondait pas franchement à la Flora morose et à cran qu'elle connaissait. Et elle se demanda si la maman de Flora n'avait pas raison, en fin de compte : elle n'avait jamais connu et ne connaîtrait jamais la véritable Flora Dane. Elle n'avait rencontré que la créature pervertie sortie des mains de Jacob Ness au terme de quatre cent soixante-douze jours de captivité.

« Rosa a joué le jeu, racontait Kimberly. Elle s'est mise au pupitre, elle a regardé droit vers les caméras et elle a fait passer un message plein de compassion, authentique et émouvant. Les salles de rédaction en redemandaient. Nous avons eu droit à une couverture nationale pendant une bonne semaine, alimentée par la participation de Rosa à plusieurs grandes matinales. Ce qui n'avait rien de facile ni de naturel pour une femme qui, jusque-là, était surtout à l'aise au volant d'un tracteur. »

D.D. comprenait ce qu'elle voulait dire. De nos jours, il fallait avoir le cœur bien accroché pour accomplir ce que les médias exigeaient de la part des victimes. Surtout quand le responsable d'enquête murmurait à l'oreille du parent qu'il fallait en passer par là : si vous voulez revoir votre enfant, vous n'y couperez pas, il faut vous mettre à nu devant tout le pays.

« Et ensuite ?

– Rien.

– Rien ?

– Rien. Les semaines ont passé. Les mois. La piste refroi-
dissait. Rosa parlait, parlait, parlait. Sans recevoir ni carte
postale ni message en retour. Nous avons diffusé la photo de
Flora aux quatre coins du pays, sans recevoir d'informations
crédibles. Ce qui, au bout d'un moment, a commencé à
devenir significatif : soit Flora était séquestrée au point qu'il
n'y avait pas de témoin, soit il avait remarquablement réussi
à modifier son apparence. Et soit il se fichait des conférences
de presse, soit il ne les voyait pas.

– Il ne les voyait pas ?

– Notre profileur, Ken McCarthy, pensait qu'une fois que
l'individu avait amorcé une conversation, il ne pouvait pas
tourner les talons comme ça. Et que si nos tentatives de
communication ne provoquaient pas de réaction, c'était peut-
être qu'il ne recevait pas les messages. La phase suivante de
notre enquête dans le Sud a donc consisté à rechercher tous
les reclus et autres survivalistes qui vivaient en marge de la
société et qui avaient des antécédents d'agressions sexuelles.
Et je peux vous dire que la liste était longue.

– Pas bête, comme stratégie, reconnut D.D. Ce genre
d'individu aurait certainement correspondu à votre profil. Il
aurait torturé la mère prise comme représentante d'une figure
d'autorité, c'est ça ?

– Hé, on est le FBI : sur le papier, on peut faire passer n'importe quelle théorie. Malheureusement, nous nous
trompions.

– Alors qu'est-ce qui s'est passé ?

– C'est Jacob qui a finalement renoué le contact. Pas avec
une carte postale, cette fois-ci, mais avec un e-mail envoyé

depuis un compte postiche à l'adresse personnelle de Rosa. Il avait joint un enregistrement de la voix de Flora. »

D.D. fit la grimace. Elle imaginait le supplice que cela avait dû représenter pour Rosa : après tout ce temps, entendre la voix de sa fille et en même temps des horreurs, les paroles corrompues qui avaient dû sortir de sa bouche...

« Ce type d'escalade dans la communication n'a rien d'inhabituel, continua posément Kimberly. Nous avons assuré à Rosa que c'était bon signe. Cela signifiait que Flora était toujours en vie et que, si étrange que cela puisse paraître, elle était encore importante aux yeux du ravisseur. Par ailleurs, le fait qu'il soit passé au courrier électronique nous a aidés : nous avons pu retrouver l'adresse IP de l'ordinateur d'où le message avait été envoyé, un café Internet dans l'Alabama. Situé, comme les bureaux de poste, près d'une grande autoroute. Ça nous a permis de réorienter l'enquête : nous ne cherchions plus un survivaliste planqué au fond des bois, mais un individu qui se déplaçait beaucoup. Un commercial, par exemple, un chauffeur de poids lourd. Étant donné le nombre d'heures que ces gens-là passent sur les routes, il était possible qu'il ait raté les émissions d'info du matin ou les journaux du soir, d'où l'absence de réaction à notre matraquage médiatique. Nous avons modifié notre communication en conséquence, pour nous concentrer sur les médias les plus susceptibles de toucher un individu itinérant et en faisant porter l'effort sur les réseaux sociaux, par exemple en publiant un message par jour sur Facebook, auquel l'individu pouvait se connecter sur son ordinateur portable ou sur son téléphone pendant ses pauses. Nous avons aussi ciblé les radios locales et la presse indépendante, le genre de publications quotidiennes facilement accessibles dans les restoroutes, les stations-service, les motels.

« Pour cette phase de l'enquête, son frère a créé toute une page Facebook pleine de photos personnelles de Flora, des images de sa vie quotidienne, la ferme et les bois alentour, un renard qui jouait dans le jardin. Il a aussi passé du temps avec sa mère pour préparer des messages, un par jour, qui parlaient de tout et de rien, depuis le livre préféré de Flora jusqu'à la vie du village, les anniversaires familiaux qu'elle était en train de rater. Nous avons invité les voisins et les amis à contribuer. Tout ce qui pouvait rappeler sans relâche au ravisseur qui était réellement Flora : une jeune fille qui manquait beaucoup à sa famille et à ses amis.

– Dans ses messages, il détruisait sa personnalité. Dans les vôtres, vous la reconstruisiez.

– Nous avions besoin qu'il entre en contact avec nous. Si contrer ses messages pouvait le pousser à envoyer de plus en plus de cartes postales, messages électroniques ou vidéos, ça jouerait en notre faveur.

– Il avait envoyé des vidéos ?

– Le provoquer pour qu'il nous réponde s'est avéré une stratégie très efficace.

– C'était vous qui l'aviez mise au point ?

– Oui.

– À en croire Rosa, c'est la bêtise de Jacob qui l'a perdu : il a envoyé le message de trop et vous l'avez coincé. Mais à vous entendre, c'était bien le plan : vous ne restiez pas les bras croisés à attendre qu'il écrive quand ça lui chanterait. Vous l'arrosiez d'informations pour l'appâter.

– Avec ce genre de stratégie... les familles en bavent, dit Kimberly en soupirant. Les enquêteurs sont comme des généraux, ils mettent au point le plan de bataille à l'arrière du front, mais Rosa et Darwin étaient nos fantassins. Tous les jours, il fallait qu'ils s'assoient devant leur ordinateur pour supplier le ravisseur d'épargner Flora. Ils ont eu à subir les cartes postales dégradantes, les enregistrements audio et ensuite cette vidéo... Nous leur avions conseillé à tous les deux de ne pas la regarder. Mais évidemment ils étaient avides d'un signe, d'un contact avec leur Flora chérie. Son frère a vomi. Deux fois. Quant à Rosa... elle est restée prostrée. On a fini par appeler le médecin. J'ai bien cru qu'elle avait craqué et qu'on l'avait définitivement perdue.

« Je comprends que la famille voie les choses différemment. C'est naturel. En fin de compte, ils étaient notre meilleur atout pour retrouver Flora. Nous les avons exploités sans vergogne et ça a marché.

– Comment avez-vous finalement localisé Jacob ?

– Comme nous l'espérions, il s'est mis à communiquer davantage. Surtout par e-mails. Ça nous a permis de suivre ses trajets à travers le sud des États-Unis. À la fin du quatorzième mois, nous avions la conviction qu'il s'agissait d'un chauffeur routier, d'un livreur, quelque chose de cet ordre. L'essentiel des messages que nous recevions étaient envoyés depuis des cybercafés, certains depuis des relais routiers, toujours à proximité de grands axes. Nous avons donc fait intensifier les patrouilles des polices d'État dans ces secteurs, faxé la photo de Flora à tous les grands relais routiers. Il s'agissait de faire monter la pression, mais pas trop non plus.

– Pour éviter qu'il ne panique et se débarrasse d'elle.

– Exactement. Et on s'est surtout concentrés sur les cyber-cafés. Le quatre cent soixante et onzième jour, il a envoyé un message dont nous avons pu établir qu'il venait du café d'un relais routier qu'il avait déjà utilisé une fois. Je me suis personnellement rendue sur place pour interroger les employés. Avec toutes ces cartes postales, ces e-mails, ces messages, Jacob en avait davantage révélé sur lui-même qu'il ne le pensait. À la seconde où j'ai commencé à décrire le genre d'homme que nous cherchions, le directeur l'a identifié. Jacob était un habitué, il s'arrêtait à ce relais au moins une fois par mois, sinon davantage. Le directeur ne connaissait pas son nom de famille, mais il pouvait décrire son camion ; à partir de là, nous avons pu remonter la piste.

« Jacob Ness. Délinquant sexuel fiché qui avait déjà fait de la prison pour une agression sur une mineure de quatorze ans. Soupçonné d'autres faits semblables. Travaillait à ce moment-là en indépendant pour plusieurs grandes sociétés de transport, conduisait un semi-remorque.

« Il n'a fallu que quelques heures à la police d'État pour repérer le camion garé à côté d'un motel à deux pas de l'autoroute. J'ai mobilisé les forces d'intervention et nous sommes passés aux choses sérieuses. »

L'agent du FBI n'avait pas besoin d'en dire davantage : D.D. imaginait parfaitement ce que Kimberly avait ressenti. La poussée d'adrénaline, à quelques minutes de clore une affaire de première importance. Si on s'y prend bien, on sauve la fille et on chope le coupable. Mais au moindre faux pas... la fille se fait descendre, le type s'enfuit et ça fiche en l'air une vie, une famille, et votre carrière par-dessus le marché.

Oui, elle imaginait très bien.

« Qu'est-ce que vous avez fait ?

– Nous avons demandé à la direction de l'hôtel dans quelle chambre se trouvait Jacob et s'il était arrivé avec une femme. La chambre était située au bout de l'étage et n'avait pas de sortie sur l'arrière. Ça, c'était pour les bonnes nouvelles. Mais au rayon des mauvaises, nous avions des raisons de penser que Jacob possédait au moins une arme à feu et peut-être davantage. Et notre profileur, McCarthy, estimait que s'il était acculé, il risquait de tuer Flora et de retourner l'arme contre lui plutôt que de se rendre.

– Suicide par police interposée ?

– Éventuellement, mais seulement après avoir tué Flora. McCarthy pensait qu'à ce stade de la relation, Jacob devait être très attaché à elle. La nature de ses sarcasmes, son besoin de torturer la famille montraient qu'elle lui appartenait et qu'il ne renoncerait pas à elle sans se battre.

– Un lien s'était formé. » D.D. réfléchit un instant à la question. Elle connaissait bien le syndrome de Stockholm, quoique davantage à travers des scénarios de film que par expérience personnelle. Rendu célèbre par l'affaire Patty Hearst, ce syndrome conduit une victime à s'attacher à son agresseur et à éprouver de la compassion et même un sentiment de loyauté à l'égard d'une personne qui lui a pourtant fait du mal. Mais D.D. n'avait jamais songé que le processus inverse pouvait exister : qu'au fil du temps et à force d'exercer une complète domination, le ravisseur pouvait se prendre d'affection pour sa captive. Jacob Ness était routier longue distance. Autrement dit, il avait voyagé seul pendant des années, isolé, jusqu'au jour où il avait kidnappé Flora Dane pour l'emmener avec lui.

Après quatre cent soixante-douze jours de compagnonnage, D.D. imaginait aisément qu'il ne serait pas disposé à renoncer à elle.

« Est-ce que vous avez craint un syndrome de Stockholm ? demanda-t-elle à Kimberly. Que Flora ne voie pas votre intervention d'un bon œil ? »

D.D. perçut l'hésitation de son interlocutrice. « Nous étions prêts à toute éventualité », finit par répondre Kimberly, ce que D.D. prit comme un oui.

« Donc, vous aviez un individu armé planqué dans une chambre d'hôtel avec une victime qui avait subi un traumatisme prolongé. Comment vous y êtes-vous pris ?

– Nous avons laissé la main aux équipes d'intervention, répondit Kimberly sans détour. Ils ont balancé une demi-douzaine de bombes lacrymogènes par la fenêtre et ensuite ils ont enfoncé la porte. »

L'agent du FBI marqua un temps. « Ils ont trouvé Jacob à terre, neutralisé par les gaz. Il avait une serviette humide à côté de lui. Apparemment, il avait remarqué que des forces de police se mobilisaient à l'extérieur et il avait tenté de se préparer à l'assaut. Mais il n'avait pas été assez rapide.

– Et Flora ?

– Elle était assise par terre à côté de lui. Avec une serviette humide nouée sur la bouche et le nez. Et un pistolet. »

D.D. ouvrit de grands yeux. Ça, par exemple… « Le pistolet de Jacob.

– Voilà.

– Est-ce qu'elle a menacé la brigade d'intervention ?

– Non. Elle avait le pistolet sur les genoux et elle… caressait le visage de Jacob. Elle essuyait ses larmes.

– Oh. » D.D. ne savait pas pourquoi, mais d'une certaine manière, cette image était encore plus dérangeante.

« Quand je suis entrée dans la pièce, Jacob était conscient. Il parlait tout bas à Flora. Les gaz commençaient déjà à se dissiper, il fallait agir vite, mais personne n'avait envie de bousculer Flora tant qu'elle avait le pistolet. Nous craignions, si nous lui faisions peur…

– Qu'elle ne tire ?

– C'était un spectacle étrange. Il la suppliait. Jacob Ness, allongé par terre de tout son long, suppliait Flora de le tuer. »

D.D. en restait sans voix.

« J'ai essayé d'attirer l'attention de Flora. Je l'ai appelée par son prénom, j'ai essayé d'obtenir qu'elle me regarde. Mais elle ne réagissait pas. Ni à mes sollicitations, ni à celles d'aucun autre agent. Toute son attention était focalisée sur Jacob ; elle lui caressait les cheveux, elle essuyait les larmes de ses joues. Elle avait l'air pleine de sollicitude, je dirais même… tendre. »

D.D. connaissait les gaz lacrymogènes. Non seulement ils vous irritent les yeux, mais ils transforment votre nez, tout votre visage, en une fontaine de mucus. Jacob Ness devait être au supplice, avoir désespérément envie d'eau pour se rincer les yeux, d'un mouchoir pour se dégager le nez. Mais il n'avait pas rendu les armes. Cet homme qui avait nargué la famille de sa victime et les enquêteurs pendant plus d'un an avait réuni ses dernières forces pour un baroud d'honneur.

« Et lui, que faisait-il ?

– Il n'arrêtait pas de parler à Flora. Un vrai moulin à paroles. Et juste au moment où on se disait qu'il allait falloir agir dans un sens ou dans l'autre, Flora s'est penché vers lui pour lui murmurer quelque chose à l'oreille.

– Quoi ?

– Je ne sais pas. Flora ne l'a jamais révélé. Mais elle lui a parlé. Et Jacob Ness a fait une de ces têtes… on aurait dit qu'il était fou de terreur. Ensuite Flora a pris le pistolet sur ses genoux et elle lui a tiré une balle. Une .45 Magnum dans la calotte crânienne. Efficace.

« Après, elle a lâché l'arme. L'équipe d'intervention l'a neutralisée. Rideau. »

D.D. était soufflée.

« Vous avez déjà entendu parler de l'attachement à l'agresseur, n'est-ce pas ? reprit d'un seul coup l'agent du FBI. Sans aller jusqu'aux victimes d'enlèvement, on voit ça tous les jours chez les femmes battues. Elles sont isolées, à la merci de leur époux dominateur, et elles vivent de violents épisodes de terreur abjecte, suivis d'excuses poignantes qui les épuisent encore plus émotionnellement. Le traumatisme devient en lui-même le fondement d'un puissant attachement. Comment les autres pourraient-ils comprendre ce qu'ils ont vécu ensemble ? Cela devient une raison de plus qui incite la femme à rester, même quand son mari lui a fichu une énième dérouillée.

– Je connais ce phénomène.

– Je m'attendais à le rencontrer chez Flora Dane. Ça paraissait logique, après tout le temps qu'elle avait passé avec lui. Je n'arrivais même pas à obtenir qu'elle réagisse à son propre prénom. Au lieu de ça, elle disait s'appeler Molly, le nom que Jacob lui avait donné.

– Je vois.

– Ce type d'attachement se produit le plus souvent dans les cas où la victime est isolée et où le tortionnaire paraît tout-puissant. À l'arrière de la cabine de Jacob, nous avons retrouvé un cercueil muni d'un cadenas. Il contenait des traces ADN et des cheveux de Flora. »

D.D. ferma les yeux. « Pour être isolée, elle était isolée, reconnut-elle.

– Jacob l'enfermait dans cette caisse, mais c'était aussi lui qui l'en sortait. Il l'affamait pendant de longues périodes, mais c'était aussi lui qui la nourrissait.

– Comme ça, il était tout-puissant.

– Et c'est là que ça devient problématique : il n'y a aucun doute que Flora présentait des signes d'attachement à l'agresseur, or on sait grâce à d'autres cas que ce syndrome pousse la victime à rester, alors même qu'elle pourrait s'enfuir.

– Flora a eu des occasions de s'évader, mais elle ne les a pas saisies.

– Nous avons appris que, dans les derniers temps, elle accompagnait Jacob partout de son plein gré. Il pouvait la laisser seule à une table de restaurant ou dans une chambre d'hôtel. Elle restait, ce qui, vu de l'extérieur, donne l'impression qu'elle acceptait benoîtement son sort, qu'elle était une victime consentante. Mais quiconque a vécu une expérience d'attachement à l'agresseur vous dira que, dans ces moments-là, elle était tout aussi contrainte que si elle avait été enchaînée physiquement. C'est toute la force de ce lien.

– Je vois. » D.D. avait déjà entendu parler de ce phénomène, mais il lui était difficile d'attribuer un tel degré de soumission à la Flora qu'elle avait rencontrée quarante-huit heures plus tôt, celle qui avait tué Devon Goulding.

« Le syndrome de Stockholm peut aussi conduire une personne à accomplir des actes auxquels elle ne se serait jamais livrée en temps normal.

– Patty Hearst qui fait feu avec sa carabine.

– Il existe de nombreux cas avérés de victimes qui, le temps passant et à force de tortures, sont devenues les complices de leurs agresseurs. Et en l'occurrence... nous avons retrouvé d'autres traces ADN que celles de Flora dans le cercueil. Plus précisément, nous avons retrouvé l'ADN de plusieurs femmes non identifiées.

– Oh. » D.D. ne voyait pas quoi dire d'autre. L'agent du FBI avait raison : lorsqu'une victime d'enlèvement reste longtemps aux mains de ses ravisseurs, elle finit souvent par aider à en piéger d'autres. Il serait tentant de l'en blâmer, mais les psychologues n'ont pas la même analyse. Comme le disait Kimberly, l'attachement à l'agresseur asservit la victime aussi puissamment que la contrainte physique. « Vous pensez que Jacob Ness a pu enlever d'autres femmes.

– Je pense que j'aurais bien aimé l'interroger sur ce point. En fait, plus nous fouillions dans son passé, plus nous avions de soupçons. Malheureusement, nous ne saurons jamais exactement ce qu'il a fait. Combien de femmes il a pu violer et même assassiner.

– Qu'en dit Flora ?

– Elle n'en dit rien. Elle n'a jamais parlé de ce qui lui est arrivé. Au début, nous lui avons laissé du temps et de l'espace – sur les conseils du docteur Keynes, pour ne rien vous cacher. Mais ensuite... Nous savons que d'autres femmes que Flora ont séjourné dans cette caisse, mais nous ne savons pas quand les indices sont arrivés là. Par exemple, il est possible que l'ADN des autres victimes ait été déposé dans le cercueil *avant* l'enlèvement de Flora et non après. Moyennant quoi, nous n'avions pas de motif justifiant une assignation à comparaître. Si elle ne veut pas parler, rien ne l'y oblige.

– Vous pensez qu'elle couvre ce qu'elle-même a pu faire, sous la contrainte ou non ?

– Je pense qu'il y a certaines questions que j'aimerais poser et auxquelles elle se garderait de répondre. D'autant que... » Kimberly s'interrompit de nouveau. « Ça peut rester entre nous ? À notre époque, ce n'est pas très bien vu d'accuser la victime...

– Je vous écoute.

– Quand j'ai escorté Flora hors de la chambre d'hôtel, elle s'est arrêtée pour se retourner vers le corps de Jacob. Elle n'avait plus la serviette à ce moment-là, je pouvais voir son visage. Et une étincelle est passée dans son regard. On aurait cru voir un robot s'animer. Elle avait l'air... triomphante.

– Parce qu'elle venait de tuer son ravisseur ? suggéra D.D.

– Ou peut-être parce qu'elle venait de tuer la seule personne qui savait exactement ce qu'elle avait fabriqué depuis
un an. Je peux vous dire une chose : des dizaines, voire des
centaines d'agents ont participé aux recherches qui ont permis
de la retrouver, et malgré cela, pour chacun de nous, quatre
cent soixante-douze jours de la vie de Flora Dane restent un
mystère absolu. »

29

Je ne vais pas bien.

Je voudrais aller bien. Je voudrais être forte, aux commandes, déterminée. Je n'ai pas faim, pas soif, pas trop chaud, pas trop froid, je n'ai pas mal, je ne suis pas terrifiée. Je suis la Flora Dane nouvelle génération, une femme qui ne sera plus jamais une victime.

Je tremble des pieds à la tête.

Ce nom. Pourquoi cette fille prétend-elle s'appeler Molly ? Elle n'est pas Molly. Je le sais parce que j'ai moi-même connu une Molly. J'ai moi-même *été* une Molly. Ça ne peut pas être une coïncidence, n'est-ce pas ? Comme les cercueils en pin. Un interminable défilé de cercueils en pin...

Mais qu'est-ce qui se passe, ici ?

Il est mort. Jacob est mort. Je suis obligée de me le répéter, recroquevillée dans un coin, les genoux bien serrés entre les bras. Jacob est mort et je le sais parce que c'est moi qui lui ai tiré une balle. J'ai senti son sang et des fragments de crâne gicler sur mon visage. Je suis sortie de cette chambre, enfin libre après quatre cent soixante-douze jours, avec de la cervelle de Jacob dans les cheveux.

Il est mort. Il est mort. Il est mort.

Des larmes roulent sur mes joues. Je me déteste d'être aussi faible.

Et je déteste encore plus cette misérable, cette minable petite partie de moi à qui il manque encore.

Je ne vais pas bien.

La fille est sur le matelas. Je crois. Elle a rampé jusque là-bas toute seule. Elle dort, à l'heure qu'il est. Ou bien elle a perdu connaissance. Ou bien elle agonise. Sans doute que je devrais aller voir comment elle va. Mais maintenant qu'elle m'a dit s'appeler Molly, je ne peux plus la supporter.

L'agent du FBI me regardait droit dans les yeux : « *Flora, Flora, Flora.* » Et moi je ne comprenais absolument pas de qui elle voulait parler : « *Je m'appelle Molly.* »

Un lien se crée entre les victimes d'enlèvement et leur ravisseur. Que cela vous plaise ou non, que vous le compreniez ou non, c'est un fait. Le docteur Keynes me l'a expliqué bien des fois. Je ne pouvais pas davantage m'interdire de nouer une relation avec Jacob que je ne pouvais m'interdire d'avoir faim, soif ou d'être fatiguée. Les êtres humains sont des animaux sociaux. Nous ne sommes pas faits pour vivre coupés des autres. Ni, en l'occurrence, emprisonnés dans un cercueil.

Or, Jacob était peut-être un être malfaisant, mais il était aussi très intelligent. Il savait ce qu'il faisait chaque fois qu'il m'enfermait dans cette caisse et qu'il me privait de lumière, de nourriture, d'eau, de compagnie. Tout comme il savait exactement ce qu'il faisait chaque fois qu'il m'en sortait : il devenait mon héros. Il devenait cette figure paternelle toute-puissante que je n'avais jamais eue. Évidemment que j'allais l'écouter et obéir. On ne provoque pas le courroux d'une figure paternelle toute-puissante. Et on ne la quitte pas non plus, même si l'occasion se présente à l'improviste.

Précisément parce qu'elle est toute-puissante. Et que si cet homme dit qu'il sait où vivent votre mère, votre frère ou vos renards préférés et qu'il peut les retrouver pour les tuer quand il veut, vous le croyez.

Quand il dit que vous êtes sa préférée et qu'il n'avait pas l'intention de vous garder en vie aussi longtemps, mais qu'il s'est attaché à vous. Que vous êtes spéciale. Précieuse. Peut-être même la seule femme qui pourra enfin lui apporter le bonheur…

Ça aussi, vous le croyez.

Et cette fille ? Pelotonnée à l'autre bout de la pièce dans le noir ? Est-ce qu'elle aussi a été enfermée dans un cercueil ? Est-ce qu'elle aussi a dû subir d'interminables heures, d'interminables journées avec la solitude pour toute compagne ? Jusqu'au moment où elle aussi aurait vendu son âme au diable juste pour sortir ?

Je ne peux pas lui faire confiance. C'est le problème avec les filles qui ont été enfermées dans un cercueil.

Demandez à Jacob : on ne peut se fier à aucune de nous.

Je m'essuie le visage avec mes mains liées. Il faut que j'arrête de faire ça, me dis-je en me balançant d'avant en arrière. C'était stupide de ma part d'essayer de retrouver Stacey Summers, arrogant de croire que je pouvais m'attaquer aux salauds de ce monde. J'ai été imprudente. J'ai été… je ne sais pas. Tout ce dont ma mère et Samuel m'accusent. Et maintenant, je vois la lumière. Je me repens. Je voudrais simplement sortir de cette chambre noire comme l'enfer. Je voudrais retourner à mon appartement et reprendre le cours normal de ma vie.

Sauf que je n'ai jamais su vivre normalement. Jamais pu me résoudre au train-train quotidien.

Je ne vais pas bien. Je ne vais pas bien. Je ne vais pas
bien. Je ne vais pas bien.

« Pourquoi ? »

C'est la fille qui parle. Le son de sa voix, si inattendu dans
le noir, me fait sursauter et attire mon attention. Je tends
l'oreille et j'attends.

« Pourquoi ? murmure-t-elle à nouveau. Pourquoi, pourquoi, pourquoi ? »

Je me demande si le sens de sa question, c'est : pourquoi
moi ?

Je lâche mes genoux. Je m'essuie une dernière fois les
joues, renifle une dernière fois.

Je me secoue.

J'ai mal à la tête. C'est bien réel. J'ai la tête qui bourdonne
et le corps dans du coton. De nouveau, je me demande si
je n'ai pas été droguée. Une substance pulvérisée dans l'air,
injectée dans la bouteille d'eau ? Je ne sens ni odeur, ni goût,
mais je ne suis vraiment pas dans mon assiette. Évidemment,
c'est aussi ce qui arrive en cas de traumatisme.

Mais je suis opérationnelle. Je peux m'asseoir, me lever,
bouger. Il est temps d'agir.

« Il faut qu'on sorte d'ici », dis-je tout haut. Je parle d'une
voix enrouée. Rauque, mais déterminée. Presque comme une
femme qui sait ce qu'elle fait.

L'autre ne répond pas.

Je me lève et me dirige à petits pas vers le mur où je sais
que se trouve la porte. Cette fois-ci, quand je la cherche
du bout des doigts, j'en retrouve facilement les contours.
La porte s'ouvre vers l'extérieur – c'est le souvenir que j'ai.
La porte s'est ouverte vers l'extérieur, la silhouette est entrée
et moi je me suis jetée sur elle avec ma dague en bois.

Je donne une poussée et je sens la porte s'enfoncer légèrement.

Je me fige, estomaquée par ce nouveau rebondissement. Mon cerveau doit me jouer des tours. Et pourtant, quand je donne une nouvelle poussée pour vérifier... la porte vibre un peu. J'en déduis qu'elle est fermée, mais peut-être pas verrouillée. En temps normal, je n'aurais qu'à tourner la poignée pour sortir le pêne de la gâche et le tour serait joué : Sésame, ouvre-toi. Mais en l'occurrence... je cligne des yeux, envisage différentes possibilités. De ce côté de la porte, il n'y a pas de poignée. Mais si je trouvais un moyen de rentrer le pêne, par exemple en glissant une lamelle de bois dans la fente ? Avec un peu de chance ?

Bien sûr, il me faut un bout de bois. Je crois me souvenir qu'il en reste un caché dans le matelas. Je ne sais plus. J'ai le cerveau embrumé. Le stress. L'épuisement.

La présence d'une fille qui s'appelle Molly.

Pas le choix. Il faut que je le fasse.

Je m'éloigne de la porte dérobée, rampe vers le matelas.

Je ne sais pas quoi lui dire. Tout va bien se passer ? Vraiment désolée de t'avoir poignardée ? Et puis qui tu es, d'abord ?

Tout ce que je réussis à sortir, c'est : « Hé. »

Elle gémit.

Je décide que je ne veux pas savoir son nom. Je refuse d'avoir cette conversation. Place aux questions concrètes.

« Est-ce que tu sais où on est ? »

Nouveau gémissement.

« Est-ce que c'est une maison ? On est au rez-de-chaussée, à l'étage ? »

Encore un gémissement.

Je craque. Assise sur les talons à quelques centimètres du matelas, je dis de ma voix la plus dure : « Hé ! Il faut qu'on sorte d'ici. Et c'est *toi* qui as besoin d'un médecin. Alors je t'écoute : où est-ce qu'on est ? »

Cette fois-ci, pas de gémissement. Une inspiration tremblotante, plutôt. Mais au moment où je commence à me demander si je vais devoir lui filer une claque ou quelque chose comme ça, elle murmure : « Pourquoi, pourquoi, pourquoi vous m'obligez à faire ça ? »

Je continue d'une voix ferme : « À quel étage sommes-nous ? À quel niveau du bâtiment ?

– Je ne sais pas. Pourquoi... »

Je l'interromps : « Est-ce que tu étais enfermée dans une chambre ? Un peu comme celle-ci ? » Ou peut-être justement celle-ci, si elle en a été la précédente locataire.

J'entends une expiration saccadée.

« Ça fait combien de temps que tu es ici ? » Je n'avais pas l'intention de poser cette question, elle n'est pas pertinente. Mais je n'ai pas pu m'en empêcher.

Elle ne répond pas et aussitôt je me rends compte qu'elle en est sans doute incapable. Moi-même, j'ai déjà perdu la notion du temps, désorientée par l'absence de lumière.

« Quelle est la dernière chose dont tu te souviennes ?

– Je dansais.

– Dans un bar, en boîte ? À Boston ? »

Il lui faut un moment pour répondre, mais elle finit par dire : « Ou-ou-oui.

– Tu avais trop bu ? »

Un petit hoquet, que j'interprète comme un oui. L'adolescence, me dis-je. Ce temps béni où nous sommes tous jeunes et intrépides. Où les boîtes de nuit ne sont qu'un terrain d'aventure. Et où s'envoyer un quatrième, un cinquième, un sixième punch est la meilleure idée de la terre.

Je m'en suis voulu d'avoir été assez stupide pour me réveiller dans un cercueil. Pendant toutes ces heures, toutes ces journées où je n'avais rien d'autre à faire que de me repentir.

Et pourtant, s'il y a bien une chose qui me manque, une raison pour laquelle je me suis inscrite à tous ces cours d'autodéfense...

Je donnerais n'importe quoi pour me sentir de nouveau aussi jeune et intrépide.

« Ce n'est pas grave », m'entends-je lui dire, et la douceur de ma voix me surprend moi-même. « Ensuite, qu'est-ce qui s'est passé ?

– Pourquoi, pourquoi, pourquoi », marmonne-t-elle, et je devine qu'elle est de nouveau au bord des larmes.

« Est-ce que tu habites à Boston ? demandé-je pour tenter de capter son attention. Ta famille, toi-même, vous êtes de la région ?

– Ou-ou-oui. »

Je réfléchis à la suite des opérations. Lui demander son nom directement n'a rien donné, et Dieu sait que ça n'avait pas non plus marché avec moi dans les jours suivant mon « sauvetage ». Je ne saurais pas l'expliquer. Quand j'y repense maintenant, ça me paraît bizarre, irréel. Comment peut-on, à vingt ans, oublier son propre nom, le sentiment immédiat et instinctif de son identité ? Tout ce que je peux vous dire, c'est que les cercueils en pin fonctionnent un peu comme des cocons : au bout d'un certain temps, il est plus facile de lâcher prise et de faire sa mue pour qu'en sorte une créature nouvelle.

Vous devenez la personne qu'il veut que vous soyez parce qu'il est trop douloureux de vous accrocher au passé, au souvenir du visage de votre mère. Alors vous renoncez à vous-même en imaginant que le jour où vous sortirez, vous vous retrouverez.

Sans comprendre que ça ne marche pas comme ça.

Le sentiment de sa propre identité est une chose à la fois très puissante et fragile. Une fois qu'on l'a perdu...

Je me demande de nouveau si cette fille est Stacey Summers. Si seulement nous avions de la lumière, si je pouvais la voir... Mais en attendant, nous sommes toutes les deux seules dans le noir.

Ça ne devrait pas avoir d'importance. Une victime est une victime est une victime, et ce ne sont pas les victimes qui manquent. Il n'y a qu'à voir les articles qui tapissent le mur de ma chambre. Mais Stacey, c'était spécial... Son sourire sur les photos. La manière dont son père parlait d'elle, d'une voix d'écorché vif. Je voulais la retrouver. Je voulais être celle grâce à qui tout finirait bien.

Peut-être que par osmose son bonheur aurait déteint sur moi. Je l'aurais sauvée, mais elle m'aurait aidée à retrouver la lumière.

Du moins, c'était ce que je pensais il y a trois mois.

Est-ce que je pleure encore ? Je ne sais pas. Je ne vais pas bien.

Au bord du matelas, je trouve ses poignets menottés. Elle tressaille, mais ne les retire pas lorsque je suis les traces qui les strient du bout des doigts. Des plaies récentes, de vieilles cicatrices. Est-ce que des poignets peuvent accumuler autant de blessures en à peine trois mois ? Ou bien est-ce que j'ai affaire à quelqu'un qui a disparu depuis beaucoup plus longtemps ? Combien de temps m'a-t-il fallu, à moi, pour renoncer à mon nom ?

Je ne sais pas. Les années ont passé et il y a encore beaucoup de choses que j'ignore.

« Pourquoi, pourquoi, pourquoi ? » souffle-t-elle dans le noir.

Une idée me vient pour contourner le problème. Le ravisseur a pu l'obliger à prendre un nouveau prénom, mais l'identité de ses proches...

« Parle-moi de tes parents », lui dis-je.

Elle gémit.

« Ton père, comment s'appelle-t-il ? »

Je l'entends rejeter la tête en arrière sur le matelas, s'agiter.

« Est-ce que c'est Colin ?

– Pourquoi, pourquoi, pourquoi ?

– Allez, on encourage bien fort notre équipe ! »

Je m'adresse à celle qui a été la capitaine des pom-pom girls. « Donnez-moi un S. Donnez-moi un O. Donnez-moi un R. Donnez-moi un T, un I, un R. S-O-R-T-I-R : *SORTIR* ! »

Il se pourrait bien que je sois en train de perdre la boule. Il y a comme un brin d'hystérie dans ma voix. Mais la fille ne bouge plus, elle m'écoute de toutes ses oreilles. Est-ce que j'aurais enfin mis le doigt sur une bribe de souvenir ? Provoqué un déclic qui va l'aider à se secouer ?

« Pourquoi ? » murmure-t-elle dans le noir. Puis : « Pourquoi vous me faites ça ?

– Parce qu'il faut qu'on sorte d'ici. Je travaille pour Colin Summers. Je lui ai promis, et je me suis promis à moi-même, de te ramener chez toi saine et sauve. »

Elle ne dit rien. Je rêve ou elle commence à se poser des questions ?

« Je peux y arriver, dis-je en m'efforçant d'avoir l'air sûre de moi. Cette porte, je crois que je peux l'ouvrir en faisant levier. Je peux nous faire sortir d'ici, mais j'ai besoin de ton aide. »

Elle ne bouge pas.

« Il ne faut pas avoir peur de lui. La première fois, il m'a eue par surprise, mais maintenant je suis prête.

– Qui ça ?

– Le grand type. Celui qui t'a enlevée dans le bar, qui m'a kidnappée chez moi. Je crois qu'il me drogue. » D'un seul coup, je me lâche : « Sinon, comment est-ce qu'il pourrait aller et venir dans la pièce sans me réveiller ? Donc il va falloir imaginer une solution. Éventrer le matelas, bricoler quelque chose avec la garniture, des bandes de tissu ? On a des ressources, il suffit de nous en servir intelligemment. »

Je vais trop vite en besogne : ce dont j'ai réellement besoin, c'est du dernier morceau de bois dont je suis pratiquement certaine qu'il est encore planqué dans le matelas. Sauf qu'elle ne s'écarte toujours pas.

« Pourquoi ? murmure-t-elle.

– Pourquoi quoi ? Pourquoi je t'aide ? Je te l'ai déjà dit.

– Pourquoi vous faites ça ?

– Parce qu'il faut qu'on sorte ! Je l'ai promis à ton père… »

Elle geint, se recroqueville. Dans le noir, je sens qu'elle m'arrache ses mains.

« Hé, tout va bien, dis-je pour la rassurer. Je ne sais pas ce qu'il t'a promis, de quoi il t'a menacée… mais il ne peut pas faire de mal à ta famille. C'est juste un truc que ces types-là racontent pour qu'on se tienne à carreau. Fais-moi confiance. Ça va aller.

– Je ferai ce que vous voulez ! Je vous en prie. Je vous l'ai déjà dit.

– Comment ça, tu me l'as déjà dit ?

– J'ai été gentille. Très gentille. J'ai fait tout ce que vous me disiez. » Dans le noir, elle s'agite d'un seul coup, attrape ma main. « Je vous en prie. J'ai fait exactement ce que vous me disiez. Depuis que vous m'avez amenée ici. J'ai fait tout ce que vous me disiez. Alors maintenant, je vous en prie, laissez-moi rentrer chez moi. Je ne dirai rien à personne, si vous me laissez rentrer chez moi. »

30

Dix heures trente, lundi matin, D.D. arrivait enfin au QG. Elle se sentait un peu fébrile : dans sa tête tournaient encore la conversation qu'elle avait eue avec l'agent du FBI à Atlanta et les circonstances dans lesquelles Flora Dane avait été tirée des griffes de Jacob Ness. Elle avait aussi la conscience aiguë d'être très en retard dans l'accomplissement de ses devoirs de superviseuse. Mettre la main à la pâte, c'était fait. Traiter la paperasse et coordonner les opérations, en revanche...

Aujourd'hui, elle allait être sage, se promit-elle en montant les escaliers au pas de charge, un café dans une main, sa sacoche en cuir dans l'autre. Elle allait s'asseoir, se concentrer, se comporter réellement comme une superviseuse, les fesses collées à sa chaise, les yeux rivés sur la pile de dossiers qui ornait son bureau. Elle allait parcourir des rapports, y mettre la dernière main et, qui sait, faire une découverte de première importance qui permettrait d'élucider toute l'affaire. Qui a dit que le travail administratif ne servait à rien ?

Ses bonnes résolutions ne durèrent que le temps de prendre le virage vers son bureau, où elle trouva la nouvelle enquêtrice, Carol Manley, en train de l'attendre. Ses cheveux blonds hérissés, celle-ci portait encore ses vêtements de la veille et ne tenait pas en place.

« Tu es restée là toute la nuit ? » lui demanda D.D. d'un air désapprobateur. Puis : « Une seconde : tu devais regarder les enregistrements vidéo. Tu as trouvé des images de l'enlèvement de Flora ?

– Non, j'ai trouvé l'inspecteur des bâtiments.

– Le criminel déguisé en inspecteur, tu veux dire ?

– Non, un véritable inspecteur. En fin de compte, ce n'était pas du chiqué ! »

Carol Manley n'avait effectivement pas fermé l'œil de la nuit et elle avait de toute évidence compensé cela par des litres de café. D.D., qui se vantait d'être bilingue en caféine, dut lui demander plusieurs fois de ralentir le débit pour comprendre toute l'histoire.

Carol avait bien visionné les images des diverses caméras situées à proximité de l'appartement de Flora, mais sans faire de découverte.

« Il y a trop d'images, expliqua-t-elle à toute vitesse. Trop de voisins, trop de voitures, trop de passants. Sur chaque image de chaque caméra, il y a des dizaines de gens. Et comme je ne sais pas qui je cherche, je ne sais pas comment faire le tri.

– Tu commences par chercher Flora, l'interrompit D.D.

– Évidemment. Flora. Mais quelle Flora ? Vendredi soir, elle n'était pas là. Samedi matin, je crois avoir trouvé sur une caméra de surveillance routière des images de la voiture du docteur Keynes tournant dans sa rue, mais c'est tout. Après, on ne voit pas Flora dans la rue, et je te rappelle que je n'ai pas d'images de son immeuble lui-même. Au mieux, je pouvais regarder les images des véhicules qui traversaient le carrefour près de chez elle, au cas où elle se serait trouvée à l'intérieur, mais là encore beaucoup de circulation, beaucoup de voitures, beaucoup de fenêtres. »

D.D. se massa la tempe. Carol marquait un point : requérir les vidéos des caméras de surveillance semblait toujours une excellente idée jusqu'au moment où on était l'agent noyé sous le volume d'images.

« Et là j'ai commencé à réfléchir, continua Carol au triple galop. Il me fallait plus d'informations, un autre indice visuel. Alors je me suis souvenue que les propriétaires, Mary et James Reichter, avaient dit que l'inspecteur des bâtiments était venu mardi dernier.

– Sauf que les services d'inspection n'en ont aucune trace.

– Voilà ! Mais je pouvais commencer par reprendre les images du mardi, pas vrai ? En règle générale, il y a moins de circulation le mardi en milieu de matinée que, disons, le samedi soir. Et puis nous savions que le suspect était un homme de grande taille, donc il devait être plus facile à voir sur les vidéos. Je me suis dit que je pourrais peut-être nous dégoter une image du ravisseur, voire, avec beaucoup de chance, de sa voiture et de sa plaque d'immatriculation. »

À son corps défendant, D.D. devait lui tirer son chapeau : chercher les images du suspect en remontant à son passage du mardi était effectivement un point de départ plus logique. Et c'était vrai qu'avec une bonne plaque d'immatriculation...

« Mais tu ne l'as pas trouvé ?

– Oh, que si. Riley Hayes. Sauf que ce n'était pas un type qui se faisait passer pour un inspecteur des bâtiments : c'est vraiment un prestataire de services qui effectue des contrôles.

– Pardon ? Mais les services...

– Ils n'ont pas encore reçu son compte rendu. Il est en cours de rédaction, c'est pour ça qu'ils n'en ont pas trace.

Mais la caméra a filmé un véhicule qui traversait le carrefour mardi, avec un logo sur le côté : Hayes Inspections. J'ai noté la plaque, passé quelques coups de fil et voilà le résultat : l'inspecteur Riley Hayes, qui a réellement contrôlé l'immeuble des Reichter mardi dernier.

– Mais... » D.D. tiqua, prit une petite gorgée de café, tiqua encore. « Je veux voir ce type. »

Rayonnante, Manley piaffait d'impatience. « Je sais. C'est pour ça qu'il t'attend en salle 6. »

D.D. s'accorda une minute pour s'en remettre. Elle planqua sa sacoche sous son bureau, retira sa veste, prit encore quelques doses de caféine. Les idées se bousculaient de nouveau dans sa tête, et pas de manière très productive. Ce type ne pouvait pas être un véritable inspecteur des bâtiments. Ça ne tenait pas debout. Que le ravisseur ait fait semblant de contrôler l'immeuble pour se procurer les clés, voilà qui expliquait qu'il ait pu entrer dans l'appartement de Flora fermé à double tour. Mais un authentique inspecteur qui ne faisait que son travail...

Quelle était la probabilité d'une telle coïncidence ?

Carol l'attendait à l'entrée de la salle de réunion, armée d'une nouvelle tasse de café et apparemment inconsciente du tic nerveux qui commençait à agiter sa paupière droite. En tant qu'habituée des overdoses de caféine, D.D. reconnut les symptômes d'une euphorie torréfiée à point qui serait bientôt suivie d'une atroce sensation de pic à glace dans la tempe. Plus dure sera la chute, pensa-t-elle en ouvrant la porte de la salle.

Le quartier général de la police de Boston était un monstre de verre dont on pouvait aimer ou détester la modernité, mais qui, en tout état de cause, n'avait rien des locaux décrépits aux faux plafonds tachés d'humidité qu'on voyait dans tant de séries policières. Les bureaux de la brigade criminelle auraient pu passer pour ceux d'une compagnie d'assurances, avec leur rangée de larges fenêtres, leurs espaces de travail d'un gris élégant et leur moquette bleue passe-partout. Dans le même ordre d'idées, le service comptait plusieurs pièces de taille plus réduite pour rencontrer les familles en toute confidentialité ou discuter plus tranquillement entre enquêteurs.

La salle 6 répondait précisément à cette description : une petite pièce avec une table sans prétention, une poignée de chaises. Une fenêtre d'observation accessible depuis le couloir. Ni intimidante ni chaleureuse, elle était parfaite pour une telle situation, où D.D. interrogeait un individu qui était soit un suspect, soit quelqu'un qui remplissait comme elle une mission de service public.

L'inspecteur leva les yeux lorsque D.D. ouvrit la porte. À première vue, il était plus jeune qu'elle ne l'aurait pensé. Des cheveux bruns coupés en brosse, la mâchoire carrée, de solides épaules. Un homme costaud, susceptible de faire impression sur un couple de personnes âgées comme Mary et James Reichter. Avec sa chemise bleu marine et son nom brodé au fil blanc sur la poitrine, il inspirait aussi une saine confiance. Un professionnel fiable et compétent.

Pas étonnant que Mary et James lui aient confié les clés de l'immeuble. D.D. imaginait que beaucoup de locataires et propriétaires de sexe féminin en auraient volontiers fait autant.

« Riley Hayes ? » demanda-t-elle en entrant dans la pièce.

Il hocha la tête, sans vraiment la regarder dans les yeux. Nerveux, pensa-t-elle. Sans doute des choses à cacher.

Cela dit, c'était le cas de beaucoup de gens convoqués au QG pour un interrogatoire.

Carol Manley entra à la suite de D.D. et referma la porte derrière elle. La pièce n'était pas bien grande : une fois D.D. et Carol assises face à leur interlocuteur, il restait tout juste assez de place pour bouger un orteil.

Carol posa son café. D.D. vit l'homme lancer un regard vers la tasse ; par réflexe, il huma la vapeur parfumée, mais ne dit rien.

« Vous avez inspecté un immeuble la semaine dernière. » D.D. donna l'adresse tout en ouvrant le dossier que Manley avait préparé sur leur client. Elle parcourut sa fiche d'antécédents, remarqua quelques contraventions, rien de bien passionnant.

En face d'elle, Hayes confirma : « C'est vrai.

– Depuis combien de temps êtes-vous inspecteur ?

– Six mois.

– Plutôt jeune dans le métier. » D.D. leva les yeux de son dossier. « Je lis ici que vous avez une formation de pompier.

– Je l'ai été. Mais je me suis cassé une vertèbre. Pendant une intervention. J'ai dû me reconvertir, ordre du médecin.

– Le travail vous plaît ? »

Il haussa les épaules sans quitter la table des yeux. « C'est un boulot comme un autre.

– Hayes Inspections : c'est votre entreprise ?

– Celle de mon père, George Hayes. La boîte est à lui. »

D.D. trouva cela intéressant. « Combien de bâtiments contrôlez-vous par semaine ?

– Ça dépend. Certains immeubles, comme celui des Reichter, ne sont pas immenses et ne prennent pas trop de temps. Mais dans d'autres... on peut passer plusieurs jours.

– Pourquoi avoir contrôlé celui des Reichter ?

– Les ordinateurs disaient qu'il aurait dû être contrôlé depuis un bon moment. La ville a du retard, alors elle a embauché des entreprises comme celle de mon père pour le résorber.

– Donc c'est à cause des ordinateurs que vous êtes allé là-bas ? »

Il leva enfin les yeux et la regarda en face pour la première fois. « Vous n'avez qu'à appeler les services de l'inspection des logements. Pourquoi toutes ces questions, d'abord ? »

D.D. ne lui répondit pas. « D'après les propriétaires, ils n'ont pas pu vous accompagner pour faire le tour de l'immeuble. Trop d'escaliers.

– C'est vrai.

– Donc ils vous ont confié les clés des appartements. »

En face d'elle, Hayes parut réfléchir. « Est-ce qu'un résident s'est plaint qu'un objet avait disparu ? C'est pour ça que vous m'avez convoqué ?

– Je ne traite pas les plaintes pour vol, l'informa D.D., c'est un autre service. »

Hayes parut encore plus désorienté, ce qui était exactement le but de D.D. « Est-ce que certains locataires étaient chez eux ? demanda-t-elle.

– En fait, oui.

– Qui ça ?

– Une femme. Au deuxième. J'allais le noter dans mon compte rendu : elle a refusé de me laisser entrer.

– Est-ce que vous connaîtriez son nom, monsieur Hayes ?

– Non. Ce n'était pas franchement le genre à faire causette. Et elle n'en avait pas grand-chose à faire non plus des arrêtés municipaux.

– Elle ne voulait pas croire que vous étiez inspecteur des bâtiments ?

– Il a fallu que je lui montre ma pièce d'identité. Deux fois. » La première manifestation d'émotion sur son visage : de l'agacement. « Même comme ça, elle m'a dit qu'il fallait qu'elle appelle pour avoir confirmation avant de me laisser entrer. Non, mais je vous jure, dit-il en secouant la tête.

– Elle vous a laissé entrer ?

– Non. Quand elle a appelé les services, personne n'a décroché. En plus... »

Il hésita.

« Oui ? l'encouragea D.D. En plus quoi ?

– Ses serrures. Elle avait plusieurs verrous à double entrée. Je lui ai expliqué que ce n'était pas conforme aux règles de sécurité. En cas d'urgence, les pompiers auraient du mal à accéder à son appartement. »

Malgré elle, D.D. était intriguée. « Et comment a-t-elle pris cette remarque ?

– Elle m'a expliqué que le risque d'incendie était le cadet de ses soucis. Et ensuite elle m'a donné l'ordre de partir parce qu'elle n'avait pas besoin que des petits fonctionnaires viennent lui donner des leçons de sécurité.

– Qu'est-ce que vous avez fait ? »

Il haussa les épaules. « J'ai demandé si je pouvais au moins contrôler les alarmes incendie et les issues de secours de son appartement.

– Elle a accepté ?

– Pensez-vous. Elle m'a montré du doigt une alarme au plafond du couloir, qu'on pouvait voir depuis le pas de la porte. Elle m'a dit que, de là où j'étais, je pouvais constater qu'elle fonctionnait très bien : le voyant vert indiquait qu'elle était alimentée en courant et le voyant rouge clignotant, qu'il y avait une pile pour prendre le relais. Quant aux issues, je n'avais qu'à contrôler l'escalier de secours – de l'extérieur.

– Vraiment charmante, remarqua D.D. Est-ce que vous pourriez nous la décrire ? »

Hayes sursauta, surpris de cette demande. « Je ne sais pas. Petite. Enfin... » Il rougit. « La plupart des femmes me paraissent toutes petites. Des cheveux blonds, un peu en vrac. Une tenue décontractée. Un jogging trop large, les pieds nus. Je ne sais plus. Elle n'était pas très aimable, c'est ce dont je me souviens le mieux.

– Alors que les demoiselles sont généralement aimables ? Avec un jeune gars séduisant comme vous ? »

Il hésita, l'air de nouveau méfiant. « Qu'est-ce que vous cherchez ? Elle s'est plainte de moi ?

– Pourquoi ? Vous avez fait quelque chose de mal ? Vous vous êtes mis en colère, vous avez perdu patience ? Manifestement, elle ne vous traitait pas avec tout le respect que vous méritez. »

Hayes secoua la tête. « Écoutez, je ne sais pas où vous voulez en venir. Oui, j'ai contrôlé l'immeuble des Reichter. Oui, j'ai parlé avec une femme au deuxième étage. Mais ça s'est arrêté là. Elle ne m'a pas laissé entrer, je n'ai pas insisté. J'ai pris des notes sur le détecteur de fumée que je pouvais voir et ensuite, oui, j'ai fait le tour du bâtiment et j'ai contrôlé l'escalier de secours.

– Vous l'avez monté ?

– Bien sûr.

– Vous avez regardé par la fenêtre de cette femme ?

– Quoi ? Bon, écoutez-moi. » Il posa les mains à plat sur la table, son large visage tout rouge. « J'ai fait mon boulot et rien d'autre. Je ne sais pas ce qu'elle a pu dire, mais de toute façon... j'ai contrôlé le bâtiment et l'escalier de secours, point final. Demandez aux Reichter. Je leur ai rendu toutes les clés et il n'a pas pu se passer plus d'un quart d'heure, vingt minutes grand maximum. Et je peux vous montrer mon projet de compte rendu : les schémas, tout ce que je dois faire. Quinze, vingt minutes, pas plus. Alors je ne sais pas ce qu'elle raconte, mais c'est faux.

— On fait un petit test au détecteur de mensonge ?

— Vraiment ? Mais enfin... Est-ce que j'ai besoin d'un avocat ? Qu'est-ce qui s'est passé ?

— Est-ce que le nom de Flora Dane vous dit quelque chose ?

— Non. Ça devrait ?

— C'était la locataire du deuxième.

— Je ne savais pas. Comme je vous l'ai dit, elle n'était pas causante.

— Elle a disparu.

— Quoi ?

— Elle a disparu. Peut-être victime d'un kidnapping. Samedi soir. Très probablement enlevée par quelqu'un qui avait la clé de ces fameux verrous sur sa porte. »

Hayes se tut et blêmit. Il regarda D.D., puis Carol Manley, puis D.D. de nouveau. D.D. ne savait pas ce qui se passait dans sa tête. Culpabilité ? Innocence ? Déni ? Justifications ? Elle estima que son attitude laissait place au doute. Juste assez pour qu'il soit intéressant de le provoquer.

« J'ai rendu les clés aux propriétaires, répéta-t-il. Je ne sais pas ce qui s'est passé, mais ça n'a rien à voir avec moi.

— C'est facile de faire une empreinte de clés, ou même un double.

— Je n'aurais jamais fait une chose pareille.

— Où étiez-vous samedi soir ?

— Pardon ?

— Samedi soir. Vous étiez où ?

– J'avais un rendez-vous. » Hayes se redressa, répondit d'une voix plus gaillarde. « Au Boston Beer Garden. J'étais avec un groupe d'amis. Je peux vous donner les noms.

– À quelle heure ?

– Dix-neuf heures.

– Et avant ?

– Je me préparais. J'ai un colocataire. Il pourra vous le confirmer. » Hayes hocha la tête. Il avait compris comment se tirer de ce mauvais pas et s'engouffrait dans la brèche. « Écoutez, demandez à mon père, à qui vous voulez. Je suis un gars bien. J'arrive, je fais mon boulot, point final. Mardi, dans l'immeuble des Reichter... Je ne sais pas ce qui est arrivé à cette femme, mais je peux vous jurer que ça n'a rien à voir avec moi. Samedi soir, je suis sorti avec des amis et je peux le prouver. »

Dix minutes plus tard, D.D. était de retour dans son bureau.

Carol Manley : « Je ne pense pas que ce type ait fait un double des clés ou enlevé Flora Dane.

– Non.

– Mais si ce n'est pas lui, qui a pu entrer chez elle ? Ouvrir une porte fermée à triple tour, kidnapper une quasi-professionnelle de la sécurité dans son sommeil ?

– Aucune idée.

– Donc, retour à la case départ : on se concentre sur la victime, Flora Dane.

– Voilà.

– Enfin, sur Stacey Summers aussi, parce que c'est peut-être le même type, non ? Sauf qu'il y a aussi Devon Goulding, que Flora a tué, et les photos des disparues, qu'il a peut-être tuées.

– Ça ne peut pas être Devon Goulding, fit remarquer
D.D. Il était déjà mort quand Flora a disparu. »

Carol soupira, passa une main dans ses cheveux en bataille.
« Je ne sais plus où j'en suis, reconnut la nouvelle enquêtrice.

– Moi non plus, avoua D.D. Moi non plus. »

31

La femme qui ressemblait à ma mère parlait à la télé. Assise
seule sur le lit dans une chambre de motel bas de gamme, je ne
pouvais pas détacher mes yeux de son image. Le son était coupé.
Je regardais ses lèvres bouger avec une impression de déjà-vu.
Un instant, j'aurais presque pu l'entendre dire : « Tout ça,
c'est Flora, qui va faire un gros dodo ! »
Je suis descendue du lit pour m'approcher de la télé.
Un pendentif argenté en forme de renard au creux de sa
gorge. Je l'ai touché, mon doigt si gros sur le petit écran qu'il
cachait toute la tête de la femme. Et j'ai de nouveau éprouvé
ce sentiment de déjà-vu. Parce que j'avais déjà fait ça, j'avais
déjà vu cette femme qui ressemblait à ma mère parler à la télé.
Mais il y avait des mois de cela, une éternité. C'était à l'époque
où la jeune fille que j'étais pensait encore qu'elle pourrait un
jour rentrer chez elle.
Revoir cette femme à l'écran m'a surprise. Elle n'aurait pas
dû être encore en train de parler de moi. Je ne devais plus lui
manquer.
Jacob avait dit que je ne manquais plus à personne. Que
j'étais déjà morte. Que ma famille se portait mieux sans moi.
Jacob, Jacob, Jacob.

Jacob, qui m'avait une fois de plus laissée seule.

Il avait foiré un contrat. Jamais il n'aurait voulu le reconnaître, mais à cause de l'accrochage du mois précédent, la livraison de la semaine était arrivée en retard. Le client n'était pas content. Il gueulait sur le quai de chargement. Je ne sais pas tout ce qui s'était dit. J'étais restée dans la cabine, comme une gentille fille, en attendant que mon homme vienne me retrouver.

Quand Jacob était remonté dans le camion, il était furax, les poings serrés sur le volant, les lèvres figées en une ligne sévère. Nous étions allés directement du lieu de livraison à un relais routier. Il avait garé le camion et m'avait ordonné de descendre. Dans la supérette, il avait fait le plein de bière, de paquets de cigarettes et, après mûre réflexion, de chips. Puis nous avions fait cinq bornes à pied jusqu'à un motel qu'il avait repéré depuis l'autoroute.

Une fois dans la chambre, ç'avait été bière, cigarettes, sexe, dans le désordre. Pour finir, j'avais eu droit à des chips, mais cela remontait à plusieurs jours et maintenant j'avais faim.

Il était parti à l'aube, ce matin-là. Comme la veille, comme l'avant-veille. Où il allait, mystère. Bière, cigarettes, sexe — il ne se passait que ça dans la chambre.

Est-ce qu'il avait perdu son emploi ? Il n'avait pas l'air pressé de reprendre la route. Est-ce qu'il était fauché ? S'il ne travaillait pas, comment paierait-il les chambres de motel, la nourriture, les packs de bière ?

Qu'est-ce que j'allais devenir ?

La mère qui ne ressemblait pas à ma mère. Des larmes coulaient sur ses joues. Elle pleurait à la télé. Plus d'un an avait passé et elle plaidait encore ma cause.

« Tout ça, c'est Flora, qui va faire un gros dodo ! »

Bruits de pas devant la porte. Vite, j'ai éteint la télé, je me suis réfugiée dans le lit.

Jacob est entré dans la chambre deux secondes plus tard. Il portait son jean graisseux habituel, sa chemise à carreaux ouverte sur un tee-shirt de plus en plus jaune. Sous son bras, un pack de bière. Dans l'autre main, un sac en papier brun. Probablement du whisky Four Roses qu'il boirait directement à la bouteille.

« Tu veux ma photo ? m'a-t-il demandé en surprenant mon regard. Quoi ? Tu traînes encore en pyjama ? Ça te tuerait de te laver pendant que je ne suis pas là ? »

J'ai trituré le bord de ma nuisette en satin noir, celle qui avait un galon de dentelle couleur crème en haut et en bas. Il me l'avait achetée quelques mois plus tôt. Je croyais qu'il l'aimait bien.

Il a brutalement posé la bière. Puis le whisky. Je l'observais avidement, espérant à toute force de la nourriture.

« Quoi ? a-t-il répété en coinçant une cigarette entre ses dents de travers.

— On n'a plus de chips, ai-je répondu dans un souffle.

— Des chips ? C'est tout ce qui t'intéresse ? T'empiffrer ? Merde, c'est pas étonnant que t'aies grossi. »

Je n'ai pas discuté. Les os de mes hanches pointaient sous le satin noir chatoyant. J'étais beaucoup de choses, mais certainement pas grosse.

« Mauvaise journée ? ai-je fini par demander, ne sachant trop quoi dire.

— Il y en a des bonnes ?

— Tu, euh, tu es parti longtemps. »

Il n'a rien dit.

« Hier aussi. Et le jour d'avant. » Incapable de le regarder en même temps que je lui parlais, j'arrachais les bouloches du vieil édredon bleu.

« Jalouse ? » Il a déchiré le carton du pack de bière et pris la première cannette. « Tu te rends enfin compte que ce n'est plus

le grand frisson ? Je suis un homme, tu sais. Y a aucune fille,
et surtout pas une vulgaire traînée comme toi, qui retiendra
longtemps mon attention. Peut-être bien que je suis allé me
rincer l'œil », a-t-il conclu en levant sa cannette.

Je me suis figée et j'ai senti mon cœur s'accélérer dans ma
poitrine. C'était peut-être un mensonge. Il aimait bien me tor-
turer. Mais ce sourire méprisant, ce regard dur...

J'ai dégluti, fait semblant de ne pas voir que mes mains
tremblaient sur l'édredon.

« Tout ça, c'est Flora, qui va faire un gros dodo ! »

Mais qui était Flora ? Et comment pourrait-elle jamais ren-
trer chez elle ?

Il n'y avait que moi. Cette chambre. Cet homme. Ma vie,
désormais.

« Emmène-moi, *lui ai-je dit.*

– *Quoi, tu veux rencontrer ta remplaçante ?*

– Oui. » *J'ai gardé une voix égale et je me suis obligée à*
soutenir son regard. « Je veux voir si elle est assez jolie pour toi. »

Je l'avais pris à contrepied. C'était mon arme secrète, la
qualité qui me sauvait. Il avait beau essayer de me contrôler,
j'arrivais encore à le surprendre de temps à autre. Et ça lui
plaisait. En cet instant, je devinais une lueur d'intérêt dans
ses yeux. Il a reposé sa bière et son regard s'est attardé sur ma
fine combinaison en satin.

« D'accord, mais tu restes dans cette tenue. »

Je l'ai suivi hors de la chambre, pieds nus, les bras croisés avec
gêne sur la poitrine. Je me suis alors aperçue que son camion
était garé devant le motel. Sans conteneur, bien sûr, juste la
cabine-couchette, déjà assez voyante comme ça. Il est monté à
l'intérieur. On était en plein après-midi, sous un soleil de plomb.
Quand j'étais petite, le soleil faisait sortir les gens de chez eux
pour profiter du beau temps. Mais ici, la chaleur produisait

l'effet inverse, chacun se réfugiait à l'intérieur pour jouir du confort de la climatisation.

Personne n'a rien remarqué quand j'ai fait le tour du camion à moitié nue et que je suis montée à bord. Jacob a démarré et nous avons pris la route.

Il n'a rien dit pendant le trajet. Je pensais que nous allions vers la plage, le chapelet de bars où nous avions été le premier soir et où les serveuses portaient des minishorts et des tee-shirts blancs qui s'arrêtaient au-dessus du nombril, uniforme qui aurait été plus seyant si la plupart d'entre elles n'avaient pas eu plus de quarante ans et des silhouettes alourdies par la demi-douzaine de marmots ingrats qu'elles avaient pondus.

Mais il a dépassé les bars, il a quitté l'autoroute et s'est engagé sur des voies secondaires. Nous roulions vers un hameau.

Mais avant d'y arriver, il s'est arrêté et s'est rangé au bord d'un marécage dont les hautes herbes oscillaient dans le vent.

« On va marcher », m'a-t-il dit en regardant mes pieds nus comme pour me mettre au défi de me plaindre.

Je m'en suis bien gardée. Je suis descendue et, tout en restant sur le bas-côté sablonneux pour éviter le bitume brûlant, j'ai marché tant bien que mal. Du mouvement dans les broussailles à ma hauteur. Peut-être des oiseaux. Des serpents. Des bestioles. Ne pas y penser. Continuer à avancer.

Jacob marchait d'un pas tranquille au milieu de la chaussée, une nouvelle cigarette au bec, sans dire un mot.

La route était dans un sale état. Des nids-de-poule au milieu, les bords qui s'effritaient. Pas une route recommandable, pas un coin recommandable. Des petites baraques de plain-pied dont les couleurs pastel étaient aussi délavées que le linge qui séchait sur les fils.

J'entendais des chiens aboyer à l'arrière des maisons, des bébés pleurer à l'intérieur. Ici ou là, dans des cours poussiéreuses, des enfants fatigués regardaient passer l'homme qui fumait et la fille à moitié nue. Jacob continuait son chemin et moi aussi.

Un virage ici, un virage là, et nous nous sommes retrouvés à l'arrière d'une rangée de maisons en partie masquée par une haie mal entretenue. Jacob a ralenti, son pas est devenu hésitant.

Et j'ai vu quelque chose passer sur son visage. Du désir.

Un homme qui éprouvait des sentiments.

Il s'est arrêté.

J'ai trébuché derrière lui et failli lui rentrer dedans. Cette fois-ci, un animal est bel et bien sorti des broussailles en ondulant et a glissé sur mon pied : aucun doute, un serpent. J'ai ravalé mon cri au moment même où Jacob me collait sa main sur la bouche.

« Pas un mot », m'a-t-il ordonné d'une voix rauque. Une lueur fanatique brillait dans son regard. Je ne savais pas ce que nous allions voir, ni ce que nous allions faire, mais c'était très, très important pour lui.

Je ne suis plus moi-même, me suis-je dit en me dirigeant avec lui vers la dernière maison. Des volets noirs mal accrochés, une peinture rose écaillée, un toit en piètre état. Ce n'est pas moi, me suis-je répété tandis que nous nous approchions. Jacob avait depuis longtemps jeté sa cigarette et maintenant...

Il tenait un couteau.

Ce n'est pas Flora, me disais-je. Cette fille qui épie maintenant à travers un grillage n'est pas celle qui jouait autrefois avec les renards.

J'ai tout de suite aperçu ma rivale. La baie coulissante sur le jardin était ouverte. Profitant de la fraîcheur relative de la maison, la fille regardait la télé. Ses longs cheveux noirs étaient rassemblés en une queue de cheval souple. Un débardeur vert délavé sur un short en jean. Elle regardait le vieux poste de télévision en fumant cigarette sur cigarette, ses longs bras *d'une pâleur insolite pour la région. Mais ça lui allait bien, les cheveux noirs, la peau de lait. Il ne lui manquait plus que des lèvres rouge sang pour ressembler à Blanche-Neige.*

J'ai su, avant même qu'elle ne se retourne, qu'elle était plus jolie qu'une blonde de Nouvelle-Angleterre comme moi qui n'avait plus que la peau sur les os. Elle, c'était des yeux frangés de cils noirs, des pommettes fières et de longues nuits sensuelles.

Ma remplaçante. Le nouveau jouet de Jacob.

J'ai compris à ce moment-là que ce n'était pas pour elle qu'il avait apporté ce couteau. C'était pour moi. Un geste vif et c'en serait fini, il me balancerait dans les marécages, où j'irais nourrir les alligators. Comme il l'avait toujours promis.

« Tout ça, c'est Flora, et maintenant elle va faire un gros dodo ! »

Est-ce que la mort ressemblerait à ça ? Trouver enfin le sommeil ?

Dans la maison, la fille tourna la tête. Alertée par un bruit, notre présence ? J'ai retenu mon souffle, Jacob était suffoqué à côté de moi.

Elle était plus âgée que je ne m'y attendais. Plus une toute jeune fille. Plutôt le milieu de la vingtaine. Ça m'a surprise. Jacob avait toujours préféré les adolescentes. Plus faciles à dresser, m'avait-il expliqué.

Je me suis tournée vers lui, perplexe.

Et là…

J'ai vu cette expression sur son visage. De l'adoration. Une obsession. Un homme follement, éperdument amoureux. Un homme qui regardait cette nouvelle venue comme jamais, au grand jamais, il ne m'avait regardée.

C'est moi alors qui ai eu le souffle coupé. J'avais compris : il ne s'agissait pas d'une fille quelconque, pas d'une remplaçante choisie sur un coup de tête.

« *C'est Lindy.*

— Tais-toi, elle va t'entendre !

— Elle est encore vivante ?

— Bien sûr qu'elle est vivante !

— Tu ne t'es pas lassé d'elle ? Tu ne l'as pas tuée pour la donner aux alligators ?

— Mais qu'est-ce que tu racontes ? Je ne lui ai jamais fait de mal.

— Tu l'aimes.

— Ta gueule.

— C'est ça. En fait... tu l'aimes. »

La fille s'est retournée, alertée par notre conversation. Elle s'est levée et elle a regardé dans notre direction.

À côté de moi, Jacob retenait de nouveau son souffle. Il l'a regardée se diriger vers nous, complètement fasciné.

J'ai su à ce moment-là que je haïssais cette fille. Elle était ma véritable ennemie. Si Jacob ne l'avait jamais aimée, jamais perdue, il n'aurait pas enlevé d'autres filles sur les plages de Floride. Elle avait été sa muse, puis elle l'avait perverti.

Et voilà qu'après toutes les épreuves auxquelles j'avais survécu, tout ce que j'avais fait, ce serait encore elle qui me prendrait Jacob ? À cause d'elle, Jacob se servirait finalement de ce couteau et donnerait mon corps en pâture à la faune locale. Ma mère ne saurait jamais ce que j'étais devenue. Pendant des années, elle irait parler devant les caméras avec son petit pendentif en forme de renard pour supplier qu'on lui rende une fille qui serait déjà morte.

J'ai haï Jacob à ce moment-là. Je l'ai haï comme au tout premier jour, quand j'avais repris connaissance dans la caisse en forme de cercueil.

Mais je haïssais encore plus cette fille.

Lindy. Celle par qui tout était arrivé. Celle qui finirait par me détruire.

À moins, bien sûr...

Que je ne la tue avant.

32

« On a retrouvé un corps.

– Pas *des* corps, plutôt ? » D.D. leva le nez de ses dossiers et trouva Phil sur le pas de sa porte. Il secouait la tête.

« Non. Un corps. À l'une des destinations indiquées par le GPS de Goulding.

– Kristy Kilker ou Natalie Draga ?

– C'est ce qu'on va aller voir. »

Par réflexe, D.D. repoussa sa chaise pour se lever, mais elle s'arrêta dans son mouvement. « Attends. C'est un test ? Parce que j'ai entendu ce que tu m'as dit, tu sais. C'est vrai que je suis entêtée et dirigiste, que je devrais me reposer sur mes collègues et avoir davantage confiance en votre capacité de bien faire le boulot. Donc, c'est toi qui vas aller voir le corps. Et moi je vais sagement attendre ton rapport, comme une bonne superviseuse en restriction d'aptitude. Et comme ça... » Elle s'interrompit, elle-même surprise d'avoir soudain la gorge serrée. « Comme ça, tu ne seras plus fâché contre moi.

– Je ne suis pas fâché contre toi.

– J'ai confiance en toi, tu sais », continua-t-elle tant qu'elle le pouvait encore. Parce que le souvenir de sa conversation de la veille avec Phil était encore cuisant. Elle ne l'aurait jamais dit à voix haute, mais Phil était ce qu'elle avait de plus proche d'une figure paternelle de substitution, dans la mesure où son propre père n'approuvait pas son choix de carrière. Ses parents vivaient en Floride et ne lui manquaient pas. Elle ne se souciait même plus du fait qu'ils ne comprenaient pas sa vocation. Mais Phil, l'avoir manifestement déçu... ça, c'était douloureux.

« J'ai confiance en toi, Phil. Et en Neil, aussi. Et vous me manquez, les gars. Tous les jours. L'équipe qu'on formait, le boulot qu'on faisait ensemble. Je n'aime pas cette impression de vous avoir laissés tomber. Parce que vous êtes mon équipe. Vous l'avez toujours été, et pourtant il faut reconnaître que tout le monde ne voudrait pas d'un élément aussi entêté et dirigiste que moi. Je le sais bien. J'en ai conscience.

– Tu as fini ?

– Je crois.

– Parce que ce n'était pas un test. Même si c'est vrai que tu es entêtée et dirigiste.

– Je sais.

– Et que tu devrais davantage nous faire confiance.

– Je sais.

– Mais tu es comme tu es, je te connais, D.D. Et même, la plupart du temps, quand je ne suis pas totalement exaspéré, agacé ou fou d'inquiétude, je t'aime bien. Bon, maintenant qu'on est tous les deux d'accord sur le fait que j'avais raison et que tu avais tort, tu viens avec moi ou pas ?

– Si je viens avec toi ?

– Sur la scène de crime. Voir le cadavre. Mais c'est moi qui conduis. »

D.D. ne se le fit pas dire deux fois. « Ça marche !

– Tu ne vaux vraiment pas tripette comme superviseuse.

– Oui, je me le suis souvent dit », répondit-elle, ce qui ne l'empêcha pas de décrocher sa veste en cuir pour quitter son bureau.

« Alors, on va où ? demanda-t-elle en suivant Phil dans le couloir avec le sentiment que la vie reprenait enfin son cours normal.

– Mattapan.

– Encore ? Pourquoi est-ce que tous les cadavres sont toujours planqués là-bas ?

– Il y a des quartiers qui veulent ça. »

La réserve naturelle gérée par la société Audubon du Massachusetts à Mattapan se situait sur les terrains d'un ancien hôpital psychiatrique. Ce fait était particulièrement présent à l'esprit de Phil et D.D. au moment de faire le tour du parc en longeant la grille en fer forgé finement ouvragée qui séparait ce surprenant bois de feuillus de l'épaisse jungle urbaine alentour.

Car ce parc ne leur était pas inconnu : ils l'avaient déjà arpenté à l'époque où la carcasse de l'asile désaffecté et ses vitres brisées contemplaient encore les passants depuis le sommet de la colline. Ils savaient tout des spectres qui hantaient les lieux et des cadavres momifiés de six fillettes qu'ils avaient remontés d'une fosse souterraine la dernière fois qu'ils étaient venus.

Lorsqu'elle suivit Phil vers le premier sentier en sous-bois, D.D. fut parcourue d'un frisson qui n'avait rien à voir avec la température extérieure.

En théorie, l'hôpital psychiatrique n'était plus qu'un lointain souvenir. La moitié du parc était devenue le Boston Nature Center, qui abritait cent cinquante espèces d'oiseaux et trois cent cinquante espèces de plantes au cœur d'un quartier très dense où la plupart des maisons, mitoyennes, ne vieillissaient pas bien.

On venait des quatre coins de Boston pour marcher dans ces sous-bois, écouter les oiseaux, admirer les papillons. Si le parc apparaissait parmi les destinations fréquentes de Devon Goulding, cela voulait peut-être simplement dire qu'il aimait communier avec la nature.

Sauf que le parc représentait aussi un espace naturel de taille conséquente et relativement isolé, autrement dit le lieu idéal pour enterrer un cadavre.

On avait fait venir la brigade cynophile à la première heure le matin même, avait expliqué Phil. Il leur avait fallu moins de vingt minutes pour découvrir le pot aux roses : un petit monticule de terre jouxtant un creux de même longueur dans le sol, qui tous deux commençaient à être reconquis par la végétation.

Lorsqu'ils cherchent un cadavre, les non-initiés sont généralement attirés par le monticule, mais les pros comme ceux du service de médecine légale de Boston savent que c'est une erreur. Le monticule est formé de toute la terre que l'assassin a retirée quand il a creusé la fosse et déposé ses pelletées sur le côté. Le creux : voilà où se trouve la tombe. C'est là que l'assassin a enseveli le corps avant de le recouvrir de terre en quantité juste suffisante pour niveler plus ou moins le terrain. Sans jamais songer aux conséquences qu'aura la putréfaction : les chairs et les muscles finiront par se décomposer, se détacher des os, se liquéfier et pénétrer dans le sol ; et si jamais des mouches ont trouvé moyen de pondre des œufs sur le corps avant qu'il ne soit enseveli, le processus s'en trouvera accéléré. Sans parler des petites bêtes qui se jetteront sur cette nouvelle source de nourriture sitôt qu'elle sera introduite dans leur environnement.

· Les tombes de faible profondeur connaissent une évolution bien spécifique, mais au bout du compte, tous les corps se conforment à leur destin : ils se décomposent. Poussière, ils retournent en poussière. Ils disparaissent dans la terre, de sorte que, quelques mois plus tard, une cuvette de forme caractéristique se sera formée. Le genre de creux qui fera aussitôt dire à un enquêteur de quelque expérience : « Hé, je vous parie qu'il y a un cadavre enterré là. »

Toute l'équipe du légiste était sur le terrain. Une exhumation de ce type suit le même protocole qu'une fouille archéologique, et une zone jonchée de feuilles était déjà quadrillée. Chaque pelletée de terre retirée était déposée dans un récipient étiqueté pour être tamisée ultérieurement, au cas où elle contiendrait d'autres indices. D.D. le savait, la levée du corps prendrait toute la journée et il faudrait des semaines, voire des mois, avant que Ben ne rende un rapport définitif.

Phil et elle s'approchèrent, tout en veillant à rester à bonne distance. Ben Whitley était excellent dans sa partie, moyennant quoi il savait défendre son territoire et supportait assez mal les âneries des flics.

Il avait aussi eu une liaison avec Neil, le troisième de l'équipe. Après la rupture... tout le monde s'était montré professionnel, mais rien n'avait plus été comme avant.

« Salut, Ben », lança Phil pour ouvrir les hostilités.

En guise de réponse, il reçut un grognement de la part de l'homme de belle carrure penché sur la tombe. Celui-ci semblait balayer la poussière avec une brosse. D.D. reconnut ses gestes pour les avoir déjà vus en pareilles circonstances : on avait creusé jusqu'au corps, et Ben époussetait à présent la fine couche de terre qui restait sur la peau momifiée ou sur les os, selon l'état du cadavre.

D'aussi près, D.D. sentait une odeur de décomposition, mêlée à l'odeur de tourbe de la terre et des feuilles d'automne. Donc les restes n'étaient pas encore totalement réduits à l'état de squelette, ce qui était cohérent avec la date de disparition des victimes.

« Homme ou femme ? » demanda-t-elle. Contrairement à Phil, elle ne perdait pas de temps en mondanités. Accessoirement, elle savait que cela la mettait dans les petits papiers de Ben, qui lui non plus n'en avait que faire.

« Femme.

– Date du décès ?

– Très drôle. »

D.D. et Phil échangèrent un regard. Manifestement, cette question ne trouverait sa réponse qu'à la morgue. Logique : dans les tombes superficielles, la vitesse d'altération du cadavre peut varier du tout au tout suivant la profondeur, l'activité des insectes, toutes sortes de facteurs. Pour estimer la date du décès, Ben allait devoir analyser des échantillons de terre prélevés sous le cadavre, et encore se plaindrait-il de ne pas pouvoir être très précis. C'était un jour où il faisait meilleur être enquêteur de la brigade criminelle que médecin légiste.

« Vêtements, bijoux, autres traits distinctifs utiles pour l'identification ? » demanda D.D. À titre personnel, elle espérait la présence de prothèses, car celles-ci, qu'il s'agisse d'implants mammaires ou de genoux artificiels, possèdent des numéros de série qui permettent de remonter jusqu'au receveur.

« J'ai une boucle d'oreille, indiqua Ben sans lever la tête. Une créole dorée. Des vêtements. Un jean, peut-être. Un tee-shirt en coton. Pas moyen de te dire s'il y a des objets dans les poches, je n'en suis pas encore là. »

D.D. se tourna vers Phil. « Neil et moi avons retrouvé une pile de photos de Natalie Draga dans la chambre de Goulding. Je n'ai pas souvenir qu'elle portait des créoles.

– Je vais appeler Neil pour lui demander de vérifier. Et Kristy Kilker ?

– On n'a pas trouvé de photos d'elle, seulement son permis de conduire.

– Il peut aussi y jeter un œil, juste au cas où elle porterait des créoles sur cette photo-là. »

D.D. approuva, même si la probabilité était faible. Certaines femmes portent invariablement les mêmes boucles d'oreilles, mais une minette de vingt ans qui faisait la noce ? À tous les coups, Kristy avait des accessoires assortis à chacune de ses tenues.

« Cheveux bruns, apparemment », les informa Ben depuis la tombe.

Cela pouvait être Natalie aussi bien que Kristy.

« J'ai des traces sur les ongles. Du vernis. Rose foncé, rouge ? Est-ce qu'une de vos disparues se faisait des manucures ? »

Phil nota ce détail ; encore une question à poser.

« Tu es sûr qu'il n'y a qu'un seul corps ? » lança D.D.

Ben leva enfin la tête et la crucifia d'un regard.

« Oublie. » Même D.D. savait quand une retraite précipitée s'imposait. « Alors voilà… » Elle s'efforça de bien choisir la question suivante. « Nous avons deux disparues. La première a été vue pour la dernière fois il y a neuf mois. » Natalie Draga, qui n'était jamais allée chercher sa dernière paie. « Et l'autre s'est volatilisée il y a environ cinq mois. » Kristy Kilker, qui n'avait appelé sa mère qu'une ou deux fois depuis qu'elle était soi-disant partie en Italie.

« À choisir entre les deux…, dit Ben en se remettant à épousseter.

– Je t'écoute.

– Le cadavre est assez frais. Je dirais qu'il est là depuis deux, trois mois. »

D.D. regarda Phil.

« Ça nous apprend seulement depuis combien de temps le corps est enterré, fit remarquer ce dernier. Natalie Draga a disparu depuis neuf mois, mais ça ne signifie pas qu'elle a été tuée à ce moment-là. »

D.D. voyait ce qu'il voulait dire. Ils manquaient d'informations sur Goulding et sur son mode opératoire. Avait-il gardé les filles en vie pendant un certain temps ? Les photos obsédantes de Natalie Draga allaient dans ce sens, mais ils n'avaient aucun indice concernant Kristy, à part un permis de conduire ensanglanté. Elle aurait bien aimé poser ces questions à Goulding, mais celui-ci n'était plus là pour répondre, merci, Flora.

« Appelle la mère de Kristy, dit-elle finalement à Phil. Interroge-la sur ses boucles d'oreilles préférées, le vernis à ongles. Elle pourra peut-être nous donner de premiers éléments. »

Phil hocha la tête et s'éloigna vers un autre bosquet pour passer son coup de fil.

Restée seule, D.D. regarda le légiste retirer soigneusement la terre de la dépouille d'une disparue qui elle, au moins, allait enfin rentrer chez elle.

« Rose bonbon, revint lui dire Phil un quart d'heure plus tard. Le vernis à ongles préféré de Kristy. Elle en mettait tout le temps. Elle aimait aussi beaucoup une paire de créoles en or que sa mère lui avait offerte pour ses seize ans.

– Kristy Kilker, dit D.D.

– Pas suffisant pour une identification formelle.

– Non, il va encore falloir attendre que Ben nous fasse des miracles dans son labo, mais selon toute vraisemblance...

– Kristy Kilker.

– Dans ce cas, où est Natalie Draga ? Sur un deuxième site ? Est-ce qu'il y aurait d'autres destinations fréquentes dans le GPS de Goulding ?

– Aucune qui conviendrait pour planquer un cadavre. C'est là ou rien.

– Et les chiens ont exploré tout le parc ?

– Oui.

– Alors où est Natalie Draga ? » répéta D.D.

Phil n'avait pas de réponse.

D.D. regarda autour d'elle – les arbres, les badauds, les techniciens de scène de crime qui s'activaient dans leurs blouses bleues. « Phil, qu'est-ce qu'on n'a pas vu ? »

Elle appela Samuel Keynes. Sans savoir pourquoi. Il n'était pas enquêteur, mais victimologue. Il ne courait pas après les criminels, il accompagnait les victimes. Et cependant...

Tout dans cette affaire les ramenait à Flora Dane. Or, étant donné qu'elle avait disparu, le docteur Keynes était la personne la plus proche d'elle qu'ils pouvaient contacter. En soi, l'information était intéressante parce que, en pareille situation, D.D. aurait dans neuf cas sur dix ciblé la mère. Mais même si Rosa protégeait farouchement sa fille, leurs relations étaient tendues. D'ailleurs, après l'incident de vendredi soir, Flora n'avait pas appelé sa mère, mais son ancien spécialiste des victimes.

Keynes décrocha dès la première sonnerie. Presque comme s'il attendait son coup de fil.

« Est-ce que le nom de Natalie Draga vous dit quelque chose ? lui demanda-t-elle.

– Non.

– Et Kristy Kilker ?

– Non.

– Flora n'a jamais prononcé ces noms ? Elle n'a jamais parlé de retrouver l'une ou l'autre de ces femmes ?

– Non. Commandant…

– Mais elle vous a parlé de Stacey Summers, n'est-ce pas ? Je vous en prie. C'est le moment d'être franc, docteur, parce qu'on vient de retrouver un cadavre et que je suis pratiquement certaine que d'autres vont bientôt suivre. Flora vous parle. Elle vous confie des choses qu'elle ne dit à personne d'autre, même pas à sa mère. Alors, que vous a-t-elle dit au sujet de Stacey Summers ?

– Le coup de fil de samedi matin a été mon premier contact avec Flora depuis un bon moment. Au moins six mois. Nous ne sommes pas si proches que cela, commandant. Beaucoup moins que vous ne le croyez.

– Mais elle se confie quand même à vous et rien qu'à vous. Ce matin, j'ai eu une discussion avec l'agent du FBI qui l'a libérée. À l'entendre, elle se pose beaucoup de questions sur les activités de Flora pendant la période où elle était avec Jacob Ness, mais Flora refuse de répondre. Elle ne veut parler qu'à vous.

– J'ai rendu un rapport complet sur les déclarations de Flora. Contrairement à ce que vous laissez entendre, tous les éléments portés à ma connaissance ont été mis à la disposition des enquêteurs. Quant au fait que Flora n'ait pas envie de revenir x fois sur ce qu'elle a vécu… ça n'a rien d'inhabituel pour quelqu'un qui a subi un traumatisme aussi violent.

– Est-ce qu'elle a été sa complice ? Est-ce qu'elle l'a aidé à kidnapper d'autres victimes ?

– Elle ne m'a rien révélé de tel.

– Mais est-ce que c'est le nœud du problème ? La raison pour laquelle elle s'amuse à jouer les justicières ? Elle se sent coupable d'avoir survécu, elle veut laver sa conscience des crimes qu'elle a commis pendant sa captivité ?

– Vous en savez autant que moi.

– Non. C'est faux. D'abord, c'est vous le spécialiste. Et ensuite, elle vous fait confiance. Et elle continue à vous appeler. Dès qu'elle a un problème et qu'elle a besoin d'aide, c'est votre numéro qu'elle compose. Au bout de cinq ans, docteur. Combien de familles vous appellent encore au bout de cinq ans ? »

Keynes ne répondit pas.

« Et puis il y a sa mère, continua D.D. qui réfléchissait à voix haute. Rosa Dane. Elle aussi a l'air de bien s'entendre avec vous. Elle vous a mis dans ses contacts préférés ou bien c'est vous qui l'appelez ? Parce que Flora ne le fait pas et que vous savez que ça la contrarie. »

D.D. se souvint alors de la façon dont la veille, dans son bureau, Keynes avait posé sa main sur l'épaule de Rosa. De la façon dont il s'était tenu comme un roc à ses côtés, alors qu'il n'avait à proprement parler aucune raison d'être là. Mais il était venu. À la demande de Rosa. Et il était resté. Rosa et le bon docteur.

« Est-ce que Flora est au courant ? lâcha D.D. De la relation que vous entretenez avec sa mère. Vous lui en avez parlé ?

– Commandant, est-ce que vous avez de nouvelles pistes concernant la disparition de Flora ?

– Répondez d'abord à ma question.

– Certainement pas.

– C'est une question pertinente.

– Absolument pas. De votre côté, avez-vous de nouvelles informations…

– Rosa est là, comprit d'un seul coup D.D. Elle est à côté de vous et elle demande des nouvelles de sa fille. »

Keynes ne répondit pas et D.D. prit cela pour une confirmation.

« Rosa n'est pas au courant, n'est-ce pas ? continua D.D. à voix basse. Vous ne lui avez jamais parlé de vos sentiments pour elle.

– Je vous assure...

– Je sais : je me trompe. Vos relations avec cette famille sont d'ordre purement professionnel. En digne agent du FBI que vous êtes...

– Commandant...

– J'ai un cadavre sur les bras. Une des femmes dont nous pensons qu'elles ont été enlevées par Devon Goulding. Nous avons trouvé sa dépouille grâce à des indices découverts chez lui.

– Vous pensez avoir retrouvé une des victimes de Goulding ? Autant dire que Flora a eu raison d'agir comme elle l'a fait vendredi soir. Si elle ne l'avait pas tué, ce serait peut-être son cadavre que vous seriez en train d'exhumer.

– Flora a disparu. Et ce qui lui est arrivé a forcément un rapport avec Devon Goulding, Stacey Summers et au moins deux autres disparues. Cette suite d'événements ne peut pas être une simple coïncidence. Alors je vous repose la question : est-ce que Flora a un jour prononcé les noms de Kristy Kilker ou Natalie Draga ?

– Et moi, je vous répète qu'avant samedi matin je n'avais pas parlé à Flora depuis des mois.

– Réponse qui m'apprend seulement quand vous avez parlé avec elle, mais pas ce qu'elle vous a dit. Allons, Keynes. Je ne suis peut-être pas psy, mais je ne suis pas idiote pour autant.

– Avez-vous de nouvelles pistes concernant la disparition de Flora, commandant ?

– Non.

– Alors appelez-moi quand ce sera le cas. »

Keynes raccrocha. D.D. resta là un moment à grincer des dents. Une fois de plus, elle s'interrogeait sur la relation qui unissait le spécialiste des victimes et la famille Dane, sans arriver à se défaire du sentiment qu'il ne lui disait pas tout.

D.D. convoqua une réunion de la cellule d'enquête à treize heures. Elle avait commandé des sandwichs et des cookies parce que c'est toujours bon de soutenir le moral des troupes, mais elle avait ajouté de la salade parce que la plupart d'entre eux avaient atteint un âge où l'on apprécie mieux l'intérêt d'un peu de verdure.

Alex arriva pile au moment où la réunion commençait. Il portait sa tenue de l'école de police, et elle se souvint qu'il lui avait proposé de passer à l'appartement de Flora le matin. À voir sa mine sombre, elle supposa qu'il avait pu s'y rendre. Elle l'invita d'un geste à s'asseoir et il prit un sandwich à la dinde.

« Voilà ce que nous savons », commença D.D. devant le tableau blanc au bout de la salle. Elle aimait bien présider ces réunions et, pour être franche, cette occasion de mettre un peu d'ordre dans ses idées était la bienvenue.

Elle passa en revue la liste des faits établis, malheureusement beaucoup plus courte que la deuxième colonne : celle de toutes les questions auxquelles ils ne savaient pas répondre.

« Flora Dane a quitté son domicile vendredi soir, très probablement sur la piste du ravisseur de Stacey Summers. Dans le bar, elle avait, je cite, "un autre naze en ligne de mire", quand un deuxième suspect, Devon Goulding, est entré en scène. Il a boxé le premier cavalier et emmené Flora de force. Lorsque elle a repris connaissance, elle était ligotée et nue dans son garage. Et quand il est revenu, sans doute pour la violer, elle a riposté en le brûlant avec des matières combustibles trouvées dans ses poubelles.

« Devon Goulding est mort sur place. Les fouilles ont permis de découvrir les permis de conduire de deux autres femmes, Natalie Draga et Kristy Kilker, que nous avons donc cherché à localiser à partir de samedi matin. Pendant ce temps, Flora Dane regagnait son appartement, où elle a passé un moment avec sa mère. Peu après treize heures, Rosa Dane quittait l'appartement de sa fille, et depuis lors personne n'a revu cette dernière. »

D.D., qui avait tracé une ligne chronologique en bas du tableau blanc, montrait à présent le samedi après-midi.

« Nous avons d'abord cru que Flora avait été enlevée par un homme de grande taille qui s'était fait passer pour un inspecteur des bâtiments quelques jours plus tôt afin de se procurer les clés de son appartement. Mais nous avons retrouvé ledit inspecteur, qui existe bel et bien, qui n'a pas de casier judiciaire et qui dispose par ailleurs d'un alibi pour la soirée en question. Bref, nous avons donc... »

D.D. passa à la deuxième colonne, plus fournie.

« ... quatre cas de disparition – Stacey Summers, Natalie Draga, Kristy Kilker et Flora Dane –, dont nous ignorons s'ils sont liés. Un assassin potentiel, mais aujourd'hui décédé – Devon Goulding –, qui possède un lien avec au moins trois des quatre disparues. Et un cadavre, découvert ce matin même grâce aux informations données par le GPS de Goulding. Nous n'avons pas encore d'identification formelle, mais nous pensons que les restes sont ceux de Kristy Kilker. Dans ce cas, nous aurions retrouvé une de ces femmes. Mais où sont passées les autres ? Et si Goulding était l'auteur de ces faits, comment Flora Dane a-t-elle pu disparaître *après* sa mort ?

– Sommes-nous bien certains qu'elle a été kidnappée ? intervint Phil en s'écartant de la table, un cookie aux pépites de chocolat à la main. Nos soupçons se fondaient en grande partie sur cette histoire d'inspecteur que les services de l'urbanisme affirmaient n'avoir jamais envoyé, pas vrai ? Maintenant que vous avez établi qu'il s'agissait d'un contrôle en bonne et due forme, que nous reste-t-il ? Une porte d'entrée pas fermée à clé. Un appartement nickel. Et si Flora avait simplement mis les voiles ? Elle a eu un tuyau gagnant sur Stacey Summers et elle a paniqué en pensant que nous allions découvrir son petit jeu après son barbecue dans le garage. Alors elle a décidé de disparaître. »

D.D. haussa les épaules : il n'y avait pas grand-chose à redire à ce raisonnement. Et cependant : « Vous me trouverez peut-être trop sentimentale, mais si Flora avait eu l'intention de disparaître de la circulation pendant quelques jours, je crois qu'elle aurait mis sa mère au courant, même en se servant d'un faux prétexte. Elle l'aurait appelée pour lui dire de ne pas s'inquiéter. Or elle ne l'a pas fait.

– Jamais on ne te trouvera trop sentimentale », la rassura Neil depuis le fond de la salle.

Phil accepta l'argument à regret. « J'ai vu la mère repartir d'ici hier. Elle a le cuir dur, mais elle était secouée.

– Elle est passée à l'appartement de Flora », intervint Alex. Toutes les têtes se tournèrent vers lui. « J'y suis allé à la demande de D.D. Rosa Dane s'y trouvait déjà. Elle avait apporté une boîte de muffins aux propriétaires et elle m'attendait sur le palier du deuxième pour que je coupe le ruban de scène de crime. Sacré personnage.

– Elle avait fait cuire des muffins dans une chambre d'hôtel ? » D.D. ne comprenait même pas comment c'était possible.

« Elle nous a promis un cake si tu lui donnes l'autorisation de s'installer dans l'appartement de sa fille.

– Tu l'as laissée entrer ?

– Vu sa tête, elle allait entrer, avec ou sans permission. Au moins, comme ça, elle était sous surveillance.

– Est-ce qu'un agent du FBI, le docteur Keynes, l'accompagnait ?

– Non, elle était seule. »

D.D. resta soucieuse ; la conversation qu'elle avait eue avec Keynes continuait à la tracasser.

« Est-ce que Rosa a remarqué quoi que ce soit ? finit-elle par demander.

– Rien ne semblait avoir disparu, tous les vêtements de Flora étaient rangés comme d'habitude, etc. Le lit était défait, mais d'après Rosa ça n'avait rien d'extraordinaire. Flora n'est pas très à cheval sur l'ordre, ce serait plutôt le rayon de sa mère.

– Qu'est-ce qu'elle a fait ?

– Le tour de l'appartement. Comme pour s'en imprégner. Elle a passé un bon moment dans la chambre de sa fille, à lire les articles au mur.

– Est-ce que certains parlent de Natalie Draga ou Kristy Kilker ? demanda un nouvel enquêteur.

– Non, répondit D.D. Leur disparition n'avait pas été signalée. Natalie vivait seule à Boston. La mère de Kristy Kilker croyait sa fille en Italie. Donc, a priori, Flora se concentrait sur Stacey Summers. » Elle se tourna vers Phil : « Des pistes dans le téléphone ou l'ordinateur de Flora ?

– Je suis dessus en ce moment. Aucun doute que Flora faisait une fixette sur les bars de Boston. Elle s'était renseignée sur le Tonic quelques jours avant de s'y rendre. »

D.D. tiqua. « Mais Stacey Summers avait disparu au Birches… Quelque chose avait dû attirer l'attention de Flora sur le Tonic, mais quoi ? »

Autour de la table, personne ne savait.

« Natalie Draga avait travaillé au Tonic, osa finalement Carol Manley. Peut-être que Flora savait quelque chose que nous ignorions. Même si la disparition de Natalie n'avait pas été formellement signalée, peut-être qu'une amie à elle avait posé des questions : hé, quelqu'un a vu Natalie ces temps-ci ? vous voyez l'idée. Comme Flora était obsédée par les disparitions, ce genre de rumeurs a pu attirer son attention. »

D.D. approuva. C'était exactement pour cette raison qu'elle avait cuisiné Keynes sur le sujet : obnubilée par les affaires de disparition, Flora semblait mieux informée que la police elle-même.

« D'accord, dit D.D. Pour l'instant, concentrons-nous sur l'affaire à laquelle nous avons la certitude que Flora s'intéressait, à savoir celle de Stacey Summers. Je voudrais que des agents retournent interroger sa famille et ses amis, mais cette fois-ci en leur montrant la photo de Flora. Pour voir jusqu'où elle était allée dans son enquête. On peut penser que si Flora écumait les autres bars du quartier, c'était parce qu'un ami de Stacey lui avait donné une information. Peut-être que le Tonic était une boîte où ils allaient souvent, que Stacey y connaissait un employé. Peut-être même que Flora avait appris qu'une autre jolie fille qui travaillait là-bas avait disparu depuis des mois. Franchement, je n'en ai aucune idée. Mais quels que soient les liens qui les unissent, dit D.D. en traçant des lignes entre Natalie, Kristy, Goulding et Stacey Summers, il faut qu'on les découvre.

– J'ai peut-être un indice », intervint Alex. Il avait fini son sandwich et s'essuyait les mains. « Sur l'escalier de secours de Flora, j'ai trouvé des traces de paillettes.

– Des traces de paillettes ? » D.D. ne voulait pas avoir l'air dubitative, mais ce n'était pas le genre d'indice auquel elle s'attendait.

« Hé, pour nous autres spécialistes de scènes de crime, les paillettes sont le nouveau scotch.

– Je ne comprends pas un traître mot de ce que tu dis », signala D.D. à son mari. Autour de la table, ses collègues étaient tout aussi perdus.

Alex se pencha en avant. « Les paillettes sont la trace de contact quasi idéale : elles se transfèrent très facilement d'une surface à une autre et, en même temps, elles sont tout à fait uniques. La cerise sur le gâteau, c'est que, comme pour le ruban adhésif, il existe des bases de données très complètes qui permettent de déterminer l'origine de tel ou tel échantillon. On trouve des paillettes dans toutes sortes d'objets, du maquillage aux cartes de vœux en passant par les vêtements ; or la taille, la couleur et la découpe varient selon la provenance. Si on descend au niveau microscopique, on peut carrément rattacher telle paillette à telle machine chez tel fabricant, ce qui permet de prouver une fois pour toutes que les paillettes retrouvées dans le lit de la victime proviennent bien de la même source que celles qu'on a retrouvées sur la chemise fantaisie de l'assassin. Très utile, les paillettes.

– Et alors, qu'est-ce que tu as découvert sur l'escalier de secours ?

– Des traces dorées sur la rampe, déposées là par une main, j'imagine. Avec l'aide de Rosa, j'ai passé en revue la garde-robe de Flora. Rien qui puisse semer des paillettes. Pas non plus de paillettes sur le lit, ce qui aurait été le cas si Flora en avait eu sur la peau suite à ses aventures ; elle en aurait déposé sur les draps en se couchant. Il y avait bien des paillettes dans certains de ses produits de beauté, mais les particules sont trop fines pour correspondre à celles de l'escalier de secours.

– Qu'est-ce que tu en conclus ? lui demanda D.D.

– Que quelqu'un s'est trouvé sur l'escalier de secours avec des traces de paillettes sur les mains, les vêtements ou autre.

– Mais en quoi ça nous avance ?

– Si on trouve un suspect, les paillettes permettront peut-être d'établir qu'il a pris l'escalier de Flora. Ou alors… » Alex, l'air plus absorbé, montra les noms encerclés que D.D. avait reliés sur le tableau blanc. « Nous pensons que toutes ces affaires ont un lien entre elles, n'est-ce pas ? »

D.D. confirma.

« Alors cherchons dans la maison de Goulding s'il n'y aurait pas des traces de paillettes. Sur le corps de Kristy Kilker, aussi. Si on en découvre des traces correspondant à celles qui se trouvent sur l'escalier de Flora, tu tiendras la preuve que les affaires sont liées. Les paillettes auront parlé », conclut-il sur un ton solennel.

33

Cette fille est folle. Molly, Stacey, peu importe comment elle s'appelle, est restée enfermée trop longtemps, son traumatisme est trop grave. Je ne sais pas. Mais elle est dingue de penser que c'est *moi* qui suis responsable de ce qui lui arrive. Au contraire, je sauve les gens. Ce qui exige parfois de s'en prendre à d'autres.

Devon Goulding, sa peau qui fume, qui prend feu.

Mais je n'agresse que les méchants.

Et cette fille qui est là.

Ça ne compte pas.

J'oblige la fille à se déplacer. À vrai dire, je m'approche d'elle et elle rampe hors du matelas pour s'éloigner de moi. Peu importe. Ça me permet de récupérer le dernier éclat de bois planqué dans la doublure du matelas. Il est plus mince que je ne le voudrais, mais d'une longueur acceptable.

Je retourne à la porte et je me mets au travail. Premier défi : trouver dans le noir l'emplacement approximatif du pêne dans la gâche. Il faut que je repense à d'autres portes. Le plus simple est encore de me lever et de tendre la main sans réfléchir vers une poignée imaginaire.

Une fois que j'ai repéré la hauteur, j'essaie d'enfoncer le morceau de bois dans la fente, tout ça pour m'apercevoir que, si mince soit-il, il est encore trop épais. Je m'assois pour l'éplucher. Un vrai jeu d'enfant. Le bois se détache en longues lanières.

Il y a quelque chose de rythmique dans ce travail. Ça me détend.

Pourquoi cette fille pense-t-elle que je suis responsable de ce qui lui est arrivé ?

Cette ombre sur le pas de ma porte, une voix menaçante. Un intrus qui a su ouvrir tous mes verrous sans même me réveiller. Un agresseur qui m'a enlevée à mon propre domicile sans que j'aie pu lancer la moindre contre-attaque et qui m'a amenée ici.

Assise dans le noir à déchiqueter un morceau de cercueil en pin, je sens le souvenir perdre peu à peu de sa substance. Se transformer en mauvais rêve. Le visage de cet homme... je n'arrive pas à le revoir. Qu'a-t-il fait ensuite ? J'imagine qu'il s'est jeté sur moi, mais je ne m'en souviens pas. Et moi... je suis restée sagement dans mon lit en attendant qu'il me tombe dessus ?

J'ai de nouveau mal à la tête. D'instinct je lève une main pour me masser les tempes et je me flanque un coup de chaîne.

Ce sera mon prochain défi : même si j'arrive à ouvrir la porte, comment sortir de la pièce ? Ça m'étonnerait que ma laisse soit suffisamment longue. Il va falloir enlever ces menottes. Les miennes et celles de la fille, me dis-je. Pour qu'on puisse collaborer.

Sinon elle se sauvera. Elle me fuira.

Je me sens mal. Je ne sais pas pourquoi. Je ne sais pas comment j'ai atterri ici. Je ne sais pas ce qui se passe. Une fille à qui on a lavé le cerveau au point qu'elle croit s'appeler

Molly. Ces cercueils en pin qui apparaissent d'eux-mêmes, tout droit sortis du passé.

Quelqu'un va et vient dans cette chambre, et là encore jamais je ne me réveille, jamais je ne réagis aux bruits. Parce que je suis droguée ou parce que mon cerveau s'attend à ces bruits ?

Je secoue la tête. Violemment. Non.

Je n'ai rien à voir avec cette histoire. Je ne fais pas de mal aux gens.

Seulement à Devon Goulding, qui a hurlé en prenant son crâne en feu entre ses mains.

Seulement à une jolie fille qui risquait de me prendre Jacob.

Ce souvenir me revient de nulle part. Vite, je le chasse.

« Les victimes font ce qu'elles ont à faire pour survivre, marmonné-je dans le noir. Ne te demande pas ce que tu aurais pu faire autrement. »

J'aimerais que Samuel soit là. Sa présence rassurante me serait bien utile dans ces ténèbres.

Stacey Summers, me dis-je ensuite. Les images de son enlèvement : un grand gaillard qui l'emmène de force. La preuve irréfutable que quelqu'un d'autre est impliqué.

Deuxième pensée rationnelle : j'ai passé les dernières semaines à écumer la ville, les bars, les restaurants et autres lieux de rendez-vous pour étudiants en posant des questions sur Stacey Summers. Peut-être que je me suis plus rapprochée du coupable que je ne le pensais. Et peut-être qu'il s'est méfié, qu'il s'est renseigné sur moi.

Mon histoire n'est pas exactement un secret. Enfermée pendant quatre cent soixante-douze jours dans un cercueil ? Allons donc, la presse a adoré. Aucun aspect de ma déchéance, aucun détail salace sur ma captivité n'a échappé aux honneurs de la première page.

Personne ne comprend ce que j'ai vécu et pourtant tout le monde connaît mon histoire.

Cette nuisette légère, complètement absurde... J'essaie d'y réfléchir. Est-ce que Jacob m'avait acheté une nuisette en satin avec de la dentelle ? Il m'avait acheté des vêtements, une robe d'été. De quoi est-ce que je me souviens, qu'est-ce que j'ai un jour pu raconter tout haut...

Je suis prise de frissons. Mes bras se hérissent de chair de poule. Je vais vomir. Je vais être malade...

Je laisse tomber le morceau de bois, je cherche ma respiration, les mains tremblantes.

Je me retrouve à genoux, la tête basse, et je tremble encore plus violemment, je lutte contre cette envie de vomir.

Je sais quelque chose que je refuse de savoir.

Le passé est important. Il est directement à l'origine de ce nouvel enlèvement.

Mais je ne peux pas me permettre de prendre le temps d'y réfléchir. Parce que le passé est du passé et que le seul moyen de sortir de cette pièce est d'aller de l'avant. De respirer à fond. D'oublier les cercueils, les nuisettes et Jacob Ness. De tout oublier.

Je suis la Flora 2.0. Je suis entraînée et débrouillarde, je vais me tirer d'ici. Sauver ma peau. Sauver celle de Stacey Summers.

Nous disions donc : morceau de bois dans la rainure de la porte. C'est parti.

Je veux rentrer chez moi.

Je veux revoir ma mère et ses affreuses chemises à carreaux, le renard en argent niché au creux de sa gorge. Je veux la prendre dans mes bras et même si ce ne sera pas un câlin comme avant, même si ce ne sera plus la même chose, je veux que ce soit bien quand même. Je veux qu'elle sache qu'elle me manque, que je l'aime et que je suis désolée.

Elle s'est donné tant de mal pour retrouver une fille qu'aucune de nous deux ne comprend plus.

Elle se donne encore tant de mal pour m'aimer.

J'enfonce le morceau de bois dans la rainure de la porte. Lentement mais sûrement, je le remonte par petits à-coups jusqu'à rencontrer une résistance.

Le pêne. Bon, c'est là qu'on va avoir besoin d'un miracle.

Je m'arrête pour réfléchir aux étapes suivantes.

Dans le meilleur des cas, je vais réussir à rétracter le pêne et ouvrir la porte. Et à ce moment-là...

La fille blessée pourra sortir. Moi, je ne pourrai aller que jusqu'où ma laisse m'en laissera le loisir.

Et nous tomberons sur... combien de personnes ? Quel genre de menace ?

Ce n'est pas moi, insisté-je. Je ne suis pas le croquemitaine qui sévit dans la nuit. Peu importe ce qu'elle croit, je n'ai pas kidnappé Stacey Summers. Je ne me suis pas kidnappée moi-même, en tout état de cause. Ce n'est pas parce que je ne me souviens plus de rien après le départ de ma mère, que je ne sais absolument pas comment j'ai atterri dans cette pièce... Ceci n'est pas une crise psychotique.

Ce n'est pas moi, le monstre.

Bien sûr, une fois, il y a longtemps... Mon pouls s'accélère encore. Je m'assois sur mes talons. D'un seul coup, je ne peux plus penser qu'à Jacob.

Personne n'a envie d'être un monstre.

C'est vrai. Personne n'a envie d'être un monstre. Même pas moi.

Et pourtant... pourtant... pourtant...

Ce n'est pas le moment, me dis-je une nouvelle fois. Sortir de cette pièce. Voilà l'objectif, la mission.

Mais d'abord, il y a la question des menottes.

Enfin quelque chose que je sais bien faire : je m'éloigne de la porte, laissant le morceau de bois coincé dans la fente, et je retourne en rampant vers le matelas, où, renonçant à toute subtilité, je déchire le coutil fragile à deux mains. Celui-ci part en longues lanières fines. Le vieux tissu élimé n'offre guère de résistance.

À l'intérieur du matelas, je trouve la garniture. Elle sent le moisi, peut-être même une odeur un peu végétale. Ça me rappelle quelque chose, comme si je devais savoir ce que ça sent. La cuisine italienne ? Non, ce n'est pas ça. Je continue et je note que le matériau est friable. De la mousse, me dis-je, qui se désagrège en vieillissant. Je continue à fouiller.

Le matelas est mince. Le genre qu'on met sur un lit de camp ou sur ces fauteuils IKEA convertibles. Il pourrait n'être qu'une grande plaque de mousse, mais ce n'était pas l'impression que j'avais quand j'étais couchée dessus. Il avait des reliefs et des vallées, des creux et des bosses.

Même les matelas pour lit de camp ont des ressorts, question de durabilité. Et dans une ville étudiante comme Boston où la moitié des logements sont meublés en IKEA, il est fort possible que ce matelas ait commencé sa carrière dans une résidence universitaire avant de trouver une deuxième vie ici.

Je continue à fouiller et... bingo.

Du métal. Un ressort. Enroulé dans la mousse. Tout est une ressource. Ce matelas est la mienne et j'entends bien m'en servir pour nous sortir d'ici.

Je suis faible, tremblante, le stress me fait perdre mes moyens. Il me faut un temps anormalement long pour trouver l'extrémité du ressort et la redresser. Je ne sais pas si je pourrai l'arracher. Dans l'état où je suis, je ne pense pas que j'en aurai la force. Alors je choisis d'en tordre le bout.

C'est que j'ai un de ces gadgets chez moi, vous voyez. On dirait de minuscules barrettes noires en plastique. Mais il ne s'agit pas de ça, ce sont des clés pour menottes. En vente dans la plupart des grands commerces en ligne. En général, avant de sortir, je les mets comme de minuscules pinces dans mes cheveux, à portée de main en cas d'urgence. Mais comme une imbécile que je suis, je n'ai jamais pensé à en mettre pour dormir, de sorte que je n'en ai pas sur moi.

Mais je peux en fabriquer. Je m'en suis tellement servie que je les connais par cœur. Et ce fil métallique a précisément la bonne épaisseur.

Dans le noir, mes doigts ripent et je me plante le ressort dans la tranche de la main. Je déguste et je prends une brève inspiration entre mes dents serrées, mais je continue, même quand je me perce un doigt, quand je m'esquinte la paume, quand je m'ouvre le dos de la main. Le temps que je bricole un gadget susceptible de faire l'affaire, j'ai les deux mains glissantes de sang.

Pause. Je m'essuie les mains sur la moquette. Je calme ma respiration.

« Qu'est-ce que vous faites ? demande la fille dans le noir.

– Pourquoi ? Tu as encore peur de moi ?

– La porte n'est pas fermée à clé. Je ne l'ai pas fermée.

– Mais tu l'as ouverte.

– Il fallait bien. Ouvrir la porte. Pour voir ce que vous faisiez. C'étaient les ordres.

– Donnés par qui ? Qui t'a dit de faire ça ?

– Vous le savez bien, murmure-t-elle. Je sais que vous le savez.

– Ce n'est pas moi qui suis aux commandes ici, dis-je une fois encore, même si je ne sais plus pourquoi je me donne cette peine.

– La porte est fermée, se lamente-t-elle, on ne peut pas sortir. J'ai essayé. Plein de fois. Il n'y a que le noir. Et il se passe des choses horribles dans le noir.

– Est-ce que tu as été enfermée dans un cercueil ? »

La fille ne répond pas.

« Nous sommes tous plus résistants que nous ne le croyons, lui dis-je. Et je ne veux plus jamais être une victime. »

Alors que je peux être le monstre à la place.

Je positionne mes menottes au-dessus du ressort tordu en forme de crochet et je me mets au travail.

Je dois m'y reprendre à plusieurs fois. En l'occurrence, peu importe que je n'y voie rien parce que je me suis souvent entraînée les mains dans le dos ; j'ai l'habitude de me fier à mes sensations plutôt qu'à mes yeux. Mais normalement la clé est plus petite et mobile, donc il me faut le temps de trouver mes marques.

Cela dit, les serrures de menottes ne sont pas ce qu'on fait de plus compliqué et je me suis vraiment souvent, très souvent entraînée.

Le premier anneau s'ouvre avec un déclic. Plus vite, j'ouvre le deuxième. Et pour la première fois depuis je ne sais pas combien de temps, j'ai les mains libres. Je les lève, je me masse les poignets. Ça paraît étrange et merveilleux de pouvoir écarter les bras, les bouger indépendamment l'un de l'autre.

Je sens que la fille m'observe dans le noir. Je sais qu'elle ne peut pas voir mes mouvements, mais elle a dû entendre quelque chose. Ou peut-être simplement qu'elle devine le miracle que représente cette petite amélioration de notre situation.

« Tu voudrais avoir les mains libres ? lui demandé-je.

– Quoi ?

– Est-ce que tu veux que je t'enlève tes menottes ? Je peux le faire.

– Qu'est-ce qu'il faut que je fasse ?

– Viens par ici.

– C'est… c'est tout ?

– Dirige-toi vers moi au son de ma voix. Je vais t'aider. »

Elle hésite. Elle a peur de moi. Avec raison ? Je ne sais pas. Tout ça n'a aucun sens pour moi. Il y a des choses que je ne comprends pas. Comment suis-je arrivée ici ? Un intrus s'est-il réellement tenu sur le seuil de ma chambre ? Et comment ai-je fini ligotée au bout d'une laisse, sans avoir résisté, sans avoir lutté, sans même avoir repris connaissance pendant qu'on ouvrait la porte de cette pièce pour livrer non pas un, mais deux cercueils ?

Comment quelqu'un d'aussi intelligent que moi a-t-il pu tomber à ce niveau de stupidité ?

La fille s'approche de moi dans le noir. Je l'entends progresser lentement, en traînant les pieds. Je surprends son hoquet de douleur lorsqu'un faux mouvement tire sur sa blessure. Celle que je lui ai infligée.

Enfin elle est là, si proche que je sens son souffle. Je tends les mains pour attraper les siennes, tâte les contours de ses menottes avec mes pouces.

« Ne bouge pas. » Je place ses poignets au-dessus du ressort crochu et, les yeux fermés pour me concentrer, je m'efforce de guider ma clé improvisée vers les petits orifices de chacune des menottes.

Ça ne va pas sans mal, ce n'est pas brillant, mais je finis par avoir gain de cause.

Les menottes tombent. Je sens la fille lever les mains, étirer ses bras d'un côté, de l'autre.

C'est vrai, ce dont je me doutais tout à l'heure : il n'est pas nécessaire d'avoir des yeux pour percevoir l'émerveillement. On le sent, même dans le noir.

« Pourquoi ? » demande-t-elle. C'est sa question du jour.

Je lui dis la vérité : « Parce qu'on va sortir d'ici. »

34

« Je vais aller au Tonic, cet après-midi. Samuel m'a dit que je devrais vous prévenir.

– Je vous demande pardon ? » Assise à son bureau, D.D. recala le téléphone contre son oreille, persuadée d'avoir mal entendu.

Rosa Dane continua : « C'est le dernier endroit où ma fille est allée. J'aimerais le voir.

– Vous avez trouvé quelque chose dans son appartement ? Un indice qui nous aurait échappé concernant son enquête sur Stacey Summers ?

– Non, mais j'ai parlé avec Colin, ce matin. Il a reconnu que Flora s'était intéressée de près à l'enlèvement de sa fille. Dans ce cas... il doit bien y avoir une raison si Flora est allée au Tonic vendredi soir. Ma fille ne serait pas simplement sortie en boîte comme ça. »

D.D. prit une grande inspiration, s'obligea à analyser la situation. Elle ne pouvait pas donner tort à Rosa Dane : une enquête au Tonic s'imposait, la cellule de crise venait d'ailleurs d'en discuter. Ceci posé, les policiers ont horreur que des civils se mêlent de leurs investigations, particulièrement dans une affaire aussi brûlante que celle-ci, et qui comportait de multiples ramifications. En revenant de leur déjeuner de travail, D.D. avait trouvé un rapport du labo sur son bureau : la tache sur le sol du garage de Devon Goulding était bien du sang humain, qui plus est du même groupe sanguin que celui de Kristy Kilker.

Pas encore définitivement concluant ; pour cela, il faudrait attendre les tests ADN. Mais cela devenait de plus en plus intéressant. Goulding avait sans aucun doute trempé dans la disparition d'une femme, voire de deux. Dans la mesure où Flora recherchait activement Stacey Summers, pouvait-on vraiment penser qu'elle avait elle-même atterri dans son garage par pure coïncidence ?

Mais cet épisode rappelait à D.D. la raison pour laquelle les civils ne doivent pas intervenir dans les enquêtes de police : les agissements de Flora vendredi soir avaient abouti à la mort de Goulding et à la disparition de leur meilleure source d'information. Les enquêteurs savent qu'il faut éviter de brûler vif le suspect numéro un. Manifestement, ce n'était pas le cas des francs-tireurs.

« Le Tonic est une boîte de nuit, ça m'étonnerait qu'ils soient ouverts cet après-midi, fit remarquer D.D. pour se donner le temps de décider si la visite proposée par Rosa était la meilleure ou la pire idée de sa vie.

– J'ai appelé la directrice. Elle a accepté de me rencontrer là-bas à seize heures. »

Rosa avait appelé la directrice. De mieux en mieux. « Et vous avez parlé de ce projet au docteur Keynes ?

– Je lui ai demandé de m'accompagner. Ses lumières sur ma fille me sont précieuses. »

Ben voyons, ses lumières sur sa fille, pensa D.D. avec cynisme. Mais cette idée la mit aussitôt mal à l'aise. Keynes éprouvait des sentiments pour Rosa, D.D. n'avait aucun doute

à ce sujet. Déclarés ou non, réciproques ou non, allez savoir.
Mais est-ce que cela suffisait à expliquer qu'il s'investisse
autant ?

« Samuel m'a conseillé de vous appeler aussi, continua Rosa
à l'autre bout du fil. Une histoire comme quoi les policiers
tiennent à leur territoire et que vous pourriez trouver ma
démarche plus dangereuse qu'utile. Il m'a recommandé de
me montrer respectueuse. Et moi j'ai décidé d'être franche.

– C'est ce que je vois. »

D.D., soucieuse, jeta un nouveau coup d'œil au rapport
du labo posé sur son bureau. « Très bien », dit-elle d'un
seul coup. Rosa voulait aller au Tonic ? Justement, elle aussi.
Alors pourquoi ne pas faire d'une pierre deux coups et voir
la boîte de nuit où Flora avait enquêté tout en en profitant
pour passer un peu de temps avec la mère de la jeune femme ?

« On se retrouve là-bas à seize heures. Venez avec le docteur
Keynes. Qu'il nous fasse encore profiter de ses lumières. »

Rosa ne dit ni au revoir ni merci. Elle raccrocha, point
final. Comme elle l'avait dit, elle ne pouvait pas encore se
résoudre à être respectueuse, mais au moins elle était franche.

D.D. attrapa sa veste et sortit.

D.D. n'avait jamais été cliente des boîtes de nuit. Un bon
pub irlandais, elle appréciait. Mais les surfaces noires, les stroboscopes, la musique à fond, ce n'était pas vraiment son style,
même quand elle était jeune et théoriquement dans le vent.

Toujours intéressant, se dit-elle, de voir ces endroits à la
lumière du jour. Un peu comme de surprendre une star de
cinéma sans maquillage. Le soir, sous un éclairage étudié, avec
la piste bondée de danseurs qui se trémoussaient et un groupe
plein d'avenir sur la scène, l'ambiance devait être survoltée.

Mais à seize heures un lundi, l'endroit faisait davantage penser à un étudiant en proie à la gueule de bois. Le sol collant était couvert de serviettes en papier déchiquetées. Les murs noirs étaient éraflés et miteux, le coin bar fatigué. L'établissement aurait eu besoin d'une rénovation ou au moins d'une pause dans son style de vie mouvementé.

Rosa et Keynes étaient arrivés les premiers et discutaient déjà avec une femme dans l'arrière-salle. Ils formaient un curieux trio, Rosa dans sa tenue habituelle de yoga dépenaillée, Keynes dans son costume gris classique et la patronne brune en total look noir boîte de nuit.

Pour l'heure, cette dernière mangeait Keynes des yeux. Il ne parlait pas et pourtant elle le regardait avec fascination. Manifestement, le charme de ses traits avantageux agissait même sur une femme entourée d'employés plus séduisants les uns que les autres.

D.D. s'approcha et montra sa plaque, juste pour établir sa domination. Oui, elle était mesquine à ce point-là.

Peine perdue. La patronne garda les yeux rivés sur Keynes. De son côté, celui-ci esquissa un petit sourire, comme s'il savait exactement ce que D.D. essayait de faire et qu'il saluait ses efforts.

« Commandant D.D. Warren », se présenta sèchement D.D., pas du genre à renoncer facilement.

La directrice finit par s'arracher à sa contemplation. « Jocelyne. Jocelyne Ethier.

– Vous êtes la directrice ?

– Oui. Je travaille ici depuis cinq ans.

– Vous étiez ici vendredi soir ?

– Oui, je partage mon temps entre les tâches administratives et des passages réguliers dans la salle, juste pour vérifier que tout se passe bien. Je, euh, je reconnais sa fille sur la photo, dit-elle en lançant un regard à la fois triste et nerveux à Rosa. Je l'ai remarquée en fin de soirée, quand on n'était pas loin de la fermeture. Elle était encore sur la piste en train de danser.

– Est-ce que par hasard vous auriez remarqué si elle était accompagnée ?

– Il y avait un type avec une bière qui la regardait. J'ai supposé qu'ils étaient ensemble. Elle était au-dessus de ses moyens, je peux vous le dire, mais... »

Elle haussa les épaules.

« À quoi ressemblait-il ?

– Quelconque. Pantalon kaki, chemise bleu clair à manches longues. Un type qui rêvait de percer dans la finance, quelque chose dans ce goût-là. Pas beaucoup d'allure. »

D.D. hocha la tête. Cela concordait avec les informations qu'ils avaient déjà. « J'ai cru comprendre que Devon travaillait ici depuis trois ans.

– Oui. » Le visage de la directrice se ferma. « Hum. Devon. Excellent barman. Fiable, ce qui n'est pas toujours évident dans le coin. Et puis... il présentait bien. Je dirige une boîte de nuit. Les apparences sont importantes.

– Il faisait de la musculation, dit D.D. d'une voix neutre.

– C'est sûr. Ses pectoraux... les hommes comme les femmes se battaient pour qu'il leur serve au moins un dernier verre. » La directrice avait baissé les yeux : mal à l'aise de devoir parler d'un employé tout juste décédé ? Ou autre chose ?

« Ça l'ennuyait de plaire aussi aux hommes ? demanda D.D.

– Pas que j'aie remarqué. J'avais plutôt l'impression qu'il se donnait beaucoup de mal pour avoir ce physique et qu'il aimait bien frimer.

– Il avait une copine ?

– Pas à ma connaissance.

– Et lui et vous... » D.D. laissa sa question en suspens.

« Non, répondit catégoriquement Mme Ethier. Je dirige l'asile de fous, je ne sors pas avec les patients. »

Mais on sentait comme une tension dans sa voix, la trace d'une leçon apprise à ses dépens. Une femme bafouée.

D.D. changea de pied :

« Et Natalie Draga ?

— Natalie... Elle a été employée ici. Peu de temps. Il me semble avoir montré son dossier à l'une de vos collègues.

— Est-ce qu'elle connaissait Devon ?

— Elle aurait eu du mal à faire autrement. Il faisait partie de nos barmen réguliers et elle est restée au moins deux, trois mois. Quant à savoir s'il y a eu rapprochement entre eux... les couples se forment presque autant dans les coulisses que sur la piste. Tout est possible.

— Et Kristy Kilker ?

— Qui ça ? »

D.D. lui montra une photo. La directrice secoua la tête. « Ça ne me dit rien. Mais avec le nombre de gens qui passent ici chaque soir... Je ne connais que les habitués.

— Vous ne connaissiez pas Stacey Summers, intervint Rosa.

— Non.

— Mais ça ne veut pas dire qu'elle ne venait pas de temps en temps, précisa Rosa.

— C'est possible. Comme je vous le disais, avec le nombre de gens tous les soirs... » La directrice se montra de nouveau mal à l'aise. « Évidemment, avec ce qui lui est arrivé, les images de son enlèvement qui sont passées à la télé... C'est le cauchemar de tous les dirigeants de boîtes de nuit. Nous avons aussitôt adapté nos procédures.

— Vraiment ? releva D.D. avec ironie. Parce que avec ce qu'a fait votre propre barman vendredi soir... »

Ethier se raidit et devint méfiante. « Je ne savais pas, d'accord ? Est-ce que c'est pour ça que vous êtes là ? J'ai déjà tout dit à la première enquêtrice que vous avez envoyée. Non, je n'avais aucune idée que mon barman était un violeur. Non, je ne m'étais pas rendu compte qu'il avait agressé une femme vendredi. Il est parti sans prévenir et n'est pas revenu. Est-ce que ça m'a énervée ? Oui. Mais est-ce que j'ai pensé, est-ce que j'ai imaginé une seconde... » Elle continua d'un air pincé. « C'est un travail difficile. Entre le personnel qui tourne beaucoup et le nombre de fournisseurs, de clients... je ne sais pas tout ce qui se passe. Quel que soit le mal que je me donne, je ne *peux pas* savoir tout ce qui se passe.

– Vous connaissez les employés des autres boîtes, comme le Birches ? » demanda Keynes. Alors que la directrice s'était échauffée, lui avait conservé un ton parfaitement neutre. Son interlocutrice se détendit légèrement et consentit à croiser son regard.

« Oui. C'est un petit milieu. Un barman renvoyé du Birches aujourd'hui a toutes les chances de me demander du boulot demain, donc c'est pratique de pouvoir échanger nos impressions. C'est Nigel, le patron du Birches. L'affaire Summers l'a vraiment fichu par terre. » Ethier était de nouveau sur la défensive. « On essaie de garder un œil sur nos clients, vous savez. Les barmen, les serveurs, les videurs : tout le monde est formé pour repérer ceux qui ont bu un coup de trop, ceux qui pourraient avoir besoin qu'on les raccompagne chez eux. Un enlèvement comme celui de Summers, c'est mauvais pour tout le secteur.

– Vous aviez remarqué Flora vendredi soir, reprit Keynes de sa voix toujours posée. Vous l'aviez vue sur la piste de danse. Vous l'aviez à l'œil. Comme vous dites, c'est votre métier. »

Ethier ne répondit pas.

« Et pourtant, quand votre barman l'a suivie à la sortie...

– Je n'ai pas vu ça !

– Pourquoi ?

– Il était deux heures du matin, la fermeture. Il y a un million de choses à faire. Je n'étais même plus dans la salle, j'étais à l'arrière, je m'occupais des tickets de caisse.

– Et les caméras ? demanda D.D. Depuis votre bureau, vous pouvez certainement voir en direct ce qui se passe sur la piste de danse, au bar, aux entrées et aux sorties. C'est comme ça dans la plupart des boîtes. »

La directrice rougit et ne répondit pas.

« Vous avez bien des caméras ? insista D.D.

– Bien sûr ! Mais j'ai vérifié quand la première enquêtrice est passée : en fait, euh... les caméras ne marchaient pas ce soir-là.

– Comment ça, elles ne marchaient pas ?

– Quelqu'un les a éteintes. Peu avant la fermeture.

– Et qui a fait ça ?

– Je ne sais pas.

– Vous voulez dire...

– Madame Ethier. » Keynes de nouveau, avec sa voix zen : « Est-ce que c'était la première fois que ça se produisait ? »

La femme secoua la tête. Elle avait l'air soit coupable, soit désemparée, D.D. n'arrivait pas à le déterminer.

Keynes continua : « Combien de fois avant ? Et qui avait accès aux caméras ?

– J'ai commencé à remarquer ce phénomène il y a environ un an. Un soir par-ci, un soir par-là. Mais ces derniers mois... » Ethier prit une grande inspiration. Elle jeta un regard à Keynes, comme si elle implorait sa compréhension. « J'ai commencé à avoir des soupçons.

– De quelle nature ?

– C'était trop fréquent. Trop régulier. J'aurais dû le signaler à mes responsables, peut-être mettre un cadenas sur le cagibi où se trouve le système de vidéosurveillance. Je pensais que c'était peut-être une histoire de trafic de drogue ou de vol. Mais pas d'enlèvement. Il faut me croire. Pas d'agression, ça non. Mais oui, quelqu'un manipulait notre système de surveillance et... je le savais.

– Vous êtes une bonne directrice, n'est-ce pas, madame Ethier ? Vous ne pouvez pas avoir des yeux partout, vous nous l'avez dit, mais vous essayez. Donc vous aviez remarqué, depuis un moment, que quelque chose ne tournait pas rond au sein de votre personnel.

– Depuis cette histoire avec Natalie...

– Oui, Natalie ? »

D.D. avait laissé Keynes prendre l'interrogatoire en main parce qu'il avait ferré la directrice. Elle le regardait droit dans les yeux et D.D. avait déjà la certitude que la version qu'elle leur avait servie la première fois concernant Natalie Draga n'était que le discours officiel. Maintenant, enfin, on s'approchait de la vérité.

« Le personnel tourne beaucoup. C'est vrai. Et les employés ne laissent pas toujours d'adresse où faire suivre les courriers. Mais de là à ne pas venir chercher un chèque... Qui fait une chose pareille ? Et puis je soupçonnais qu'il y avait quelque chose entre elle et Devon. Ça ne me regardait pas, mais si elle était avec lui, raison de plus pour rester, vous voyez. »

Keynes approuva.

« Mais elle ne s'est jamais présentée. Un jour elle a quitté son poste et elle n'est jamais revenue. Et Devon... il n'était même pas triste. Même pas désemparé. S'ils étaient ensemble et qu'elle était partie du jour au lendemain, il aurait dû être dans tous ses états, non ? »

Keynes approuva encore.

« Mais non. En fait… il avait l'air gai.

– Vous vous posiez des questions sur lui.

– Je ne pouvais rien lui reprocher, s'empressa d'expliquer la directrice. Je ne l'ai jamais rien vu faire de mal, je n'ai jamais entendu de propos déplacés dans sa bouche. Mais avec ces sautes d'humeur, ces accès de colère… Je ne sais pas. Devon n'était plus lui-même. Il avait quelque chose d'inquiétant. »

Et cela faisait de la peine à Jocelyne Ethier, devina D.D., parce qu'à une époque elle avait eu l'impression de le connaître, intimement. Qu'elle veuille bien l'admettre ou non, elle avait nourri des sentiments pour lui.

« Est-ce que Devon avait accès aux caméras ? demanda Keynes de sa voix douce.

– Oui.

– Et vous pensez que c'est lui qui les a coupées vendredi soir. »

Ethier regarda D.D. et laissa échapper un soupir en forme d'aveu : « Oui.

– Vous aviez remarqué ma fille, lança d'un seul coup Rosa. Vous dites que vous l'avez vue danser, alors que, d'après vous, vous ne pouvez pas avoir des yeux partout. Alors pourquoi vous être intéressée à elle ? »

Ethier rougit. « Avec sa façon de danser, elle cherchait à attirer l'attention. Et puis… elle avait l'air seule.

– Vous vous inquiétiez pour elle », traduisit Rosa.

De nouveau, cette légère hésitation. « Je l'avais à l'œil. Je voulais être sûre qu'elle allait bien. »

D.D. finit par comprendre : « Vous vouliez être certaine qu'elle n'avait pas tapé dans l'œil de Devon.

– Elle dansait avec un autre. Je vous jure. Le type quelconque. Alors j'ai arrêté de la regarder et je suis allée compter mes tickets de caisse. »

D.D. se fit plus insistante. « Stacey Summers... Réfléchissez bien. C'est le moment ou jamais. Quand vous avez vu la vidéo de l'enlèvement, est-ce que vous l'avez reconnue comme une de vos clientes ? Est-ce qu'il y a la moindre chance qu'elle aussi ait connu Devon Goulding ?

– Je n'en ai aucune idée, c'est la stricte vérité. Je suis vraiment désolée, mais je n'en ai aucune idée. »

D.D. prit acte de la réponse, s'écarta insensiblement. Rosa et Keynes en firent autant. Ethier quant à elle restait plantée là, K.-O. debout, alors que sa nuit de travail ne faisait que commencer.

« Dernière question, dit D.D. : on utilise des paillettes ici ? »

Les toilettes. Le Tonic y mettait gracieusement un panier d'articles à la disposition de ses clients, hommes ou femmes. D.D. et Rosa visitèrent les sanitaires pour dames, tandis que Keynes se chargeait du côté messieurs. D.D. trouva presque aussitôt ce qu'elle cherchait : un gel capillaire contenant des paillettes dorées. Elle passa un rapide coup de fil à Keynes pour apprendre qu'il avait fait la même découverte. Rien de tel qu'un peu de poussière d'étoiles dans les cheveux pour le fêtard averti au seuil d'une longue soirée.

Elle leva le gel à la lumière des plafonniers pour regarder miroiter les différentes particules dorées. Comme l'avait dit Alex, elles avaient l'air spécifiques, singulières. Et collantes. Il y avait des chances que, même après un lavage des mains, même après une douche, de minuscules fragments scintillants restent accrochés plusieurs jours.

Attendant d'être transférés des mains d'un kidnappeur à l'appartement d'une victime, ou même à son corps ?

D.D. appela Ben Whitley, qui selon toute probabilité était encore en train d'exhumer le cadavre dans la réserve naturelle.

Il décrocha et se montra aussi charmant qu'à l'ordinaire. « Quelle que soit ta question, je n'ai pas la réponse. Je ne l'avais pas il y a cinq heures, je ne l'ai toujours pas, et si tu ne me fiches pas la paix le temps de finir la levée du corps pour le transférer au labo, il se pourrait que je n'aie plus jamais réponse à rien.

– J'aurais besoin que tu regardes un truc pour moi.

– D.D...

– Il n'y en a que pour une seconde. Est-ce que tu pourrais regarder dans ses cheveux avec une lampe torche ? Cherche de l'or. Des paillettes.

– Ses cheveux sont bruns et complètement saturés de terre. Comment tu voudrais que... Attends. On dirait bien en effet que j'ai des particules qui miroitent. Il se pourrait que j'aie des paillettes sous les yeux.

– Tu pourrais m'en prélever un petit échantillon ? Je vais envoyer un agent les chercher tout de suite. Merci, Ben. »

D.D. raccrocha et resta pensive.

Rosa se posta derrière elle. Elle semblait fatiguée, mais aussi maîtresse d'elle-même que d'habitude. « C'est important, les paillettes ?

– Oui.

– Mais qu'est-ce qu'elles nous disent ?

– Elles nous disent, voyons... » D.D. avançait encore à tâtons dans cette affaire qui comportait plus de questions que de réponses. « Elles nous disent que mon mari avait raison. Natalie Draga, Kristy Kilker, Stacey Summers, votre fille : toutes ces disparitions sont liées. »

Et, regardant Rosa, elle ajouta : « Les paillettes ont parlé. »

35

Des rires. Jacob avait un joint. Ils se le faisaient passer, la tête penchée l'un vers l'autre, et ils pouffaient comme des gamins. Assise toute seule à la petite table de cuisine, je frictionnais mes bras nus pour les réchauffer et je les regardais dans le salon.

En fin de compte, la nouvelle fille n'avait rien de nouveau. Elle avait reconnu Jacob et tendu ses longs bras laiteux pour l'accueillir. Et lui l'avait enlacée, serrée très fort. Il l'avait prise dans ses bras. Jacob l'avait prise dans ses bras.

Il y avait bien longtemps que personne ne m'avait prise dans ses bras.

Pas depuis l'époque de la femme qui ressemblait à ma mère et qui portait un pendentif en forme de renard.

Au début, Jacob hésitait à entrer dans le jardin. « Non, disait-il. La dernière fois qu'elle m'a chopé, elle a dit qu'elle appellerait les flics. Ce serait fini. J'aurais mon ticket pour la taule et on sait tous les deux que je n'y retournerai pas.

— Alors c'est tant mieux qu'elle ne soit pas là, a répondu la nouvelle fille, les mains toujours posées sur les épaules de Jacob.

— Allez. Tu n'as pas besoin de ce genre de complications. Je passais juste dans le coin... J'ai eu envie de te faire coucou.

— *Coucou »*, *a-t-elle dit, et je vous jure que les yeux de Jacob étaient brillants de larmes.*

« *Je ne veux pas t'embêter, a-t-il murmuré. Tu avais raison, la dernière fois : je suis un connard. Je devrais me tenir éloigné.* »

Mais il ne bougeait pas d'un pouce et elle non plus.

« *J'étais furieuse, a-t-elle brusquement répondu. La dernière fois qu'on s'est vus. Ces choses que tu m'as dites... je n'étais pas prête à les entendre. Peut-être que je ne voulais pas savoir. Mais depuis, j'ai réfléchi. Il m'est même arrivé d'espérer que tu repasserais, pour qu'on puisse discuter. Parce que je pense qu'il y a sans doute du vrai dans ce que tu disais.*

— *Comment ça ?*

— *Tu sais ce que je veux dire.*

— *Lindy...*

— *Allez, viens. Entre. Une petite visite. Qu'on se raconte ce qu'on devient. Cette fois-ci, je t'écouterai, je te le promets.*

— *Mais si jamais elle...*

— *Elle ne reviendra pas. C'est la vérité. Elle est partie et elle ne reviendra jamais.* »

Ça a suffi à le convaincre. Il a cessé de résister et il a suivi cette fille magnifique dans le jardin brûlé par le soleil. Dans leur sillage, j'étais déjà oubliée.

Je détestais cette nouvelle fille qui n'était pas nouvelle. Ses longs cheveux noirs, la lueur dans ses yeux bruns. Cette façon qu'elle avait de me sourire, comme si elle savait des choses que j'ignorais. Que j'étais seulement de passage, par exemple, tandis qu'elle serait toujours sa grande histoire d'amour.

La maison était mocharde. Dans la cuisine, du lino sale, beige clair. Des placards fatigués aux portes affaissées. Des meubles rafistolés à grands coups de scotch argenté. Ça m'a réconfortée. Un instinct primaire féminin : au moins ma maison est plus jolie que la tienne.

Sauf que je n'avais plus de maison. Je n'avais qu'une caisse en forme de cercueil à l'arrière de la cabine de Jacob.

J'étouffais. Sans savoir pourquoi. Ma gorge se serrait, mon cœur battait trop vite.

Jacob tenait le couteau contre lui. Et il buvait et fumait avec cette fille, la légendaire Lindy dont il parlait dans son sommeil. Ils étaient ensemble. Avant. Aujourd'hui. À jamais. Elle serait toujours à lui.

Ce qui faisait de moi un être complètement inutile. De la pâtée pour alligator. Littéralement une moins-que-rien.

J'allais être malade. Sauf que je n'avais pas assez mangé ces derniers temps pour vomir. Mes mains tremblaient, mon genou gauche était agité de secousses incontrôlables. Le stress, la peur, l'épuisement, la faim. Choisissez. Je souffrais mille morts.

Pendant que Jacob, vautré dans le canapé, riait et fumait de l'herbe avec la plus belle fille que j'aie jamais vue.

Je ne sais pas quand je suis entrée en action. Mais je l'ai fait. J'ai quitté la table. De toute façon, ni l'un ni l'autre ne me prêtait la moindre attention. Je me suis dirigée vers la collection hétéroclite de tiroirs déglingués, de placards désarticulés.

La cuisine la plus miteuse du monde, mais quand même une cuisine. Et dans toutes les cuisines on trouve le même type d'ustensiles. Des couteaux, par exemple.

Le couteau à éplucher, court et facile à dissimuler ? Ou peut-être le couteau de boucher. Pour y aller à fond dans la folie meurtrière.

En fin de compte, j'ai opté pour un modèle intermédiaire. Sans vraiment y réfléchir. Puisque la nouvelle fille n'était pas vraiment nouvelle, je pouvais bien prendre une décision sans vraiment décider.

Des gloussements. Des rires aigus. Joyeux.

Et un instant...

Je suis chez moi. Je roule sur un lit, bras et jambes emmêlés avec ceux de ma mère, de mon frère. Et on se marre
comme des baleines. Ça, c'est maman. C'est maman qui se
tord de rire !

La douceur du duvet, l'odeur de la pluie de printemps et
de la terre riche et lourde de l'autre côté de la fenêtre. Le
fou rire de ma mère, de mon frère, qui résonne.

La maison. La maison, la maison, la maison.

*Brusque retour à la réalité. J'ai regardé mon bras maigre
et décharné. J'ai contemplé la main qui tenait le couteau de
cuisine. Et j'ai compris pour de bon que je ne rentrerais plus
jamais chez moi. Plus jamais je ne roulerais sur ce lit. Plus
jamais je ne rirais avec ma famille.*

*Plus jamais je ne connaîtrais ces moments, ni ne serais cette
personne.*

Cette fille-là était morte.

*Il ne me restait plus que l'instant présent, cette maison, ce
couteau dans ma main.*

*J'ai levé mon autre poignet, étudié le réseau de cicatrices
rouges, de veines bleues. Ce serait si facile. Un coup de lame
ici, un autre là. Laisser Jacob nettoyer le carnage.*

Me jeter aux alligators. Comme de la pâtée.

*Ma mère ne saurait jamais ce qui m'était arrivé. Elle n'au-
rait même pas le réconfort d'enterrer mon cadavre.*

Elle méritait mieux que ça.

*Alors, pour elle autant que pour moi, je suis entrée discrète-
ment dans le salon avec le couteau.*

*Ils ne m'ont pas vue venir. Trop occupés à chuchoter, à ricaner
en évoquant le bon vieux temps, je ne sais pas. La tête baissée,
les cheveux gras et grisonnants de Jacob se mêlant à ceux de la
fille, sombres et soyeux.*

Du coup, ç'a été facile de porter le premier coup. J'ai levé le bras bien haut, comme dans tous les films d'horreur que j'avais vus, sauf que cette fois-ci c'était moi l'agresseur au regard fou et pas un étudiant aux yeux de biche.

Personne n'a envie d'être un monstre.

Vous croyez ?

J'ai frappé.

Un hurlement, strident, suraigu. Le mien ? Non. Celui de la jolie fille. Elle s'est levée d'un bond et une tache de sang a fleuri dans son dos à l'endroit où la lame avait raclé son omoplate.

« Merde ! a explosé Jacob, lorsque la peur a percé les brumes de la drogue. C'est quoi, ce bordel, putain… »

Je me suis alors tournée vers lui. J'ai levé le bras.

J'allais frapper…

Quand elle s'est jetée sur moi. La nouvelle qui n'était pas nouvelle s'est battue comme une tigresse. Elle m'a plaquée au sol. Ses ongles m'ont lacéré le visage, elle visait les yeux. Elle m'a hurlé des mots dans une langue que je ne comprenais pas. Pas de l'espagnol. Beaucoup plus exotique.

Par réflexe, j'ai voulu la repousser, oubliant complètement le couteau de cuisine qui m'avait échappé.

Mais elle, elle ne l'oubliait pas. Elle a jeté un regard vers l'arme, à deux mètres de là. Son visage a pris un air fourbe.

J'ai deviné son intention une seconde avant qu'elle ne la mette à exécution. Elle allait de nouveau bondir, cette fois-ci vers le couteau. J'ai roulé avec elle et je lui ai attrapé le bras gauche comme pour la retenir.

Sans jamais perdre son objectif de vue, elle m'a donné des coups de pied, elle s'est étirée et d'un seul coup elle a eu le couteau en main. Elle s'est retournée et dressée au-dessus de moi, à cheval sur ma poitrine. Un sourire féroce aux lèvres. Une bête fauve. Toute à son affaire.

Alors comme ça, ce ne serait pas Jacob qui me tuerait, en fin de compte.

Intéressant.

Le couteau. Elle ne l'a pas levé. Ça n'aurait pas été drôle. Au lieu de ça, elle l'a négligemment fait tourner devant mes yeux.

Elle s'est remise à parler, à proférer tout bas des menaces de mort dans sa langue exotique. Aucune traduction n'était nécessaire pour comprendre qu'elle allait me charcuter. Et qu'elle allait y prendre grand plaisir.

« Arrête ! » La main de Jacob s'est refermée sur son poignet. « Donne ça. Regardez-moi ces deux connes. »

Elle l'a engueulé. En anglais, cette fois-ci. Elle réclamait le droit de finir ce que j'avais commencé. Je n'ai rien dit. Je n'ai rien fait. Mon cœur battait trop vite. Allongée par terre, j'étais une gazelle coincée entre deux lions.

« Elle a son utilité. » C'était la première fois que j'entendais Jacob me reconnaître le moindre mérite. « De toute façon, ce n'est pas à toi de décider. Elle est à moi. Trouve-toi un autre jouet. »

Puis, après un long échange qui se passait au-dessus de ma tête (j'étais à moitié dans les vapes et j'allais m'évanouir parce qu'elle était toujours assise sur ma poitrine), un revirement soudain.

La fille s'est levée et m'a soulagée de son poids ; l'oxygène a de nouveau pu circuler. Elle a cessé de menacer avec le couteau, mais elle me regardait toujours avec un air de triomphe.

« Toi, a dit Jacob en s'adressant à moi, tu as du boulot. »

Il m'a fallu un moment pour m'asseoir, puis me relever en tremblant.

« Tu as agressé ma fille. »

Sa fille ?

« *Tu as violé son hospitalité. Maintenant tu dois payer. Elle exige un dédommagement. Puisqu'elle n'a pas le droit de te tuer, il faut que tu sortes lui trouver un autre jouet.* »

Je ne pouvais pas. J'ai supplié Jacob de toutes mes forces. Il avait déjà essayé : va parler à cette femme dans le bar. Va me baratiner cette fille dans le coin. Amène-la-moi.

Jusque-là, j'avais toujours réussi à détourner son attention. Reprends donc une bière. Rentrons au camion. Mettons une autre chanson dans le juke-box.

Mais là, il ne voulait rien entendre. J'allais sortir avec eux, j'allais nouer connaissance avec la fille de leur choix et je la leur présenterais.

Sinon, Jacob me laisserait seule avec sa fille et tout un assortiment de couteaux de cuisine.

Histoire d'appuyer ses propos, elle a brandi le couteau, elle a fait glisser la lame sur mon avant-bras et nous avons toutes les deux regardé avec fascination le sang perler sur ma peau.

J'ai fini par céder. On se dit qu'on sera fort. Que c'est impossible, ça ne peut pas empirer. On se dit même qu'on préférerait mourir.

Mais la vérité, c'est qu'il est difficile de renoncer à la vie. Je ne sais pas pourquoi. Ç'aurait été plus logique. J'aurais dû suivre mon premier mouvement et m'ouvrir les veines dans la cuisine.

Mais je ne l'avais pas fait. Et je ne l'ai jamais fait.

Je voulais survivre.

Mais maintenant... ça.

J'ai mis un pansement sur l'épaule de Lindy. Je n'avais touché que de l'os, traçant un sillon tout en longueur mais superficiel sur son omoplate. Le lendemain matin, elle ne sentirait plus rien.

Seule ma terreur n'aurait pas de fin.

Lindy a mis une robe violette, une teinte si foncée qu'elle en était presque noire. On m'a donné des vêtements à elle, un vieux jean qui tombait presque de mes hanches décharnées et un tee-shirt noué sous ma poitrine. Lindy avait une voiture. Un tas de boue aussi coquet que sa maison.

Jacob a pris le volant. Assise avec moi à l'arrière, Lindy jubilait à l'idée de ce qui allait arriver.

« Ça fait longtemps que vous vivez ici ? ai-je essayé de savoir. Vous voyez souvent votre père ? » J'ai buté sur le mot père, *mais Lindy refusait de parler. Toutes ses pensées étaient tournées vers sa récompense : une nuit de plaisir en ville.*

Le bar choisi par Jacob était un bouge, une baraque qui tenait à peine debout au bord d'une plage qui existait à peine et où, vantait la pancarte, la bière n'était pas chère. Le genre d'endroit à faire frémir les clients exigeants et à faire pousser des cris de joie aux poivrots invétérés. Le genre d'endroit où Jacob était comme chez lui.

Lindy ne passait pas inaperçue. Trop jeune, trop belle avec sa robe aubergine et ses longs cheveux dénoués. Les hommes la regardaient avec une concupiscence immédiate, les femmes avec une haine tout aussi immédiate. À tous elle souriait d'un air narquois en suivant son père dans le dédale des tables serrées.

Contrairement à elle, personne ne me remarquait. Trop pâle, trop maigre, trop transparente. Même pas une ivrogne, plutôt une héroïnomane.

Faute de savoir quoi faire d'autre, je les ai suivis jusqu'au vieux bar en bois flotté. Par association, ça m'a fait remonter dans l'estime générale.

Jacob a commandé des tequilas. Une tournée pour tous les trois, et un incendie s'est aussitôt déclaré dans mon estomac vide et rétréci. Dès le premier verre, j'avais le regard vitreux. Après le deuxième, je tenais à peine debout.

Ils me saoulaient pour que j'obéisse, ou par compassion, puisque Jacob savait que je ferais de toute façon ce qu'il me dirait.

Personne n'a envie d'être un monstre.

Mais certains le sont malgré tout de naissance. Et d'autres, qui ont des coupures qui saignent sur les bras et suffisamment de tequila dans le ventre...

Lindy m'a donné une bourrade dans l'épaule et m'a désigné un coin du regard.

Il y avait une femme à une table, les yeux fardés à outrance, un haut tube moulant qui peinait à contenir sa poitrine volumineuse. Elle n'était ni jeune ni jolie. Plutôt la quarantaine empâtée. Une professionnelle, ai-je alors compris. Parce que les bars comme celui-là attirent autant les prostituées que les alcooliques.

« Dis-lui qu'on veut s'amuser, m'a ordonné Lindy. On connaît un endroit et on a l'argent. »

Je n'ai pas bougé. Alors Jacob m'a bousculée. « Tu l'as entendue. Vas-y. »

Je me suis écartée du bar et il m'a fallu beaucoup de concentration pour garder l'équilibre. Un pied devant l'autre. Je passais à côté des tables. Vers les ombres du coin.

Vers la femme qui attendait là-bas.

Quand je me suis approchée, elle m'a dévisagée d'un air interrogateur. Même pour moi, c'était difficile de ne pas regarder toutes ces chairs qui débordaient de ce haut beaucoup trop petit. Mais je me suis forcée à trouver ses yeux, pour découvrir qu'ils étaient durs et calculateurs, mais aussi bruns. Des yeux bruns. Comme ceux de sa mère ? Comme ceux de sa fille ?

Tout individu est une personne.

Il n'y avait que moi qui étais devenue un objet.

« Sauve-toi », ai-je dit dans un filet de voix. Est-ce que c'était à elle ou à moi que je parlais ?

Voilà. Le moment de vérité était arrivé.

« Mademoiselle ? m'a-t-elle dit.

– Je m'appelle... » Mais comment est-ce que je m'appelais, déjà ? Qui étais-je ? Molly. Non, pas Molly. Un monstre.

« Je vous en prie, partez. Allez-vous-en. Ils... ils... » Il fallait que je dise quelque chose. De très important. La tête me tournait. Trop de tequila, pas assez de nourriture. J'allais être malade.

D'un seul coup, Lindy s'est trouvée à côté de moi et elle serrait mon avant-bras à l'endroit où elle l'avait tailladé tout à l'heure. D'une main de fer.

« On cherche à organiser une petite soirée, a-t-elle dit presque en roucoulant. Une soirée très privée... »

La femme a accepté de venir avec nous ; son regard nous a quittées pour se poser sur Jacob. Elle a eu le haussement d'épaules philosophe d'une femme qui avait vu pire.

« Tous ensemble ? » a-t-elle demandé, et j'ai failli vomir.

« Non, a corrigé Lindy, juste l'homme. Mais je veux regarder. »

Nouveau haussement d'épaules.

Ne faites pas ça, voulus-je lui dire.

Mais je ne retrouvais pas ma voix. Je ne retrouvais pas ma volonté.

Je savais seulement comment survivre.

Je ne savais pas comment sauver quelqu'un d'autre.

Jacob a conduit. Il a roulé vers la maison de Lindy et ensuite... ensuite...

Il y a eu des cris étouffés. Ça a duré longtemps. Il y a eu des grognements et des gémissements, des claques et des glapissements, tout ça dans une pièce où j'ai refusé d'entrer, un endroit que je n'ai jamais vu.

Je suis restée à l'extérieur de la maison, dans le jardin, la tête entre les bras, comme si je pouvais faire abstraction du massacre.

Pour finir, je me suis traînée suffisamment loin pour vomir la tequila. Et mon estomac a continué à se contracter à vide. Ensuite j'ai gratté la croûte qui s'était formée sur mon bras, ne serait-ce que pour me distraire en regardant la coupure saigner à nouveau.

Des heures plus tard, Jacob est sorti. Il ne portait qu'un jean, rien d'autre, son ventre blanc et flasque comme une excroissance obscène. Il dégageait une odeur ignoble. Aigre-douce. Sexe et sueur.

J'aurais recommencé à vomir s'il m'était resté quelque chose dans le ventre.

Il a grogné, allumé une cigarette.

« Ce soir, on l'emmènera dans les marécages. On laissera les alligators faire le gros du boulot. »

Je n'ai rien dit.

Il s'est accroupi et m'a dévisagée.

« C'était elle ou toi. »

Les yeux bruns de cette femme, j'ai pensé. Comme ceux de sa mère. Comme ceux de sa fille.

« Est-ce que vous avez d'autres enfants ? » lui ai-je demandé.

Ça l'a fait rire. « Non, seulement celle-là.

– Et sa mère...

– Elle ne peut pas me sentir. Elle m'a empêché de la voir pendant des années. Mais c'est le truc avec les enfants : ils grandissent. Ils se font leur propre idée. Et maintenant elle veut connaître son papa. Incroyable, hein ? Après toutes ces années... » Jacob souriait dans le noir. « Ma petite fille m'aime. »

Il s'est levé, a écrasé son mégot.

« Maintenant, tu sais des choses, m'a-t-il informée. Tu t'es sali les mains. Quoi qu'il arrive, tu es mouillée. Bienvenue au club. »

36

Mon éclat de bois tout fin, méticuleusement épluché pour qu'il puisse s'enfoncer dans la rainure de la porte, se brise à la seconde où j'essaie de m'en servir pour repousser le pêne. Je m'assois sur mes talons dans le noir, le morceau dans la main. Je pourrais faire une nouvelle tentative, mais quel intérêt ? Le morceau de pin est mince et tendre. La porte est solide et lourde. Pas moyen de forcer l'une avec l'autre.

Derrière moi, la fille gémit. J'entends que le son vient du fond de la pièce, à gauche.

« Oui, je sais », dis-je à voix haute pour encourager le contact entre nous. La communication verbale est d'autant plus importante que je ne la vois pas. Comme moi, elle a maintenant les mains et les bras libres. Dieu sait ce qu'elle va faire. Me sauter dessus par-derrière ? Me prendre à la gorge ? Qu'elle soit une victime ne signifie pas qu'elle soit innocente. J'en sais quelque chose.

Les victimes font ce qu'elles ont à faire pour survivre.

« Ta gueule, Samuel », grommelé-je à haute voix. Du coup, la fille gémit de nouveau.

Je me lève, j'étire mes bras, je tourne mes poignets, ça me fait du bien. Et je réfléchis à ce que je peux faire.

Aucun bruit à l'extérieur. Aucune ombre qui bougerait devant la fenêtre d'observation. La fille et moi n'avons plus nos chaînes depuis au moins trente minutes et jusque-là aucune réaction du public. Est-ce que le Grand Méchant Kidnappeur ne s'est pas encore aperçu que nous sommes libres ? Ou bien est-ce qu'il s'en moque ?

Comment a-t-il apporté des cercueils sans même que je me réveille ?

Comment m'a-t-il enlevée chez moi sans même que je résiste ?

« Arrête ça », me dis-je. Ce n'est pas le moment d'essayer de comprendre le passé. Il faut aller de l'avant.

« Qui est dehors ? » demandé-je à la fille en arpentant notre prison à la recherche de n'importe quel objet susceptible de faire un meilleur levier que des fragments de bois tendre.

Elle reste muette.

« Tu connaissais Devon ? » lui demandé-je. Quelques secondes me sont nécessaires pour me souvenir de son nom de famille, qui m'a été donné il y a une éternité, quand j'étais assise dans la voiture de police. « Devon Goulding. Un barman. Des pectoraux de compétition. Il travaillait au Tonic. Tu le connaissais ? »

Plus de gémissement. Une brève inspiration. Elle se rappelle, j'en jurerais.

« Je l'ai tué, lui dis-je comme pour faire la conversation. Je lui ai jeté de l'antigel et du permanganate de potassium sur la tête et les épaules. Feu chimique. Il a brûlé vif. »

Un autre hoquet de stupeur.

« Ça te fait plaisir ? De savoir qu'il a souffert. Qu'il est mort. Ou bien est-ce qu'il te manque ? »

Je n'avais pas l'intention de donner à ma voix des accents compréhensifs, voire nostalgiques. Mais on ne contrôle pas tout.

« L'homme est mort ? » Sa voix est rauque, mais au moins elle se décide enfin à me parler.

« Ce n'est pas moi qui t'ai enlevée, lui dis-je.

– Je n'en sais rien.

– Comment ça, tu n'en sais rien ? Comment peux-tu ne pas savoir ce qui t'est arrivé ? »

Elle ne répond pas. J'aurais dû m'en tenir à la voix compréhensive. La compassion n'est pas mon fort.

« Le Tonic. En centre-ville. Ça te dit quelque chose ? » Je suis arrivée au seau en plastique. Je le soulève, je le soupèse. Ç'aurait été super d'avoir une anse en métal. Même une anse en plastique aurait pu faire l'affaire. Mais non, pas de chance. Rien qui puisse faire levier. Et si je lançais le seau dans la vitre d'observation pour essayer de la briser ? Je le fais tourner entre mes mains, sceptique. Il est trop léger, le miroir sans tain certainement solide. Mais je le garde quand même. Si la fille se jette sur moi, je pourrai toujours lui en filer un coup sur la tête, façon grosse farce.

« Le Tonic », murmure la fille, comme si elle avait déjà entendu ce nom dans une autre vie.

« Des murs noirs, des lumières fluo, des musiciens d'enfer », commencé-je, avant de m'interrompre. Des murs noirs ? Spontanément, je pars vers la droite jusqu'à percuter un des murs, justement. Le sol, les murs, le plafond, les fenêtres, tout a été peint en noir. Est-ce que ça peut être une coïncidence ?

Devon Goulding m'a prise par surprise vendredi soir, en surgissant d'un seul coup et en assommant ma première cible. Et pourtant, quand j'ai repris connaissance dans son garage… il m'a paru arrogant et inexpérimenté. Un prédateur, c'est certain, mais un prédateur de ce niveau ?

Un prédateur qui aurait une chambre noire, un penchant pour les nuisettes en soie et les entraves compliquées ?

Sans parler du fait que je l'ai supprimé et que je me suis quand même retrouvée là.

Et pourtant, pourtant... Une boîte de nuit connue pour son bar entièrement noir. Et une chambre repeinte en noir. Est-ce que ça peut vraiment être un hasard ? Je me demande si d'autres choses m'ont échappé vendredi soir.

Plusieurs des amis de Stacey m'avaient dit qu'ils fréquentaient le Tonic aussi bien que le Birches. Par ailleurs, étant donné la proximité des deux établissements, les employés des deux boîtes se connaissaient, allaient prendre des verres dans l'une ou l'autre à la fin de leur service. Dans mon esprit, ça valait le coup de vérifier. Après tout, l'innocence des employés du Birches avait été établie, mais quid de ceux du Tonic, dans la même rue ?

Les chances étaient minces, mais apparemment j'avais visé plus juste que je ne le pensais.

« Le Birches », dis-je à voix haute, juste pour voir quelle réaction je vais obtenir de la part de ma compagne de cellule.

Elle hoquette de nouveau, c'est sa façon d'accuser réception.

« Stacey Summers », dis-je.

Un gémissement en guise de réponse. Confirmation, dénégation ? Qu'est-ce que je ne donnerais pas pour un mince rayon de lumière.

« La dernière chose dont tu te souviennes ? »

Elle ne répond pas. Je me creuse la cervelle pour trouver une meilleure approche. De quoi est-ce que je me souvenais, au début ? Ou, plus exactement, qu'est-ce que je m'autorisais à savoir encore ? Parce qu'on n'oublie pas d'un claquement de doigts toute sa vie, son identité, les gens qui nous aiment. Mais on met ces images dans une boîte, on les enferme. Parce que penser à ces choses-là, les avoir connues, est trop douloureux. Ces souvenirs font de vous un être humain, et ça ne cadre pas avec votre nouveau rôle d'objet inanimé.

Et ce n'est pas parce que la police débarque un jour comme une bande de cafards en carapace noire, l'arme au poing et des ordres à la bouche, que ça ouvre les portes de la mémoire. Je les ai plutôt fermées à double tour, aussi désorientée par la liberté que je l'avais été par la vie dans une caisse en forme de cercueil.

J'ai retrouvé la fille. J'ai littéralement buté sur elle pendant que je cherchais des ressources. Elle est recroquevillée dans un coin et je me suis pris les pieds dans les siens. Le contact l'a fait tressaillir. Je la sens qui recule, puis, comme elle n'a nulle part où aller, se faire plus petite.

Ça me touche. Encore une fois, sa réaction ne m'est que trop familière. Je l'ai moi-même essayée bien des fois. Mais ça n'a jamais marché. Au bout du compte, Jacob obtenait toujours ce qu'il voulait.

Jusqu'à ces tout derniers instants, sa cervelle et son sang dans mes cheveux…

Je m'agenouille. Je parle d'une voix douce.

« Moi, je rêvais de renards, raconté-je tout bas à la fille dans le noir. Je rêvais que je courais avec eux dans la forêt. Que j'étais sauvage et en liberté. Et même si je finissais toujours par me réveiller, c'était bon de rêver. »

Elle ne répond pas.

« Ce n'est pas grave, tu sais. Les victimes font ce qu'elles ont à faire pour survivre. C'est Samuel qui me l'a expliqué. Quand on sortira d'ici, je te le présenterai. Il devrait te plaire. »

Et comme elle ne répond toujours pas : « Tu feras des cauchemars quand ce sera fini. C'est drôle. On s'en sort, mais ça ne nous quitte jamais vraiment. On ne se rend pas compte à quel point c'est confortable de traverser la vie en se disant que jamais une chose pareille ne nous arrivera. Jusqu'au jour où cette certitude n'existe plus. À ce moment-là, à chaque reportage télé, à chaque article qu'on lit dans le journal... on ne peut pas s'empêcher de se dire que ça pourrait être soi. Je me suis documentée. Ç'a été ma façon de réagir. J'ai appris à me défendre, pour que plus jamais un gros porc en sueur ne puisse m'enlever sur une plage. J'ai appris à crocheter les serrures pour ne plus jamais être enchaînée. » Je me masse les poignets, souris d'un air penaud dans le noir. « Ça, au moins, ça m'a servi. Ce que j'essaie de te dire, c'est que la peur ne disparaît jamais réellement, mais qu'il y a des solutions. On peut se reconstruire. Redevenir une personne. Regarde Elizabeth Smart, Jaycee Dugard. Elles ont réussi. »

Mais pas moi. Je ne le dis pas. Je ne veux pas la démoraliser. Et mes échecs ne seront pas nécessairement les siens.

Mon objectif, le but que je me suis donné dans la vie, n'est certainement pas de ceux qui produisent des dénouements de conte de fées.

Je ne l'ai formulé à voix haute qu'une seule fois, il y a cinq ans. Je me suis penchée vers Jacob pour lui susurrer ma promesse à l'oreille. Je lui ai dit exactement ce que j'allais faire un jour. Juste avant de lui coller le canon du pistolet sur le haut du crâne et de tirer.

Son sang et sa cervelle dans mes cheveux.

Tous mes rêves ne sont pas des cauchemars.

« Devon Goulding est mort. » Je prends une dernière fois la température. « Je le sais. C'est moi qui l'ai tué. »

La fille répond enfin. « Vous ne comprenez pas.

– J'essaie, pourtant.

– Vous n'auriez pas dû lui faire de mal.

– J'étais obligée. C'était vendredi soir.

– Maintenant, ça va être pire.

– Qu'est-ce qui va être pire ?

– Ce qui va nous arriver, répond-elle tout bas. Ça va être cent fois pire. »

Je la laisse dans son coin. J'en ai ma claque des prédictions sinistres. Ce que je veux, c'est m'évader. Je retourne au matelas et retrouve le ressort que j'avais tordu pour crocheter les serrures des menottes. Dans ma tête, pour rétracter le loquet, j'imaginais un objet plat et tout en longueur. Mais je change mon fusil d'épaule : peut-être qu'un ressort de matelas pourrait faire l'affaire. C'est plus rigide que du pin. Et si je recourbe l'extrémité pour lui donner la forme d'une cuillère ou d'un de ces instruments dont on se sert pour tremper les œufs durs dans des tasses pleines de colorant à la veille de Pâques...

Je n'ai rien de mieux à essayer.

Je me débats une fois de plus avec le matelas, je retire à mains nues des tonnes de mousse et de rembourrage, et de nouveau il y a cette odeur de moisi, végétale. Je n'arrête pas d'éternuer, mais je m'accroche. Les ressorts sont reliés les uns aux autres. Dans le noir, je ne vois pas de quelle manière, alors je suis obligée de tirer, pousser, tourner, tordre, avec des doigts déjà en charpie et sanguinolents. Convertir l'extrémité d'un ressort en clé de menottes était une opération beaucoup plus simple. Celle qui consiste à prélever un ressort entier se révèle pratiquement impossible. Là encore, mon royaume pour un rayon de lumière. Si seulement je pouvais voir ce que je fabrique...

Mes doigts meurtris me semblent lourds, engourdis. Je suis fatiguée. Fatiguée à en mourir. J'ai juste envie de m'allonger pour dormir. Mes paupières se ferment toutes seules, je dois lutter pour les garder ouvertes. Le stress me rattrape. J'ai de nouveau faim, mais comme j'ai perdu la notion du temps, j'ignore totalement combien d'heures se sont écoulées depuis la dernière fois que j'ai mangé.

La faim. La soif. Il y a de l'eau quelque part. Je devrais faire une sieste. Mais il faut encore que j'arrache ce fichu ressort.

Mes paupières se ferment toutes seules...

Des doigts agrippent mes épaules, comme des serres.

Je me réveille en sursaut, me tortille furieusement, donne un coup de coude en arrière. Mais la fille, qui a fini par se secouer, se montre étonnamment forte.

« Le matelas, dit-elle, il faut vous éloigner du matelas. Éloignez-vous. »

J'essaie de me dégager, mais mes gestes sont léthargiques. Puis, aussi brusquement qu'elle m'avait agrippée, elle me lâche. Je bascule en arrière comme un vilain scarabée, les pattes en l'air.

Je dois cligner des yeux et me concentrer pour me redresser. Et même comme ça, je me sens groggy et j'ai encore envie de dormir.

« C'est dans le matelas, dit-elle.

– Qu'est-ce qui est dans le matelas ? marmonné-je.

– Je ne sais pas. Mais le matelas... vous allez vous endormir. Il fait dormir. »

Le matelas contient une drogue, il a été contaminé ou on y a ajouté quelque chose, voilà ce qu'elle essaie de me dire.

J'avais raison dès le début : la chambre est piégée, mais pas avec du somnifère en poudre dilué dans l'eau de la bouteille ni avec un gaz soporifique qui serait diffusé par la ventilation. C'est le matelas.

« Il nous faut un ressort, lui dis-je. J'en ai sorti un. Il doit être près du haut du matelas. Il nous le faut. »

La fille ne répond pas. Elle s'éloigne d'un pas traînant. Sa côte, évidemment. Elle est toujours blessée et marcher doit être douloureux. Mais elle ne se plaint pas, retourne au matelas, tâtonne pour trouver le ressort.

Et puis elle revient. Je sens le fil de fer contre mon bras.

« Je ne comprends pas qui vous êtes, dit-elle.

– Une fille comme toi. Sauf qu'à une époque, j'ai échappé aux ténèbres.

– Vous pouvez nous faire sortir d'ici ?

– Oui.

– Nous emmener loin, très loin ? Je ne veux plus jamais revenir.

– Tu es une survivante », dis-je, autant pour moi que pour elle. « Tu peux tout faire.

– Je veux rentrer chez moi.

– Dis-moi ton nom. Tu veux sortir d'ici ? Alors il faut te rappeler qui tu es réellement. »

Il lui faut un moment. Je comprends ça. Je sais comment ça marche, je suis passée par là.

C'est une chose de survivre. C'en est une autre, beaucoup plus difficile, de recommencer à vivre pour de bon.

« Je m'appelle Stacey Summers, murmure-t-elle. Et je voudrais juste revoir mes parents. »

Sans commentaire. J'ai la gorge nouée. Il y a trop de choses que j'aurais envie de dire et aucune ne serait à la hauteur.

Alors je prends le ressort du matelas. Je le triture avec mes pauvres doigts en sang, je fais une boucle, je le replie sur lui-même pour lui donner une forme de cuillère, le rigidifier. Ensuite je retrouve la porte.

Il me faut quelques instants pour retirer les éclats de bois. Et quand la rainure est dégagée, la partie commence : moi, un ressort de matelas bricolé et les rêves les plus fous de deux jeunes filles. J'enfonce, je remue, je pousse, je secoue. Inlassablement.

Et enfin, je l'entends, presque imperceptible : le déclic, tout petit, très léger, du pêne qui se retire de la gâche.

Je donne une poussée. Très doucement. Presque timidement.

La porte pivote. S'ouvre en grand.

Je n'ai aucune idée de ce qui nous attend.

37

« C'est Kristy Kilker qu'on a retrouvée. » D.D. était venue rendre compte à son supérieur, Cal Horgan.

« Quel degré de certitude ?

– Quatre-vingt-dix pour cent. Ben a relevé un tatouage en forme de papillon sur l'omoplate droite. La mère a confirmé que Kristy avait le même. L'analyse dentaire lèvera tous les doutes, mais nous sommes relativement certains que les restes sont ceux de Kristy Kilker.

– Et Stacey Summers ?

– Je ne sais pas.

– Il n'y avait pas une deuxième fille ? Un autre permis de conduire dans la chambre de ce Devon Goulding ?

– Natalie Draga, originaire de l'Alabama. Je ne sais pas non plus ce qu'elle est devenue.

– Et Flora Dane ? insista Horgan.

– Comme je le disais, nous avons retrouvé Kristy Kilker.

– Et une sur quatre, ce n'est déjà pas si mal ? » railla Horgan. D.D. fit grise mine. Son supérieur changea d'angle d'attaque : « À part ça, de nouvelles pistes ?

– Le criminel aime le gel capillaire à paillettes.

– C'est une blague ?

– En fait, je n'en sais rien. On attend encore les analyses du labo sur les différents échantillons. Mais nous avons retrouvé des paillettes dorées à l'extérieur de l'appartement de Flora, dans les cheveux de Kristy et dans les toilettes du Tonic.

– Le Tonic ?

– La boîte où travaillait Devon Goulding. De même que Natalie Draga jusqu'à sa disparition. Et les autres disparues fréquentaient ce night-club, y compris Stacey Summers. Ses amis nous ont indiqué qu'ils y allaient à l'occasion et deux d'entre eux en ont fait part à Flora Dane. »

Horgan croisa ses mains sur son ventre. « Ça tendrait à confirmer que Devon Goulding est à l'origine de toutes ces disparitions, y compris celle de Stacey Summers. »

D.D. hésitait.

« Crachez le morceau, lui ordonna Horgan.

– Nous n'avons rien retrouvé chez Goulding qui le relie à Stacey Summers. Pourquoi conserver les trophées de deux victimes, mais pas de la troisième ?

– Sa disparition a fait plus de bruit et la scène de l'enlèvement a été filmée. Il a peut-être pris peur.

– Je ne crois pas que ces types fonctionnent comme ça. Conserver des trophées est un comportement compulsif chez eux. Et puis où est le corps de Stacey ? Celui de Natalie ? Pourquoi en avons-nous retrouvé une, mais pas les deux autres ? »

Horgan l'observait sans mot dire.

« Sans compter qu'il y a le problème Flora Dane, continua D.D. Elle a disparu *après* la mort de Goulding. En même temps, dans son cas… nous n'avons même pas la certitude qu'elle a été enlevée. Il est possible qu'elle ait simplement décidé de mettre les voiles. C'est peu probable, mais possible.

– Rappelez-moi ce que vous savez, déjà ? lui demanda son supérieur.

– Bonne nouvelle, monsieur : nous avons retrouvé le corps de Kristy Kilker. »

C'était une journée comme ça, pour D.D. Une affaire comme ça, en fait. Elle se réfugia dans son bureau et y retrouva une pile grandissante de rapports. Elle les regarda avec des yeux ronds et s'encouragea à se montrer une bonne superviseuse. Assieds-toi. Lis. Attache-toi aux détails. Coordonne les opérations. Peut-être l'indice suivant l'attendait-il quelque part au milieu de cette montagne de papier, mais elle n'y croyait pas. Cette affaire ne livrait pas d'informations, elle défiait le sens commun.

Des coups à la porte. Elle leva les yeux de son bureau et découvrit Keynes sur le seuil, tiré comme toujours à quatre épingles, avec une serviette en cuir brun lustré qu'elle n'aurait pas osé qualifier de sac à main. Pas devant lui, en tout cas.

« Où est Rosa ? demanda D.D.

– Si j'étais homme à faire des paris, je dirais dans une cuisine à préparer des gâteaux. Vous lui avez donné l'autorisation d'aller chez Flora ?

– Elle y est allée ce matin – je suis sûre que vous le savez –, mais les techniciens de scène de crime ne sont pas encore prêts à libérer les lieux. »

Keynes hocha la tête, entra dans son bureau. Il portait son manteau en cachemire. Elle aurait dû se lever, le lui prendre, lui proposer un verre d'eau. Mais elle ne pouvait pas se résoudre à faire quoi que ce soit et resta donc à attendre, passive.

« C'est le Tonic, lança-t-elle d'un seul coup. Ce qui est arrivé à ces filles a forcément un rapport avec cette boîte. Et avec Devon Goulding. À ce propos : j'en veux vraiment à Flora. Quand je suis arrivée chez Goulding, j'étais en rogne, mais maintenant je suis carrément furax. Elle n'aurait jamais dû le tuer. Vivant, il pouvait répondre à toutes nos questions. Mort, il est complètement inutile. Quand on retrouvera Flora, je compte bien l'inculper pour au moins une demi-douzaine de délits, rien que pour me soulager. »

Keynes retira son manteau, le suspendit au portemanteau dans le coin de la pièce, s'assit.

« Vous voulez mon avis de spécialiste ? demanda-t-il.

– Je vous en prie.

– La patronne, Jocelyne Ethier, a eu une liaison avec Devon Goulding.

– Sans blague ? C'est tout ce que vous avez à m'apprendre ? Même moi qui ne suis qu'une simple flic, je l'avais deviné. Une femme bafouée. C'était pratiquement écrit sur son front. »

Keynes haussa les épaules. « Elle a menti. Reste à savoir si elle a menti parce qu'elle était gênée ou parce qu'elle avait autre chose à cacher.

– Encore une question à creuser à nos heures perdues. Le problème, c'est que nous croulons sous les questions. Il nous faut une information. De nouveaux indices, du concret.

– C'est pour ça que je suis là.

– Vous m'apportez un nouvel indice, du concret ?

– Je vous apporte une information. Au sujet de Jacob Ness.

– Il est mort.

– Oui, confirma Keynes, mais pas sa fille. »

« Là où cette information prend tout son intérêt, c'est que Flora ne l'a jamais révélée.

– Comment ça ?

– J'ai débriefé Flora pendant sa convalescence à l'hôpital. Elle avait passé un accord avec moi : elle raconterait son histoire, une fois, à une personne. Et ensuite plus jamais. Elle m'a fait l'honneur de me choisir. Et elle a parlé. Parlé, parlé, parlé. Quatre cent soixante-douze jours. Elle avait beaucoup à raconter. Et pourtant, malgré toutes les anecdotes, tous les récits horrifiants, toutes les révélations que j'ai entendus… jamais je ne me risquerais à dire que je sais tout ce qui s'est passé entre Flora et Jacob. Pour chaque épisode que Flora me racontait, je devinais qu'elle en taisait d'autres. C'est fréquent chez les victimes. Elles sont traumatisées, sous le choc, et dans bien des cas rongées par un sentiment de culpabilité.

– Parce qu'elles ont survécu ? Ou à cause de ce qu'elles ont fait pour survivre ?

– À vous de voir. Ça reste un sentiment de culpabilité. »

D.D. se pencha vers lui. « L'agent du FBI qui a mené l'assaut, Kimberly Quincy, m'a confié qu'elle avait encore des interrogations sur tout ce qui s'était passé pendant la captivité de Flora. Une histoire de traces ADN, de cheveux appartenant à d'autres femmes retrouvés dans une caisse à l'arrière du camion.

– Flora ne serait pas la première victime de kidnapping qu'on aurait forcée à participer à l'enlèvement d'autres victimes.

– C'est vrai.

– Vous savez ce qui est le plus difficile quand on survit à une telle épreuve, commandant ?

– Je suis sûre que vous allez me le dire.

– Vivre avec ce qui est arrivé. C'est le cas de tous ceux que j'ai eu l'occasion de débriefer. Tous étaient absolument certains que si jamais ils s'en sortaient, s'ils réussissaient à surmonter cette épreuve, plus jamais ils ne se plaindraient, plus jamais ils ne manqueraient de rien, plus jamais ils ne souffriraient. Ma première mission consiste à leur faire comprendre que ça ne se passera pas comme ça. La survie n'est pas une destination, c'est un voyage. Et la plupart des gens que j'accompagne sont encore en chemin.

– Ils dégomment les criminels un par un ? demanda D.D. avec ironie en songeant aux exploits de Flora.

– Quatre cent soixante-douze jours, dont une grande partie enfermée dans un cercueil. Vous croyez vraiment que vous feriez meilleure figure ? »

D.D. se renfrogna. Elle n'avait pas de réponse à cette question et ils le savaient tous les deux. « Donc, cette fille.

– Le FBI a récolté de nombreux échantillons dans la chambre d'hôtel de Jacob et dans son camion. Comme vous l'a indiqué l'agent Quincy, certaines traces ADN appartenaient à d'autres personnes. Et notamment à une femme dont certains marqueurs génétiques correspondent à Jacob lui-même. Autrement dit, sa fille.

– On a retrouvé l'ADN de la propre fille de Jacob ? Dans la caisse en bois ?

– Sur des mégots qui jonchaient le plancher du camion. » Keynes ramassa sa serviette en cuir et en sortit un dossier. D.D. le prit et, regardant son bureau, se rendit compte qu'elle n'avait littéralement plus de place pour de la paperasse supplémentaire.

« Qui est cette fille ? demanda-t-elle en posant la chemise en biais sur une énième pile de documents non identifiés.

– On ne l'a jamais su. L'ADN ne correspondait à rien dans les fichiers. Des agents ont cherché du côté des actes de naissance, mais ils n'ont trouvé aucun document portant le nom de Jacob. Bien sûr, il est possible que sa paternité n'ait jamais été déclarée. Et comme nous n'avons aucune idée de l'âge de la fille, c'est difficile d'être précis dans la consultation des bases de données. Si encore les hôpitaux avaient numérisé toutes leurs archives… mais ce n'est pas le cas de nombreuses petites cliniques rurales.

– Est-ce qu'on s'est renseigné auprès des anciennes petites amies de Jacob pour savoir si elles avaient eu des enfants ?

– C'est le problème Devon Goulding », répondit Keynes.

Il fallut une seconde à D.D. pour traduire : « C'est-à-dire que Flora a tué Jacob et que donc on ne peut pas lui demander la liste de ses relations passées. Cette fille est douée pour refermer les portes derrière elle.

– Jacob Ness a vécu discrètement pendant la quasi-totalité de son existence. Un bref passage en prison. Mais à part ça, c'était un solitaire qui allait d'un État à un autre dans son poids lourd, avec pour seule adresse permanente celle de sa mère en Floride. D'après Flora, au moins au début, elle a été séquestrée dans une cave…

– Il y a des caves en Floride ?

– Plutôt des constructions sur dalle. C'est ce qui nous fait penser que Jacob a quitté l'État presque aussitôt après l'enlèvement. Il a indiqué à Flora qu'ils se trouvaient dans les montagnes de Géorgie, mais nous n'avons jamais pu préciser à quel endroit. Quand Jacob travaillait, ses trajets étaient suivis par le système informatique qu'utilisent tous les routiers longue distance. Mais c'était un indépendant et il lui arrivait de rester des semaines sans travailler. Nous ne savons pas où il allait pendant ces périodes. D'après Flora, il aimait prendre ses quartiers dans des motels bas de gamme dans les petites villes du Sud. Mais nous n'avons jamais pu reconstituer tous ses déplacements.

– Encore des questions auxquelles il n'est plus là pour répondre et sur lesquelles elle refuse de s'exprimer ?

– Je ne sais pas si Flora a les réponses, rétorqua Keynes. Difficile de se repérer quand on est enfermée dans une caisse.

– C'est juste.

– Nous savons que Jacob bougeait beaucoup. Surtout dans le Sud. Nous avons la certitude qu'il n'est pas retourné chez sa mère pendant la période où il détenait Flora. Mais nous savons aussi qu'à un moment donné il a rencontré sa fille. Quant à savoir si c'était dans des circonstances heureuses ou malheureuses, nous n'en avons aucune idée.

– Quelle est la position officielle de Flora ?

– Jacob avait un faible pour les prostituées. Elle n'était pas au courant qu'il avait une fille.

– Il avait une esclave sexuelle et il se payait quand même des prostituées ?

– Jacob Ness souffrait d'une addiction au sexe. Il disait que ce n'était pas de sa faute s'il était un monstre. »

D.D. en resta muette de colère. À voir la mâchoire crispée de Keynes, il était du même avis.

« Mais vous pensez que Flora ment et qu'elle sait quelque chose sur la fille. Pour quelle raison ?

– Des petits détails. Vous connaissez le contenu des cartes postales envoyées par Jacob ?

– Pour certaines.

– Jacob y pratiquait l'ironie. "J'ai rencontré un homme séduisant", alors qu'en réalité il venait de l'enlever. "La vue est fabuleuse", alors qu'en réalité elle était enfermée entre quatre planches.

– Je vois l'idée.

– Le dernier e-mail reçu par Rosa : *Je me suis fait une nouvelle amie. Très gentille, je suis sûre que tu l'aimerais beaucoup.*

– Vous pensez que c'était une allusion à la fille de Jacob. Et que s'il disait qu'elle était gentille…

– J'ai explicitement posé la question à Flora. Elle n'a pas voulu répondre. À en juger par l'air totalement absent qu'elle a eu à ce moment-là, peut-être qu'elle en était incapable. Plus j'insistais, plus elle mettait d'acharnement à nier. Mais, même si elle essayait de tenir les réponses à distance, mes questions déclenchaient chez elle une réaction émotionnelle.

– Alors qu'elles auraient dû la laisser indifférente si la fille n'avait pas existé ?

– Exactement.

– Les mégots portant l'ADN de la fille ont été retrouvés sur le plancher de la cabine : ça laisse à penser qu'ils entretenaient une vraie relation. Elle n'était pas séquestrée à l'arrière dans une caisse, mais assise à l'avant, avec une cigarette. Une rencontre entre égaux. Peut-être même des liens affectifs entre le père et la fille. Est-ce que Flora a pu se sentir menacée ?

– C'est possible. »

D.D. réfléchit, prit le dossier que Keynes lui avait apporté et qui était tristement mince. Le profil d'une femme où ne figurait ni nom, ni adresse, ni entourage. Juste des marqueurs génétiques qui trahissaient sa filiation avec un pervers sexuel.

« Pourquoi me donner cette information maintenant ? finit-elle par demander à Keynes.

– Vous n'arrêtez pas de sous-entendre que je tais des choses sur Flora. Vous avez aussi l'air de penser que sa disparition pourrait avoir un lien avec son premier enlèvement. Je n'en sais rien. Personnellement, j'ai encore plus de points d'interrogation que de réponses. Mais je m'inquiète pour elle. Et malgré ce que vous pensez, je suis franc. Tout ce que Flora a pu me confier, je l'ai relayé. C'est mon travail, commandant. Je ne suis pas psy, je suis victimologue. Flora le sait, ce qui explique peut-être qu'elle ne m'ait jamais parlé de la fille de Jacob. »

Keynes désigna le dossier d'un signe de tête. « Maintenant vous savez tout ce que je sais de Flora et du temps qu'elle a passé avec Jacob. Ce n'est pas complet. Ce n'est pas parfait. Mais j'espère pour Flora que ce sera suffisant.

– Un dossier quasiment vide sur une femme non identifiée ? dit D.D. en reprenant la chemise. Ce n'est pas une information. C'est une énième question de plus !

– Vous vouliez tout savoir. Maintenant c'est le cas. »

Keynes se leva, décrocha son manteau.

« Flora n'est pas partie de son plein gré.

– Je sais.

– Donc si elle n'est plus là, c'est qu'elle a été enlevée.

– Et pas par un inspecteur des bâtiments, soupira D.D.

– Ni par Devon Goulding, qui était déjà mort. Alors dans quelle direction chercher ?

– Trouver le lien. La personne qui connaissait les victimes, mais aussi Devon Goulding, répondit D.D. en regardant Keynes. La personne qui soit était la complice de Devon pour les premiers enlèvements, soit y a puisé l'inspiration pour continuer.

– Trouver le lien », convint Keynes.

D.D. regarda la montagne de dossiers sur son bureau et se rendit compte qu'elle avait une mission à accomplir. Elle centralisait les informations, après tout. Chaque enquêteur rédigeait son rapport, mais c'était au superviseur, et donc à elle, d'examiner l'ensemble.

« Il faut que je m'y mette », marmonna-t-elle.

Keynes sourit et la quitta sans un mot de plus.

38

Il n'y a pas de lumière dans le couloir et pourtant il est curieusement plus clair que notre chambre hermétiquement fermée. Je me penche pour y jeter un coup d'œil prudent et il me faut un petit moment pour me repérer. Il n'y a pas de fenêtres, pas de plafonnier, d'où l'obscurité permanente. Mais comme les murs ne sont pas peints en noir, la pièce paraît plus claire, surtout par contraste.

Je compte quatre portes en plus de la nôtre. Une à côté de cette chambre. Deux sur le mur d'en face. La dernière au bout du couloir. Peut-être celle de l'escalier ? Difficile à savoir, elles sont toutes fermées.

Je ne vois aucun signe de vie et je n'entends pas non plus de bruits qui viendraient des autres pièces ou des autres étages, personne qui approcherait. Le couloir n'est pas long ; quatre pièces, ce n'est pas énorme.

Une maison, me dis-je. Nous sommes dans une maison. Combien d'étages compte-t-elle et à quel niveau nous trouvons-nous ? Aucune idée. Si nous sommes encore à Boston, la plupart des constructions ont trois niveaux. Les pièces à vivre se trouvent au premier, les chambres dans les deux étages supérieurs. J'imagine que nous sommes au troisième, aussi loin que possible des pièces communes, où des voisins ou des personnes de passage pourraient nous entendre. Mais je n'en sais rien et ma compagne n'est pas exactement bavarde.

Devant ce couloir vide où se dessinent les rectangles noirs de portes closes, elle est prise de tremblements et tient son côté blessé.

Mon premier réflexe serait d'aller vers la porte du bout, dont j'imagine qu'elle donne sur un escalier. On l'ouvre. On descend. On sort.

Je ne sais pas pourquoi, mais j'ai peur que ce ne soit pas aussi simple.

La fille, Stacey, ne quitte pas des yeux la porte en face de nous. Et ses tremblements redoublent.

C'est là que je commence à m'inquiéter. Qu'y a-t-il derrière cette porte ? Que sait cette fille que j'ignore ?

J'aimerais avoir une arme.

Je n'aime pas les pistolets. Je me souviens encore de ce dernier jour, du poids du .45 dans ma main...

Donc je n'aime pas les armes à feu. Mais un Taser, une bombe lacrymogène, même une bonne vieille batte de base-ball, voilà qui me rassurerait.

J'ai un ressort de matelas plié en deux dans la main. Il faudra m'en contenter.

Je m'avance à pas de loup dans le couloir et je quitte ma prison noire comme l'enfer pour la première fois depuis... eh bien, je n'en ai aucune idée.

Je ne vais ni à droite ni à gauche. Au contraire, en réaction aux tremblements incessants de Stacey, je traverse le couloir, j'empoigne le bouton de la porte et je tire.

La porte s'ouvre vers le couloir, comme la nôtre, ce qui me permet de rester à l'abri derrière le panneau, en partie protégée de toute créature féroce qui pourrait bondir des ténèbres béantes.

J'ouvre d'un coup sec. Je recule. Stacey pousse un petit cri et...

Rien.

Pas un bruit. Pas un mouvement. Ni être humain ni animal qui surgirait du vide. Je jette un coup d'œil dans la pièce, scrute plus attentivement ses profondeurs.

Cette chambre est infiniment sombre. Comme l'était la nôtre. Même peinture noire sur les murs. Du coup, je me demande quels pourraient être les autres points communs. J'ai eu beau explorer ma cellule, jamais je n'ai trouvé d'interrupteur. Alors je tâte le mur du couloir à côté de la porte et, bingo, un interrupteur. J'appuie.

Stacey pousse un cri strident. Je ferme les yeux, mes doigts recherchent précipitamment l'interrupteur pour annuler ce que je viens de faire. Éteindre, éteindre, éteindre.

La lumière nous brûle les yeux. Nous ne la supportons pas. Nous avons passé trop de temps dans le noir.

Je suis hors d'haleine. Stacey, derrière moi, aussi. Je guette des bruits de pas, quelqu'un qui arriverait en courant, alerté par son cri. Les animaux se sont échappés, ils sont sortis de leur cage ! Rattrapez-les !

Mais le calme règne toujours dans la maison. Un calme inquiétant.

Ça me rend nerveuse. Aucune maison n'est aussi calme. De même qu'aucune pièce ne devrait être aussi noire. Qu'est-ce que c'est que cet endroit ? Et qu'est-ce qui s'y est passé ?

Je commence à paniquer. Ma respiration est saccadée, mon cœur s'emballe. À sa manière, la chambre était réconfortante. Un vide aux contours bien définis. J'irais jusqu'à dire : un espace assez luxueux pour une femme jadis enfermée dans une caisse de la taille d'un cercueil. ·

Mais une maison, toute une maison avec des pièces aux issues bouchées, des étages sans nombre, des recoins inconnus…

Je serre le poing, m'oblige à me concentrer. Est-ce que tu es fatiguée, est-ce que tu as faim ou froid, est-ce que tu souffres ?

Non ? Alors tu vas bien.

Je vais bien.

Et je vais sortir d'ici.

L'ampoule s'est allumée, la chambre s'est éclairée, et qu'est-ce que j'ai vu ? J'essaie de me le rappeler, mais rien à faire. Il ne me reste qu'une impression de clarté aveuglante, comme un fer à souder devant mes rétines. Je respire un grand coup. Si je veux savoir ce qu'il y a dans cette pièce, il va falloir que je rallume.

« Regarde ailleurs », ordonné-je à Stacey. Je baisse aussi les yeux et j'actionne de nouveau l'interrupteur.

Je regarde d'abord de biais, mais même l'éclairage indirect fait cligner mes paupières à tout va. Derrière moi, Stacey fabrique Dieu sait quoi. Elle gémit, mais au moins cette fois-ci elle ne crie pas.

Je compte jusqu'à trois, puis je lève un petit coup les yeux, je regarde ce qu'il y a dans la pièce, j'éteins.

Stacey et moi respirons plus librement, et je comprends maintenant son anxiété au sujet de cette chambre : elle contient un fin matelas, un seau en plastique et une chaîne qui pend du plafond.

Je me tourne vers elle.

« C'était ta chambre ? »

Il lui faut un moment avant de me le confirmer d'un signe de tête. Je me tourne vers le reste du couloir, les deux autres portes closes.

« Et ces pièces ? » demandé-je.

Elle hausse les épaules, l'air de plus en plus malheureux. Elle est torturée. Par les traces de sa captivité passée, par l'espoir d'une libération, je ne sais pas. Mais dans la pénombre, son visage est pâle et luisant, comme une lune de cire.

Peut-être qu'elle a une infection et qu'elle est en train de mourir pendant que je l'interroge au milieu de ce couloir.

Je ne sais pas. Je ne sais rien.

Tout en continuant à tendre l'oreille au cas où quelqu'un arriverait, je serre le ressort dans ma main et je me dirige vers la porte suivante.

Il y a des verrous à l'extérieur, mais presque en haut du montant de la porte. Je ne les avais pas remarqués sur la première parce que je ne regardais pas à cette hauteur. À présent je me rends compte que les quatre portes en sont munies. Mais aucun n'est fermé.

Pourquoi ? À quoi bon des verrous si ce n'est pas pour s'en servir ?

Mon malaise s'accroît de nouveau lorsque je m'approche de la porte suivante, que je me place derrière elle et que je l'ouvre d'un coup sec.

Même noir d'encre. Même interrupteur extérieur que j'actionne un instant pour un bref éclair de lumière aveuglante. Même contenu. Un matelas nu, de lourdes chaînes.

Je commence à voir le thème général de la maison, et il n'est pas réjouissant. Dernier morceau du puzzle : la porte à côté de ma chambre.

Stacey ne dit rien. Elle ne fait rien. Debout dans le couloir, elle se tient le côté, les genoux fléchis, pendant que je fais le tour du propriétaire.

Cette dernière pièce est celle qui est équipée d'un miroir sans tain. Celle où, m'imaginais-je, notre ravisseur aimait passer du bon temps en profitant du spectacle. Et maintenant ? Est-ce qu'il attend à l'intérieur, avec toujours une longueur d'avance ? Je vais ouvrir la porte et lui...

Il va m'électrocuter d'un coup de Taser, me droguer ? Se tordre de rire devant notre pitoyable tentative d'évasion ?

J'ai la main qui tremble. Ça me fout en rogne. Je ne veux pas être apeurée, ni angoissée ou intimidée.

Je n'ai pas faim. Je ne suis pas fatiguée. Je n'ai pas froid, pas soif, pas chaud, pas mal.

Je vais bien.

Et je ne vais pas reculer.

J'ouvre la porte. J'actionne l'interrupteur. L'ampoule s'allume.

J'inspire un grand coup, expire à fond. Puis je referme la porte et je me tourne vers Stacey. Pas de Grand Méchant Kidnappeur. Pas de Barbe-Bleue caché dans la nuit. Non, j'ai vu derrière cette porte exactement la même chose que derrière les deux précédentes. Ce qui, en comptant la mienne, nous fait donc quatre chambres peintes en noir, quatre matelas, quatre seaux et quatre laisses métalliques.

Or nous ne sommes que deux.

« Qu'est-ce que tu me caches ? » demandé-je à Stacey.

Elle me regarde. Ouvre la bouche. La referme.

Puis, comme un pantin aux fils coupés, elle s'écroule sans bruit par terre.

Je file droit vers la porte du bout du couloir. La sortie, très certainement les escaliers.

Je me dis que je ne suis pas en train de fuir. Je ne suis pas en train d'abandonner une jeune fille que j'ai déjà poignardée.

Je vais sortir trouver de l'aide. C'est la réaction la plus sensée. Devant une personne blessée, le premier réflexe est d'appeler le 911. Et comme je n'ai pas de portable sur moi, je vais sortir chercher du secours.

J'arrive à la porte, j'attrape la poignée. Une porte lourde, métallique. Comme une porte coupe-feu. Je tourne le bouton et je tire, comme je viens déjà de le faire trois fois.

La porte ne bouge pas.

Je lève les yeux vers l'endroit où les autres étaient équipées d'un verrou. Mais celle-ci n'en a pas.

Du moins de ce côté.

Comment étaient les autres pièces, déjà ? Fermées de l'extérieur. Je pourrais parier que c'est la même chose ici. Autrement dit, la porte donne sur la cage d'escalier et elle est fermée de l'autre côté et non du mien, dans ce long couloir sombre.

Un instant, la colère me submerge. Je claque la porte de la paume de la main. Je lui donne un coup de pied. Je me fais mal à la main et je m'explose les doigts de pied. Cette porte n'est pas en bois ; elle ne tremble même pas. Rien ne l'attaquera.

Piégées. Dans une cage plus large. Tous mes trucs et astuces ne nous ont pas donné la liberté. Juste accès à d'autres pièces noires au sein de notre prison.

J'ai les yeux qui piquent. Mais je ne pleure pas. J'appuie mon front contre la porte coupe-feu. Sa fraîcheur est agréable sur mon visage fiévreux.

« Je n'ai pas faim », dis-je tout bas. Mensonge. Mon estomac gronde.

« Je n'ai pas soif. » Qu'est-ce que j'ai fait de cette bouteille d'eau, déjà ?

« Je ne suis pas fatiguée. Je n'ai pas mal. » Non, mais Stacey oui.

« Je vais bien. » Et pour enfoncer le clou : « Je vais bien. Je vais bien. Je vais bien. »

Et je vais finir par trouver une solution. Je vais sortir d'ici. Ne serait-ce que parce que le kidnappeur finira par revenir et qu'à ce moment-là...

Sauf si notre ravisseur était réellement le barman aux pectoraux de compétition. Ce qui voudrait dire qu'il est déjà mort. Ce serait drôle, non ?

Mais enfin, il a bien fallu que j'arrive ici d'une manière ou d'une autre. Peu importe ce que Stacey, blessée et déboussolée, peut penser. Je ne suis pas venue toute seule de mon appartement pour m'enfermer dans une pièce noire. Il a fallu l'intervention d'un tiers. Et ce tiers va revenir.

Et ce sera pire, bien pire. N'est-ce pas ce qu'a dit Stacey ?

Je m'arrache à la porte. Je retourne vers Stacey, toujours affalée par terre. Je ne sais pas très bien quoi faire, les premiers secours ne sont pas ma spécialité. Mais si on raisonne d'un point de vue pragmatique, j'ai au moins une ressource dont je ne disposais pas précédemment : la lumière. Je peux mieux voir sa blessure, donc je pourrai mieux la soigner.

Stacey est tombée près de la porte de ma chambre. Je démêle ses bras et ses jambes pour l'allonger à plat sur le dos. Puis j'allume la lumière dans mon ancienne cellule. C'est plus facile pour moi de l'examiner à la lumière indirecte qui arrive dans le couloir que de la traîner sous l'ampoule. Je ne suis pas certaine que nos yeux le supporteraient.

Elle gémit pendant que je tourne autour d'elle et me place de manière que la lumière tombe sur son ventre dénudé.

Aussitôt que je regarde, je me rends compte de tout ce que l'obscurité dissimulait. Malgré le mal que je me suis donné pour retirer toutes les échardes à l'aveuglette, j'étais loin du compte. La blessure forme une longue entaille, j'aperçois des morceaux de bois sombre enchâssés sous la peau et les lèvres de la plaie sont rouges. Par ailleurs, son ventre est distendu. Je le palpe doucement. Il est dur sous ma main.

Elle saigne, je crois. Hémorragie interne. Je suis pratique-ment certaine d'avoir vu cet épisode de *Grey's Anatomy* et ça ne se terminait pas bien pour la victime de l'accident ferroviaire.

Que faire ?

Je me rassois dos au mur, les poings serrés sur les cuisses. Il ne fait aucun doute que Stacey a un urgent besoin de soins médicaux.

Et je ne sais absolument pas comment nous faire sortir d'ici.

39

D.D. était précisément en train de ranger ses affaires pour rentrer chez elle quand le téléphone sonna. Elle avait déjà raté le dîner avec Alex et Jack. En se dépêchant, elle pouvait encore être là pour l'heure du coucher. Donc, comme de bien entendu, le téléphone sonna. Sur son bureau encore terriblement encombré de papiers. Elle avait essayé de bûcher sa pile de rapports. Vraiment, elle avait fait de son mieux, mais le tas avait plutôt l'air de grandir à vue d'œil. Et s'il s'y trouvait l'information magique qui leur permettrait de résoudre l'affaire, elle lui avait pour l'instant échappé.

Le téléphone sonnait toujours. D'après ce qui s'affichait à l'écran, un appel en provenance du service de médecine légale.

D.D. soupira, reposa sa sacoche et décrocha.

« Ça ne t'arrive jamais de rentrer chez toi ? lui demanda Ben Whitley de sa voix râpeuse.

– On dirait que non. Mais tu peux parler : c'est toi qui m'appelles de la morgue.

– Pas de la morgue. Du labo *au-dessus* de la morgue.

– Tu chipotes.

– J'ai des infos pour toi. »

D.D. attendit. Elle s'en doutait. Ben n'était pas du genre à appeler pour papoter.

« J'ai un premier diagnostic concernant ton cadavre.

— Kristy Kilker. La mère a reconnu le tatouage.

— Les résultats officiels demanderont encore quelques jours, mais j'ai eu comme l'impression que tu étais pressée sur ce coup-là.

— Un peu.

— Alors, tout à fait officieusement...

— Accouche.

— Elle est morte d'une crise cardiaque.

— Pardon ? dit D.D. en se rasseyant.

— Malformation congénitale. Elle ne l'a probablement jamais su. Par ailleurs, son corps présente les symptômes classiques de la dénutrition : rétrécissement de l'estomac, fonte musculaire, augmentation du volume du foie et de la rate. Le plus probable est que l'épreuve de cette malnutrition prolongée a fini par déclencher un infarctus massif.

— Une crise cardiaque. Elle est morte d'une crise cardiaque.

— Officieusement.

— Elle n'a pas été assassinée.

— Ses deux poignets présentent des marques qui font penser à des entraves. Il y a aussi des cicatrices *ante mortem* sur ses bras, à l'arrière des cuisses, très probablement des coupures faites avec une lame fine, peut-être même un scalpel...

— Scarifications.

— Oui. Rien de profond. Mais... »

D.D. n'avait pas besoin que le légiste lui fasse un dessin. Elle savait comme lui que certains criminels aiment jouer avec la nourriture.

« Entre ça et le degré de dénutrition, continua Ben, on pourrait défendre devant un tribunal l'idée que les agissements du criminel sont directement responsables du décès.

– Mais il n'a pas fait exprès. » D.D. s'interrompit. Cette phrase était idiote même à ses propres oreilles. À en juger par le silence de Ben, il en pensait autant. « Ce que je veux dire, reprit-elle en rassemblant ses idées, c'est que sa mort n'était pas préméditée. Si elle n'avait pas fait cette crise cardiaque...

– Elle pourrait très bien être encore ligotée quelque part à crever de faim, dit Ben, pince-sans-rire.

– Tu ne comprends pas : nous avons encore trois disparues dans la nature. Donc si Kristy n'était pas censée mourir, peut-être que les autres non plus. Peut-être qu'elles sont encore ligotées quelque part à crever de faim. Qu'est-ce que tu peux me dire sur la date du décès ? »

D.D. passa rapidement en revue les dossiers empilés sur son bureau, à la recherche de celui de Kristy Kilker, étudiante, qui avait travaillé de nuit au Hashtag, dans la même rue que le Tonic, avant théoriquement de partir pour l'Italie. Quand sa mère avait-elle eu de ses nouvelles pour la dernière fois ? Il y a cinq mois, avait dit Phil. Et pourtant, sur les lieux, Ben estimait déjà que le cadavre était plus frais.

« Il y a six à huit semaines, je dirais.

– Aussi récent que ça ?

– Cette conversation est-elle enregistrée ?

– Non.

– Alors je reste sur six à huit semaines.

– D'accord. » Les idées se bousculaient dans la tête de D.D. Kristy avait disparu en juin, mais elle était très probablement encore vivante en septembre. Ce qui signifiait...

Qu'elle avait été séquestrée quelque part. Forcément. Et pas chez Devon Goulding, étant donné qu'on avait fouillé sa maison de fond en comble.

Donc il existait forcément une deuxième destination. Un endroit suffisamment vaste pour y enfermer plusieurs victimes, puisque Natalie, Stacey et Flora restaient introuvables.

D.D. s'était efforcée d'identifier une deuxième personne, quelqu'un qui aurait connu à la fois Goulding et ses victimes et qui aurait enlevé Flora en réaction à la mort de Goulding. Mais vu les résultats obtenus, peut-être aurait-elle plutôt dû se concentrer sur ce deuxième lieu. Après tout, combien d'endroits pouvait-il y avoir à Boston qui avaient été fréquentés par Devon Goulding et qui étaient suffisamment grands et discrets pour y planquer au moins quatre femmes ?

« C'est tout, dit Ben Whitley dans son oreille. Je n'en sais pas plus pour l'instant. Je rentre chez moi dormir un peu. »

D.D. hocha la tête contre l'appareil et raccrocha sans même dire au revoir.

Elle n'allait pas rentrer chez elle. Elle n'allait pas dormir un peu.

Elle reprit son téléphone et convoqua la cellule d'enquête.

« Nous avons une avancée significative dans le dossier. »

Une fois de plus, D.D. se tenait devant le tableau blanc, un marqueur à la main. Autour de la table de réunion, des enquêteurs qui bâillaient et, au milieu, de grandes pizzas. Pour faire travailler ses subordonnés à toute heure du jour et de la nuit, il fallait au moins les nourrir.

« Kristy Kilker est morte d'une crise cardiaque. Sans doute provoquée par les mauvais traitements subis pendant sa captivité. L'autopsie a révélé des signes de dénutrition prolongée et de torture à l'arme blanche. Date de la mort estimée : il y a six à huit semaines.

– Mais elle a disparu en juin, rappela Phil.

– Exactement. Ce qui signifie qu'elle est restée séquestrée quelque part pendant plusieurs mois. Autrement dit, nos autres disparues, ajouta D.D. en montrant un à un les noms sur le tableau, pourraient encore être là-bas, en vie. Il faut qu'on revoie nos théories sur le crime. Et sur le nombre de criminels.

« Imaginons un instant que Devon Goulding soit impliqué. Il avait des liens directs avec trois de nos quatre victimes et, d'après les témoignages des amis de Stacey Summers, il est probable qu'il l'ait aussi rencontrée une ou deux fois au Tonic.

– Sa carrure correspondait à celle du type sur les images de l'enlèvement, souligna Neil.

– Et il ne travaillait pas au Tonic le soir où Stacey Summers a disparu du Birches, ajouta Carol Manley. Donc il a très bien pu aller voir ce qui se passait chez le voisin.

– D'accord, dit D.D. en tapotant de nouveau le tableau avec son marqueur. Nous avons Goulding. Suffisamment baraqué pour être notre kidnappeur. Il a au moins une agression connue à son actif, celle de Flora, et il a certainement joué un rôle dans la mort de Kristy, étant donné que c'est le GPS de sa voiture qui nous a conduits à son cadavre. Ajoutons qu'il possède des trophées des deux premières victimes. Si on cumule tout ça, il me semble qu'on peut affirmer sans risque d'erreur qu'il a participé aux trois premiers enlèvements. »

Autour de la table, ses enquêteurs approuvèrent.

« Mais on en arrive à…, dit-elle en progressant sur la ligne chronologique qu'elle avait tracée sur le tableau : Flora Dane. Qui a disparu de son appartement fermé à triple tour *après* le meurtre de Goulding. Comment une telle chose est-elle possible ? Qu'est-ce qui nous a échappé ?

– Un deuxième kidnappeur ? proposa Carol. Un ami de Goulding ? Ou un émule ? » ajouta-t-elle d'un air pensif.

D.D. hocha la tête. « Les tueurs en réunion sont rares, mais ils existent. Mari et femme. Deux hommes. De la même famille, pas de la même famille, les combinaisons sont infinies. Mais le trait commun, c'est qu'il y a toujours un dominant et un partenaire soumis. Donc, première question : lequel était Goulding ? »

Phil haussa un sourcil. « Un homme d'une vingtaine d'années élevé aux stéroïdes ? Goulding était forcément le dominant.

– Je ne pense pas. » C'était de nouveau Carol qui venait de prendre la parole. Tous la regardaient avec étonnement, mais elle ne se démonta pas : « Si Goulding avait été le dominant, sa mort aurait mis fin à la série. Son partenaire se serait enfui ou effondré, n'est-ce pas ? Alors que prendre Flora en embuscade dans son propre appartement pour la kidnapper... ça dénote une sacrée dose de confiance en soi. Et aussi une capacité de préméditation, de préparation et d'organisation. Ce n'est pas le comportement d'un soumis. C'est celui du génie du crime, du début à la fin. »

Cela fit vraiment de la peine à D.D. de le reconnaître, mais : « Je pense que Carol a raison. »

Tous les regards étaient maintenant braqués sur elle. « Il y a des incohérences d'un crime à l'autre. Goulding a gardé des trophées des deux premières femmes, mais pas de Stacey Summers. Il y a du sang dans son garage, ce qui suppose qu'il y aurait amené au moins une des victimes à un moment donné, mais elles sont forcément séquestrées ailleurs. D'autre part, il a conduit Flora à son garage plutôt que directement au deuxième lieu. Je dirais (mais là, je sors un peu de mon domaine) que le garage de Goulding est son territoire, mais pas l'autre endroit, qui appartient à son partenaire. Donc une fois que les filles sont là-bas...

– Il en est dépossédé, termina Phil. Il les donne à quelqu'un d'autre. Le soumis remet la proie au dominant.

– J'aimerais bien avoir des preuves, concéda D.D., mais étant donné que Goulding est mort... Je me demande s'il a choisi lui-même les deux premières victimes. Ou peut-être seulement Natalie, avec laquelle il avait manifestement une relation, si on en juge par la quantité de photos. Peut-être qu'il a accompli ce premier crime tout seul et de sa propre initiative, mais que ça a attiré l'attention de quelqu'un d'autre. Quelqu'un qui pouvait pimenter l'aventure – hé, j'ai l'endroit rêvé pour les garder en captivité –, mais qui s'est aussi mis à prendre les décisions. D'où les accès de colère de plus en plus fréquents de Goulding et son besoin de kidnapper Flora et de l'emmener d'abord chez lui. Parce que, par la suite, il ne serait plus au centre du jeu. »

Autour de la table, ses collègues se regardaient sans parvenir à se forger une opinion. D.D. ne pouvait pas les en blâmer : ils étaient enquêteurs, pas profileurs. Et elle s'était vraiment aventurée au royaume des conjectures.

« On en arrive au fait suivant..., commença D.D.

– C'est une femme, l'interrompit Carol. Le partenaire dominant. Une femme. Parce que jamais un type bourré aux hormones et qui se prenait pour un étalon comme Goulding n'aurait accepté de recevoir des ordres d'un autre homme. Mais une femme... plus âgée, sublime, manipulatrice, aurait pu le berner. Elle aurait commencé par faire semblant d'être à sa botte, sauf qu'avant même qu'il s'en rende compte, elle aurait repris les rênes. Et puis, c'est chez elle que ça se passe : encore un facteur favorisant une réaction de soumission classique chez lui, puisque femme est maîtresse en sa maison, tout ça. »

D.D. était d'accord. « Oui, c'est aussi mon avis. Si nous n'avons pas retrouvé Stacey Summers, c'est parce que tout le monde cherchait un Devon Goulding. Alors qu'en réalité, Stacey est probablement aux mains d'une femme fatale au cœur de pierre. Quelqu'un qui vit dans une maison indivi-duelle – impossible de cacher quatre femmes dans un logement collectif – quelque part dans Boston.

– En ville ? s'étonna Phil.

– Oui, si la maison était à la campagne, pourquoi se débar-rasser du corps de Kristy dans le parc ? C'était une solution très risquée, à laquelle on ne se résoudrait qu'en l'absence d'autre choix. Ce qui signifie que nos criminels ont peut-être une maison qui convient pour leurs activités, mais pas de terrain. D'où leur petite excursion à Mattapan.

– Tu penses que la maison serait aussi à Mattapan ? demanda Phil.

– Possible. Si je devais cacher quatre femmes, je cherche-rais un lieu dans un quartier populaire où il y a tellement de maisons aux fenêtres bouchées par des planches que personne n'en remarquerait une de plus. Où mes voisins sont peu nombreux ou, mieux encore, plus portés sur la gâchette que sur la surveillance des activités anormales. Où il n'est pas si rare d'entendre des cris.

– Ça ne limite pas vraiment les possibilités, fit remarquer Neil avec ironie.

– D'après les statistiques, si les victimes sont blanches, le criminel a toutes les chances d'être blanc. Il s'agirait donc d'un quartier à dominante blanche. »

Ça ne les avançait pas beaucoup plus. Comme Boston avait de longue date accueilli une immigration venue d'Irlande, d'Italie et maintenant d'Europe de l'Est, on trouvait tout autant de quartiers pauvres blancs que d'autres couleurs. La diversité en marche. Ou juste la dure réalité : s'en sortir dans une nouvelle ville étrangère était difficile pour tout le monde.

« Je ne pense pas qu'on va réussir à découvrir l'endroit d'un coup de baguette magique en faisant du profilage géographique, dit D.D. Il faut qu'on se concentre sur les femmes que connaissait Devon Goulding. Celles qu'il aurait rencontrées sur son lieu de travail, à la salle de sport, dans les bars. On cherche tous azimuts. Petit détail qui pimente l'affaire : il se trouve que Jacob Ness avait une fille. Donc, si on pouvait établir un lien entre une femme de l'entourage de Devon et l'ordure qui a enlevé Flora Dane la première fois, ce serait jeu, set et match. »

Autour de la table, ses enquêteurs la regardaient d'un air ébahi.

« Ce que je veux dire…

– Jacob Ness avait une fille ? demanda Phil.

– Le FBI a retrouvé dans son camion de l'ADN qui pourrait être celui d'une fille. Malheureusement, c'est tout ce qu'on a comme information. Littéralement. Une séquence ADN.

– Mais elle pourrait être à Boston ?

– Ou en Floride, en Géorgie ou au Brésil, pour ce que j'en sais. Mais étant donné qu'on cherche une femme, c'est un paramètre à garder à l'esprit. Si cette fille entretenait une relation avec Jacob, ça fait au moins une femme susceptible d'avoir de l'expérience en matière d'enlèvement. Et de haïr Flora Dane. On ne peut pas faire comme si ça n'existait pas.

– Mais en quoi ça nous aide ? »

Cette fois-ci, la question venait de Carol Manley.

« Je ne sais pas, répondit D.D. avec franchise. Je me dis… Commençons par établir la liste des femmes de l'entourage de Devon Goulding. On pourrait contacter son opérateur mobile, regarder les numéros qu'il appelait souvent, auxquels il envoyait des textos, etc. Et ensuite on pourra faire les premières recherches sur les candidates possibles pour voir qui aurait le profil. Si on découvrait qu'un ou deux de ces numéros fréquents appartiennent, disons, à de belles femmes dans la trentaine et qui auraient peut-être même vécu dans le Sud, on aurait du grain à moudre. Et si jamais une de ces femmes possédait une maison suffisamment vaste et isolée pour abriter plusieurs victimes de kidnapping... ça nous ferait une première cible. »

Neil leva la main. « J'ai une autre idée. »

D.D. l'observa : « Vas-y, je t'écoute.

– Le GPS de Goulding. On s'en est déjà servi une fois pour regarder la liste des destinations fréquentes en cherchant un lieu où il aurait pu dissimuler un cadavre. Et si on recommençait, mais en cherchant l'adresse qui correspondrait le mieux au type de maison qu'on a défini ? Se faire donner la liste de ses numéros fréquents par l'opérateur mobile va prendre au moins vingt-quatre heures et les premières recherches sur son entourage encore une journée. Alors que je pourrais éplucher une liste des destinations fréquentes en... » Neil pencha la tête d'un côté, de l'autre. « Disons quelques heures. »

Autour de la table, les membres de la cellule d'enquête reprirent du poil de la bête. Debout devant le tableau, D.D. aussi.

« Neil, ordonna-t-elle, toi et ton équipe (elle désignait Phil et Carol), vous êtes chargés des données GPS. Les autres, vous me dressez une liste de noms. » Elle consulta sa montre. Il était dix heures du soir. Ce qui était parfait pour la mission qu'elle s'était personnellement assignée : retourner voir la directrice du Tonic, Jocelyne Ethier, une femme dans la bonne tranche d'âge, qui n'était pas un modèle de franchise, qui connaissait tous les protagonistes de l'affaire, avait accès au système de surveillance de la boîte et devait en ce moment même arpenter sa piste de danse. Pour enquêter sur les femmes de l'entourage de Goulding, rien de tel que de commencer par le haut du tableau.

« Je vous donne deux heures, annonça-t-elle. Le premier qui me trouve l'adresse mènera l'assaut. On y va dès qu'on a le feu vert. Si Flora a été enlevée par vengeance, Dieu sait combien de temps il leur reste, à elle et aux autres victimes. »

40

Je m'acharne à tirer sur la porte fermée. Je tourne le bouton. Je donne des secousses. Comme si cette fois-ci la lourde porte allait s'ouvrir par magie. Je vais descendre les escaliers au grand galop, prendre la première porte de service venue et rejoindre aussitôt l'air libre. Je vais trouver de l'aide pour Stacey. Je vais appeler ma mère. Je vais échapper pour toujours à un couloir entier de chambres peintes en noir.

Cette porte. Cette fichue porte. Ne s'ouvrira-t-elle donc jamais ? Je veux juste sortir de là.

Je la martèle du plat de la main. Encore un geste inutile, un gaspillage d'énergie qui ne fait que m'épuiser davantage.

Il faut que je me reprenne, que je me concentre. Je ne suis plus une gamine terrifiée. Je suis la Flora nouvelle génération, celle qui a de l'entraînement, de l'expérience et plus de jugeote que ça.

Les fenêtres. Ça me revient au moment où je me tiens le front collé à la porte, les bras ballants. Dans ma chambre, il y en avait deux. Si je les brise, je pourrai passer une main dehors. Appeler au secours. Ce n'est pas ce qu'a fait cette femme à Cleveland ? Ouvrir le panneau intérieur en bois et hurler à travers la porte-moustiquaire jusqu'à l'arrivée d'un voisin ?

D'accord, les fenêtres. Je m'écarte à regret de la porte coupe-feu, passe à côté de Stacey toujours inconsciente et retourne dans cette pièce que j'exècre. J'allume l'ampoule nue et je ferme les yeux le temps qu'ils s'habituent.

Toutes mes maladresses, mes allées et venues d'une pièce à l'autre, ma façon d'ouvrir certaines portes et de taper comme une sourde sur d'autres ont dû signaler que j'étais désormais libre à cet étage. Je ne sais pas si c'est une bonne idée. La porte de l'escalier pourrait s'ouvrir d'un instant à l'autre. Et cette fois-ci, une armoire à glace armée d'un pistolet, d'un couteau ou d'un Taser se ruerait dans le couloir et je serais de nouveau bouclée. Il doit bien y avoir quelqu'un dans la maison, non ? Une personne chargée de l'entretien des détenus ?

C'est peut-être ça, l'explication : le garde-chiourme est parti au ravitaillement. Si bien qu'il ne reste plus personne pour réagir au vacarme que nous faisons à l'étage. Mais il pourrait revenir à tout moment. Entrer dans l'antre du démon, surprendre un bruit anormal et...

On verra bien à ce moment-là.

Je rouvre lentement les yeux, mais la lumière vive m'est toujours pénible. Me souvenant de ce que Stacey m'a dit à propos du matelas mis en pièces et bourré de soporifique, je l'attrape par un coin et je le tire avec précaution dans le couloir. Je suis fatiguée et à bout de nerfs, mais ce n'est pas le moment de dormir. Il faut rester alerte.

Je dois nous sortir de là toutes les deux.

Dans le couloir, le rayon de lumière venant de la chambre tombe sur le corps de Stacey. Son côté est enflé et rouge. Son abdomen paraît encore avoir gonflé. Elle a besoin de soins médicaux. Elle a besoin que je trouve de l'aide.

Une grande inspiration, puis retour dans la chambre, qui sous la lumière crue de l'ampoule paraît miteuse et défraîchie. La couche de peinture noire qui recouvre les murs et le plafond est peut-être récente, mais c'est à peu près la seule chose qui le soit. Et maintenant que je suis mieux réveillée, je sens une légère odeur de moisi. Une vieille maison. Peut-être même abandonnée. C'est logique. Difficile d'imaginer séquestrer des prisonnières dans un quartier plein de vie avec des clôtures blanches et des mères au foyer. Alors que dans une baraque à moitié en ruine, dans un quartier pas jojo dont les habitants sont déjà dressés à ne pas signaler les cris...

Je suis le contour des fenêtres du bout des doigts et je m'aperçois que la peinture a un toucher plastique. Elle est plus épaisse que la normale. Un peu comme un revêtement en aérosol. Ça me rappelle quelque chose, mais je n'arrive pas à trouver quoi. Je peux y enfoncer l'ongle, donc ce n'est pas une coque rigide. Plutôt caoutchouteuse. Cassable, me dis-je, si on y va suffisamment fort.

Inventaire des ressources. J'ai le seau en plastique, le ressort du matelas. Mais j'opte finalement pour mon meilleur outil : mon coude, pour être précise. Si on en donne un bon coup vers l'arrière, la pointe peut être une arme très efficace.

Je devrais le recouvrir pour le protéger des éclats de verre. Je porte encore les haillons d'un négligé en soie ; le bas déchiré et les fines bretelles ne couvrent plus grand-chose. Je pourrais prendre le tee-shirt de Stacey, mais je n'arrive pas à m'y résoudre : ce serait trop glauque, comme de détrousser un cadavre.

Je ressors dans le couloir. En retenant ma respiration, j'attrape à deux mains un bord du coutil du matelas éventré et j'arrache un pan de tissu. Il est usé jusqu'à la corde et pas immense, mais c'est ce que je peux faire de mieux.

Retour à la fenêtre. Je colle le bout de chiffon au milieu du carreau du bas, puis je me retourne et, vite, avant que le tissu ne tombe par terre, je balance un grand coup de coude en arrière.

Une douleur aiguë me crucifie instantanément. Je ravale mon cri alors que la douleur se répercute le long de mon bras et m'engourdit la main. Je saute sur place, baisse la tête, plie et déplie les doigts et ça passe. Je peux de nouveau respirer. Mieux encore, je peux me retourner pour examiner la fenêtre et découvrir, j'en mettrais ma main à couper, que sous le revêtement en Téflon, le carreau s'est fendillé.

Au bout de trois tentatives, trois petites danses de douleur, j'entends enfin un bruit sec très parlant : le verre a cédé. Mon coude a gagné.

La peinture se révèle un adversaire plus coriace, qui maintient la vitre brisée en place. Je la gratte du bout des doigts, en déloge un premier petit morceau, puis, coup sur coup, plusieurs tessons de taille plus importante qui me permettent de pratiquer une ouverture.

Je suis tellement grisée par ce succès que je ne remarque pas l'évidence : l'absence d'air frais ou de bruits venant de l'extérieur, ou de lumière du jour, ou de lumière de réverbère, n'importe quoi.

C'est seulement lorsque je me penche pour essayer de regarder de l'autre côté de ma trappe de sortie que je comprends mon erreur.

Je n'ai brisé la vitre que pour découvrir que la fenêtre était bouchée de l'extérieur. Trois coups de coude ont remplacé un carreau de verre par une planche de contreplaqué.

Je suis toujours aussi enfermée qu'avant.

Est-ce que je suis affamée ? Oui. Est-ce que je suis fatiguée ? Très. Est-ce que je suis assoiffée, apeurée, frigorifiée, morte de chaud ? Absolument. Je suis tout. Je ne suis rien. Je suis une imbécile qui a vécu dans une caisse en forme de cercueil et qui se retrouve piégée dans une maison murée.

Je suis une fille, je suis une sœur qui a déjà détruit sa famille une fois et qui recommence à démolir la santé mentale de ses proches.

Je suis une survivante qui n'a pas encore retrouvé le chemin d'une vie normale.

Je suis une personne dépassée qui a envie de se laisser tomber par terre et de pleurer sur son sort.

Alors je le fais. Je m'assois devant la fenêtre bouchée, au milieu des éclats de verre. Je prends mes genoux entre mes bras. J'étudie les cicatrices de mes poignets.

Et je repense à Jacob.

C'est dingue. Il m'a enlevée, ivre et abrutie, sur une plage. Il m'a mise dans une caisse. Il m'a baladée dans tout le Sud. Il m'a violée, affamée, battue. Il m'a emmenée danser. Il m'a présenté sa fille. Il m'a donné des vêtements et, à l'occasion, il m'a dit que j'étais jolie.

Je le déteste. Il me manque. Il est et il restera toujours la personne qui m'aura le plus profondément marquée. Pour d'autres, ce sera peut-être un premier amour, une famille à problèmes. Moi, j'ai Jacob. Où que j'aille, quoi que je fasse, je le porte en moi. Sa voix dans ma tête. Son odeur sur ma peau. Sa cervelle et son sang dans mes cheveux. Il m'avait prévenue que ce serait comme ça et, à sa manière, Jacob ne mentait jamais. Même à la toute fin, il m'a avertie que je ne serais jamais libérée de lui.

Il m'a conseillé de me suicider.

Je le revois et je sais qu'il se moque de moi, les lèvres retroussées sur ses dents tachées de nicotine, en se frottant la panse d'une main. Quelle fichue imbécile, dit-il en se marrant. Il exulte. Il m'avait toujours dit que je ne serais rien sans lui. Le monde est trop grand, trop cruel pour une petite écervelée comme moi. Je ne suis qu'une idiote, on en revient toujours là.

Idiote au point de croire que je pouvais réellement retrouver cette pauvre Stacey Summers. Que cette fois-ci je pourrais être l'héroïne au lieu d'être la victime.

Je ramasse un tesson de verre à côté de moi. Je le manipule distraitement, j'observe la façon dont la lumière se reflète sur l'arête tranchante comme un rasoir.

Ce n'est pourtant pas faute d'avoir essayé, me dis-je. Quand je suis rentrée chez moi, je vous jure que l'air était plus doux et le rire de ma mère plus éclatant, que le sourire facile de mon frère me faisait chaud au cœur comme jamais rien d'autre auparavant. Tous ces jours de captivité. Toutes ces nuits d'horreur. Et maintenant ça. J'avais survécu. J'avais réussi. Jacob était mort, j'étais vivante et jamais plus je ne reviendrais en arrière. J'allais tout oublier. Même le dernier jour. J'allais oublier tout ça, ce que j'avais dit, ce que j'avais fait, mes promesses.

Les gens m'ont dit que j'étais courageuse, solide, épatante.

Samuel m'a dit que j'étais résiliente et que je ne devais jamais nourrir de regrets. Les victimes font ce qu'elles ont à faire pour survivre. Je suis une survivante.

Mais l'air ne peut pas rester doux indéfiniment. Ma mère a fini par ne plus rire et par s'inquiéter de mes hurlements dans la nuit. Mon frère a arrêté de sourire et m'a observée avec une franche inquiétude. Et toutes ces choses que je pensais pouvoir oublier... je ne les ai pas oubliées. Toutes ces choses que je voulais laisser derrière moi ne m'ont pas quittée.

Ce n'est pas que les anciennes victimes n'aient pas le droit de couler des jours heureux. C'est juste qu'après la survie vient la vie. Et que dans la vraie vie, il y a des jours gris. Et de mauvaises nuits. On se prend à pleurer sans raison valable, on s'apitoie sur son sort, on se regarde dans le miroir et on ne reconnaît pas la fille qu'on a en face de soi.

Qui suis-je ? Une fille qui autrefois aimait les renards ? Ou une fille qui a le bout des doigts à vif à force de gratter le couvercle d'une caisse en forme de cercueil ? Une fille qui tient un pistolet au-dessus de l'homme qu'elle méprise, qu'elle craint, dont elle dépend ?

Savoir que c'est son moment. Enfin. Une pression sur la détente et ce sera fini.

Se sentir hésiter. Mais pourquoi hésiter ? Qui hésite dans un moment pareil ?

« Vas-y », disait Jacob, son visage rougeaud dégoulinant de morve. « Tire cette balle. Jamais je n'y retournerai, alors vas-y. Arrête ça. Abrège nos souffrances. »

Mon visage masqué par la serviette qu'il avait nouée autour de ma tête. Pour me protéger des gaz lacrymogènes. À l'instant où la première grenade avait été lancée par la fenêtre, Jacob était passé à l'action. En s'occupant d'abord de moi.

Et maintenant, on en était là. Tous les deux. À une balle de la liberté.

Qui suis-je ? Qui sommes-nous, tous autant qu'on est ? On se donne tous tellement de mal. Et on accumule tous les échecs. Depuis : je n'aurais jamais dû boire autant ce soir-là jusqu'à : je n'aurais jamais dû lutter autant pour survivre. Je ne plaisante pas. Sérieusement. Si j'étais morte dès le début, d'autres filles seraient peut-être encore en vie. Sauf qu'évidemment, après ma mort, Jacob aurait kidnappé une autre jolie jeune fille. Et ensuite elle serait morte. Ou alors elle serait devenue une assistante encore plus efficace que moi, elle l'aurait aidé à repérer et tuer encore plus de femmes.

Comment résoudre ce genre de problème arithmétique ?

Combien de prédateurs dois-je encore tuer, combien de victimes potentielles dois-je encore sauver pour équilibrer les deux plateaux de la balance ?

Cinq ans ont passé et je n'ai toujours pas la réponse à ces questions. Je sais seulement que chaque fois que je vois une nouvelle affaire dans la presse... je n'arrive pas à tourner la page.

Surtout après la Floride.

Après ces horreurs que je n'ai pas confiées à Samuel. Ces activités que je n'ai jamais avouées à personne parce que Jacob, qui ne mentait jamais, m'avait dit que moi aussi j'irais en prison.

Alors je suis restée seule avec les fantômes qui me poussaient à sortir chaque soir, et voilà où ça m'a menée : j'ai essayé de sauver Stacey Summers et je me suis retrouvée prise au même piège qu'elle.

Je referme mes doigts sur le bout de verre. Je prends une inspiration et je m'autorise à me souvenir du dénouement de ce dernier jour. La nuée de commandos qui m'ordonnaient de lâcher mon arme. Jacob qui me criait de tirer.

Qui suis-je ? Qui sommes-nous tous ?

Je suis celle qui s'est penchée sur Jacob. Je suis celle qui n'a même pas reconnu sa propre voix en lui glissant une dernière promesse à l'oreille. Et qui l'a vu changer d'expression. En un instant, les rôles se sont inversés : j'ai pris le pouvoir et lui était terrifié.

Puis j'ai tiré.

Parce que je ne suis pas qu'une fille enfermée dans un cercueil.

Je suis une fille à qui il reste des promesses à tenir.

Alors je m'oblige à me relever. Je me rappelle que je ne suis pas affamée, pas fatiguée, pas effrayée, pas terrorisée.

Ce n'est même pas que je suis bien. Je suis mieux que ça.

Je suis une femme prête à faire tout ce qu'il faudra pour accomplir sa mission.

Bon. Je ne peux pas briser la fenêtre pour sortir. Je ne peux pas ouvrir la porte pour descendre. Ne me reste qu'une possibilité : monter.

Il doit bien y avoir une trappe d'accès au grenier quelque part. Je vais la découvrir. Je vais trouver de l'aide pour Stacey Summers.

Je vais vivre pour me battre encore un jour de plus.

Et après ça...

Je retrouverai ma mère ? Je vivrai heureuse jusqu'à la fin de mes jours ? Je ne pourchasserai plus les ombres ?

Je n'ai pas la réponse à ces questions. Je n'ai que ma mission.

Et il serait temps de m'y mettre.

41

Quand il travaillait, Jacob n'était pas un mauvais bougre. On filait sur l'autoroute, notre chargement en remorque, et on jouait au jeu des plaques d'immatriculation. Un volant entre les mains, Jacob renonçait à la bière, à l'herbe. À Dieu sait quoi d'autre. En revanche, il parlait. De tout et n'importe quoi. Parfois il déblatérait sur le gouvernement et la politique, toutes les raisons pour lesquelles un gars bosseur comme lui n'améliorerait jamais sa condition. Mais il pouvait tout aussi bien s'enflammer pour un truc qu'il avait vu dans le Late Show, vraiment quel comique, ce connard de David Letterman.

J'avais le droit de m'asseoir à l'avant. Son auditoire préféré. Il parlait, j'écoutais, et puis venait l'heure de choisir un endroit pour la pause déjeuner. Justement, je me souvenais de ce resto sympa où on s'était arrêtés la dernière fois qu'on était passés, et il acceptait. Il était comme ça, Jacob. Il ne voyait pas d'inconvénient à me faire plaisir. Il s'était même mis à regarder Grey's Anatomy.

Bien sûr, ces moments-là se passaient généralement quand nous roulions vers l'ouest, loin de la Floride. Mais fatalement, parce que c'est la dure loi du transport de marchandises, on nous confiait une nouvelle mission qui nous renvoyait à notre *point de départ. J'étais la première à retomber dans le mutisme. Je regardais les plaques défiler sans prendre la peine de les lire à voix haute. Sans réagir si nous tombions par extraordinaire sur une voiture immatriculée dans l'Alaska.*

Jacob, de son côté, était saisi d'une sorte de transe. Ses yeux étaient plus brillants. Ses doigts plus crispés sur le volant. Plus de sexe. Beaucoup plus de sexe. L'excitation de l'attente, mais ce n'était pas de moi qu'il avait envie.

C'était de ce qui se produirait quand nous serions de nouveau en Floride.

Je le suppliais de renoncer à elle. Elle avait une mauvaise influence, expliquais-je. Elle le poussait à des comportements de plus en plus dangereux. Il m'avait déjà, moi. Et en toute impunité, en plus. Pourquoi ne pouvait-il pas s'en satisfaire ?

Mais il s'en satisfaisait de moins en moins à mesure que nous approchions de la Floride.

Il allait chez elle à la seconde où il avait fait sa livraison. Et peu importe s'il y avait quarante minutes ou trois heures de route. Du moment que nous étions en Floride, il allait chez Lindy. Parfois elle nous donnait rendez-vous dans un nouveau lieu. Il fallait diversifier les terrains de chasse pour ne pas éveiller les soupçons.

« Je t'en prie, suppliais-je alors qu'il prenait la direction de sa maison. On s'arrête quelque part. On passe une bonne nuit. On mérite bien ça. Tu conduis depuis des jours.

– Non, je vais bien.

– Tu vas te faire prendre. Elle n'en a rien à faire de toi. À la seconde où la police t'aura repéré, elle te poussera sous un bus. Elle dira qu'elle a agi sous la contrainte. Et la police la croira. Tu le sais.

– Tu ne peux pas comprendre. Tu n'as pas d'enfant.

– Elle ne t'aime pas.

— *M'aimer ? répéta-t-il comme s'il ne comprenait pas. C'est ma gosse. L'amour n'a rien à voir là-dedans. C'est plus fort que ça, c'est mieux. L'amour, ça va, ça vient. Alors qu'elle sera toujours ma fille.*

— *Elle se sert de toi...*

— *Tu crois ça ? Et si c'était le contraire ? Tu y as pensé ? C'est moi qui l'ai retrouvée. Elle ne savait rien de moi. Sa mère ne peut pas me piffer, elle n'a même pas mis mon nom sur l'acte de naissance. Mais les gens parlent. Je me suis renseigné. Dès que je l'ai vue, j'ai su. Un père reconnaît toujours ses gosses. Je l'ai regardée grandir pendant des années, toujours de loin. Une si jolie gamine. Et puis un jour, elle avait huit ou neuf ans, un oiseau s'est fracassé contre une vitre à côté d'elle. Il est retombé dans l'herbe. Je l'ai regardée le ramasser. Je pensais qu'elle allait en faire tout un plat, peut-être chialer. Mais non. Pas ma gosse. Elle l'a dépiauté. Plume par plume. Oh, c'est ma fille, pas d'erreur. Après ça, je savais qu'on trouverait à s'arranger.*

« *Je me suis présenté à elle quand elle avait treize ans. Je ne sais pas si elle m'a cru. Mais quand sa mère est rentrée et qu'elle m'a trouvé là, elle s'est mise dans une de ces colères. Si jamais elle me revoyait, elle appellerait les flics. Elle me ferait mettre en cabane. Et elle en était capable, c'était son genre, a ricané Jacob. Mais elle ne s'est pas rendu compte que sa haine pour moi me rendait intéressant. Lindy aurait pu me tourner le dos. Mais après ça... chaque fois que je venais, elle m'attendait. Elle voulait en entendre davantage, en savoir davantage.*

— *Sa mère te déteste ?*

— *Sa mère est morte. La maison où elle vit ? C'était celle de sa mère. Mais elle n'est plus là. La maison n'appartient plus qu'à Lindy et je passe quand je veux.*

— *Comment elle est morte, sa mère ?*

– Ça te plairait de le savoir, hein ? a répondu Jacob en souriant.

– Ça va mal finir », ai-je prédit. Mais il s'en fichait. Quand nous étions en Floride, c'était comme si je n'existais plus. Jacob n'en avait rien à faire de moi.

Mais pas Lindy. Elle savait que je la détestais. Elle savait que leurs petites soirées me rendaient malade, grelottante, nauséeuse.

Ma révulsion l'excitait. M'envoyer tremblante et pâle dans un bar pour les aider à sélectionner leur prochaine victime l'électrisait.

Est-ce qu'on peut regretter une caisse en forme de cercueil ? Je vous jure que oui.

Un beau jour, notre séjour en Floride s'achevait. Essentiellement parce que Jacob avait besoin d'argent. Et comme il gagnait sa vie avec son camion, tôt ou tard il remontait dans la cabine et nous repartions. Moi, épuisée et à bout de nerfs sur le siège passager, lui, morose et en permanence une cigarette au bec derrière le volant.

Aucun de nous ne parlait avant que nous soyons sortis de l'État. Ensuite, c'était comme s'il n'était rien arrivé. La Floride est devenue notre Las Vegas : un lieu de turpitude dont on ne reparlait pas quand on l'avait quitté.

Pour finir, je signalais une plaque commençant par A. Il trouvait un B. Et nous étions repartis comme en quarante.

Parce que la vie était comme ça, quand nous roulions vers l'ouest. Et qu'au bout d'un certain temps, n'importe quoi peut devenir normal, même se balader avec son kidnappeur qui a assassiné trois femmes et plus si affinités.

Un jour, en Géorgie, nous nous sommes arrêtés pour faire le plein. Jacob est resté longtemps dans la station, je ne sais pas ce qu'il fabriquait. Assise dans le camion, je regardais par *la fenêtre. Je voyais des voitures, des arbres, du bitume. Je ne voyais rien du tout.*

Je me demandais combien de temps on pouvait vivre comme ça. Et mourir à petit feu. Kilomètre après kilomètre, chaque fois que nous rentrions en Floride.

J'ai revu une image de ma mère. C'était la première fois depuis bien longtemps que je pensais à elle. Pas vraiment parce qu'on oublie, mais parce qu'il y a des limites à ce qu'on peut supporter. Mais là, je me suis autorisée à la revoir en imagi- nation. Elle portait une de ces tenues guindées qu'elle mettait pour ses conférences de presse. Elle avait les yeux embués. Le pendentif autour du cou.

Je me suis demandé ce qu'elle dirait si elle pouvait me voir. Si elle supplierait encore pour me retrouver saine et sauve. Ou si elle comprendrait, comme moi je l'avais compris, qu'il y a des épreuves dont on ne revient pas. Je n'étais plus une enfant des forêts du Maine. J'étais le jouet de monstres.

Alors j'ai eu envie de la revoir, ne serait-ce que pour lui dire de renoncer à moi. De tourner la page. D'être heureuse. De reconstruire sa vie.

Mais de renoncer à moi.

Parce que ça me permettrait peut-être aussi de renoncer à moi-même. J'arrêterais de me battre, de faire des choses horribles pour survivre. Je disparaîtrais dans la nuit.

Ce serait certainement préférable à cette situation.

Pour la première fois depuis longtemps, j'ai adressé une prière à ma mère. J'ai prié pour qu'elle ne me retrouve jamais. Pour qu'elle ne me voie jamais dans cet état. Pour qu'elle n'apprenne jamais tous les crimes dont je m'étais rendue coupable.

Ensuite Jacob est revenu et nous avons roulé pendant des heures et des heures. Il a trouvé la lettre Q, plus tard j'ai trouvé le X, et j'ai eu une crise de fou rire, puis j'ai eu une crise de larmes, et Jacob a décidé que nous avions fait assez de route comme ça. Il a allongé l'argent pour un motel, il m'a dit de faire ma toilette, de prendre une douche. Il m'a même laissée seule après ça, et moi je me suis roulée en boule et j'ai pleuré toutes les larmes de mon corps.

Sur la mère dont j'espérais à toute force qu'elle ne me reverrait jamais. Sur la petite fille qui nourrissait autrefois les renards et qui servait aujourd'hui de rabatteur dans une chasse à l'humain. Sur la vie que j'avais perdue et l'avenir sur lequel il fallait que je fasse une croix. Parce que je refusais de retourner en Floride. J'étais arrivée au bout de ce que je pouvais accepter, je ne pouvais plus m'adapter.

J'avais atteint ma limite, et c'était la Floride.

Il était temps de lâcher prise. De renoncer.

Après tous ces jours, ces nuits, ces semaines où Jacob avait menacé de me tuer, j'avais besoin qu'il mette sa menace à exécution. Il avait un pistolet, je l'avais vu. Une balle en pleine tête. Ce serait plus charitable que ce que Lindy et lui avaient fait aux autres.

Mais comment le provoquer ? C'était dingue, mais il semblait s'être pris d'affection pour moi. Lindy était sa complice dans le crime, mais j'étais son public. Les hommes aiment avoir un public.

Le lendemain matin, je refuserais de monter dans le camion. Je crierais, je m'époumonerais. Et il faudrait qu'il me tue, ne serait-ce que pour me faire taire.

Le lendemain matin.

Je n'ai jamais eu l'occasion de mettre mon projet à exécution. À l'aube, alors que j'ouvrais les yeux, une forte détonation s'est fait entendre du côté de la fenêtre. Du verre brisé. Un coup de feu. Puis un sifflement et de la fumée...

Jacob a déboulé en trombe de la salle de bains, la chemise encore sortie du pantalon, une serviette à la main. Il me l'a collée, dégoulinante, sur le bas du visage. Je ne comprenais rien, ni lui, ni le gaz, ni le sifflement, ni les cris à l'extérieur.

Jacob a couru vers les lits jumeaux. En toussant à n'en plus finir. J'ai vu ses paupières gonfler, les larmes rouler sur ses joues, la morve couler de son nez. Il a passé une main sous l'oreiller pour prendre son pistolet.

Sous mon masque facial qui gouttait, j'ai vu, fascinée, la porte s'ouvrir d'un seul coup et des hommes en noir se ruer dans la chambre.

Jacob est tombé à genoux. Il gémissait, grognait, sanglotait comme un malheureux. La main tendue vers moi, il m'a regardée droit dans les yeux.

Il m'offrait son arme.

Alors je l'ai prise. J'ai senti son poids dans ma main.

Pendant que les hommes en noir continuaient d'affluer et de hurler des mots qui n'arrivaient pas à mon cerveau.

Cette histoire n'était pas la leur. Ça n'avait jamais été la leur.

C'était notre histoire, à Jacob et à moi.

Ses lèvres remuaient. Il me suppliait de l'abattre. Il me l'ordonnait, plutôt. Allez. Tire.

Les hommes en noir se sont immobilisés. Ils nous encerclaient, sans avoir l'air de savoir quoi faire.

À cause de moi, ai-je fini par comprendre. Parce que je tenais un pistolet et qu'ils ne savaient pas à quoi s'attendre. Ils avaient certainement ordre de tirer sur Jacob, finalement rattrapé par ses activités meurtrières.

Mais moi ? Personne ne savait quoi faire à mon sujet.

Pour la première fois depuis quatre cent soixante-douze jours, c'était moi qui tenais le pistolet. Moi qui avais le pouvoir.

« Vas-y, ordonnait Jacob. Tire, putain. Je ne veux pas y retourner, alors vas-y. Finissons-en. Abrège nos souffrances. »

Et comme je ne bougeais toujours pas : « Tiens, garde donc une balle pour toi. Pourquoi pas ? Quand ils apprendront ce que tu as fait, tu crois qu'ils seront indulgents avec toi ? Tu crois que tu es si différente de moi ? »

Je savais de quoi il parlait. Je comprenais à cent pour cent.

« Jamais tu ne guériras de moi. Jamais tu n'oublieras. Je serai toujours dans ta tête. Toutes les nuits où tu te réveilleras, tu tendras la main vers moi. Chaque fois que tu prendras une autoroute, tu me chercheras. Tous les hommes que tu rencontreras, tu regretteras qu'ils ne soient pas aussi forts que moi. Pas moyen de revenir en arrière. Alors tire. Qu'on en finisse une fois pour toutes. »

Je me suis dit qu'il avait raison, mais en partie seulement.

Je n'étais plus moi-même, mais je n'étais pas non plus celle qu'il aurait voulu que je sois.

Ma mère. Tenue guindée, pendentif en argent. Ma mère qui priait pour me revoir.

« Je suis désolée », ai-je dit. Mais ce n'était pas à Jacob que je parlais, c'était à ma mère, qui ne se doutait pas qu'elle était sur le point de voir son vœu exaucé, probablement pour son plus grand malheur.

J'ai collé le pistolet sur la tête de Jacob et je me suis penchée pour lui glisser à l'oreille : « Je ne vais pas mourir. Je vais rester en vie. Et un jour, quand je serai suffisamment forte, quand j'en aurai assez appris, je retournerai en Floride. Je retrouverai Lindy et je la tuerai. Il ne restera plus rien de toi, Jacob. De toi, de ta fille, de vous deux qui êtes si forts. Je vais vous tuer l'un après l'autre et ce sera de ta faute ; tu n'aurais jamais dû m'enlever sur cette plage. »

Il a ouvert de grands yeux. Il a pris peur, non pas pour lui, mais pour sa chère Lindy.

« Je ne penserai plus jamais à toi », lui ai-je juré. Une promesse, un mensonge.

Et j'ai tiré.

De fines projections. Du sang et de la cervelle dans mes cheveux. Les hommes en noir se sont jetés sur moi.

J'ai gagné, me suis-je dit.

Mais je savais déjà que c'était un jeu de dupes.

Une femme se tenait à côté de moi. « Flora, tout va bien. Flora, Flora ! Je m'appelle Kimberly Quincy, agent spécial du FBI. Je suis là pour vous ramener chez vous. »

Et j'étais désolée pour elle parce que je savais que la Flora que tout le monde connaissait et aimait ne rentrerait jamais chez elle.

Il n'y avait plus que moi.

Et je ne savais même pas qui j'étais.

42

Le temps que D.D. arrive au Tonic, la soirée battait son plein. La musique était si forte que les murs noirs vibraient au rythme des basses. La piste de danse était bondée de corps qui se trémoussaient. Des lumières noires stroboscopiques transformaient le tout en un kaléidoscope surréaliste de fragments mobiles.

D.D. coupa la file d'attente à l'extérieur en montrant sa plaque de police et contourna la piste de danse en jouant des coudes pour rejoindre le couloir qui menait au bureau de la directrice. Justement, Jocelyne Ethier s'y trouvait. Mêmes haut et pantalon noirs que dans l'après-midi. Mais elle n'était pas seule. En face d'elle, Keynes.

D.D. n'en revenait pas. Et pas seulement parce que le victimologue avait finalement troqué son costume de marque contre un jean de créateur hors de prix, mais parce qu'il n'avait aucune bonne raison d'être là. Qu'est-ce que c'était que ce cirque ? Et que lui cachait-il encore une fois ?

« 'Soir », lança-t-elle nonchalamment depuis le pas de la porte.

Ethier leva les yeux vers elle, le visage pâle et fermé, ce qui ne fit qu'accroître la nervosité de D.D.

Keynes, de son côté, souriait. Un sourire réservé. Mystérieux. Un sourire que D.D. détestait.

« Je ne savais pas que vous aimiez sortir en boîte, dit-elle.

– Je passais dans le coin.

– C'est marrant, moi aussi.

– Voudriez-vous vous joindre à nous ? » dit Keynes en accompagnant son invitation d'un geste de la main.

Au contraire d'Ethier, il présentait un visage engageant, mais D.D. ne fut pas dupe une seconde. Elle entra avec méfiance. Sa main gauche monta par automatisme à sa hanche, où elle portait autrefois son arme. Sauf qu'elle n'avait plus le droit d'être armée. Elle était en restriction d'aptitude et elle était seule.

« De nouvelles questions m'étaient venues à l'esprit, dit Keynes.

– Vraiment ? dit D.D. avec un regard à la directrice. À moi aussi. »

Ethier soupira et ne dissimula pas sa contrariété. « Si vous pouviez tous les deux revenir demain…

– Ça ne prendra qu'une minute, dit Keynes.

– Une minute, confirma D.D.

– Une minute ? Vous avez vu le bar ? C'est le coup de feu. Écoutez, je ne voudrais pas être désagréable…

– Alors ne le soyez pas », dit Keynes. Il ne la lâchait pas des yeux. Et D.D. vit Ethier hésiter. Parce qu'elle était sous l'emprise du regard d'un bel homme ? Ou parce qu'elle venait de recevoir un signal muet ?

Une fois de plus, D.D. porta sa main à sa hanche. Et une fois de plus, elle constata qu'elle n'avait rien à son ceinturon.

Keynes surprit son geste. Elle aurait juré qu'il lisait dans ses pensées comme dans un livre ouvert.

« Je posais simplement de nouvelles questions sur Natalie Draga, la première victime, expliqua Keynes.

– Que vous affirmiez ne pas très bien connaître, rappela D.D.

– C'est vrai, s'insurgea la directrice.

– Mais peut-être qu'un membre de votre personnel l'aurait mieux connue, continua Keynes d'une voix suave. Un barman, sa meilleure amie. C'est important. Plus vite vous nous trouverez cette personne, plus vite on vous libérera. »

Ethier fit une moue, s'agita sur sa chaise. « Larissa, lâcha-t-elle d'un seul coup. Elle est barmaid. Natalie et elle prenaient souvent leurs pauses ensemble.

– Est-ce qu'elle travaille, ce soir ? demanda Keynes.

– Oui.

– Alors vous pourriez peut-être aller nous la chercher. »

Ethier hésitait, l'idée lui déplaisait. Puis, comme Keynes la fixait toujours : « Très bien. Je vais aller la chercher. Mais ne soyez pas trop longs. C'est le soir où joue notre meilleur groupe. Vous avez vu le monde dans la salle ? »

La directrice se leva et bouscula D.D. pour sortir. Une seconde plus tard, elle avait disparu dans le couloir, laissant D.D. seule avec Keynes.

Elle se tournait justement vers lui lorsqu'il prit la parole.

« Il y avait un détail qui continuait à me tracasser depuis notre première discussion avec elle.

– À part son mensonge flagrant au sujet de ses relations avec Goulding ?

– Oui. Dissimuler une ancienne liaison avec un violeur présumé est une réaction naturelle, pas forcément un signe de culpabilité.

– Si vous le dites », rétorqua D.D. Elle restait méfiante. Et même… effrayée ? Non. Sur ses gardes.

« Cinq ans, dit Keynes d'un seul coup. Jocelyne Ethier a dit qu'elle dirigeait cette boîte depuis cinq ans.

– Et alors ? » Puis D.D. comprit : « Cinq ans, comme le temps qui s'est écoulé depuis que Flora est rentrée chez elle.

– Ça pourrait n'être qu'une coïncidence, dit Keynes.

– C'est sûr.

– Mais je me suis renseigné. Vous savez où elle travaillait, il y a cinq ans ? »

D.D. secoua la tête. Non, évidemment, son équipe et elle n'en étaient pas encore là.

« Elle dirigeait un autre bar. À Tampa. »

Le cœur de D.D. s'accéléra. « En Floride, l'État d'origine de Jacob ?

– Vous croyez toujours que c'est une coïncidence ?

– Non, mais pourquoi l'avoir fait sortir de la pièce ?

– Pour qu'on puisse faire le point entre nous. Je voyais bien que vous aviez des soupçons...

– Et vous l'avez envoyée *voir ailleurs* ! Comment pouvez-vous être sûr qu'elle va revenir, maintenant ? »

Keynes ouvrit de grands yeux.

D.D. ne perdit pas une seconde et se rua dans le couloir.

43

Stacey se remet à gémir dans le couloir. Je m'interromps dans mes recherches pour trouver l'accès au grenier et je m'agenouille à côté d'elle, désemparée.

Son côté est très vilain, une masse de chair sanguinolente piquée d'échardes. C'est infecté, enflammé. Mais je ne pense pas que cette seule blessure puisse provoquer une telle détresse. Je reste sur l'idée qu'il y a autre chose, une lésion interne que je ne peux pas voir. Une lente hémorragie ? Invisible mais mortelle ?

Je me pose la question de sortir Stacey du couloir. Tôt ou tard, la porte de l'escalier va s'ouvrir et notre kidnappeur, revenu de Dieu sait où, va débouler. Fou de rage que nous nous soyons échappées. Tout prêt à nous dompter. Ou à se venger.

Ce n'est qu'une question de temps.

Stacey gémit encore. Il faut que je réfléchisse plus vite, que j'agisse plus vite.

Si elle a des lésions internes, il y a des risques que la traîner de pièce en pièce ne fasse qu'empirer la situation. Je préfère tirer le matelas en charpie jusqu'à elle et caler sa tête sur un des coins. Peut-être que le sédatif contenu dans la mousse l'endormira. Peut-être qu'elle sera heureuse de ce répit.

Cette odeur de moisi, végétale, me chatouille de nouveau les narines. Une sensation de déjà-vu. Je devrais savoir ce que c'est.

Et j'ai un flash : je suis dans un bar. Je prends une bière. Du houblon. Le matelas sent le houblon. À plein nez, en fait.

J'ai lu des choses sur le houblon, à l'époque où je faisais des recherches sur les plantes médicinales et les premiers secours. Le houblon est utilisé comme soporifique depuis le Moyen Âge parce qu'on s'est aperçu que les cueilleuses des houblonnières avaient tendance à piquer du nez sur l'ouvrage. Aujourd'hui, il y a même des fabricants qui vendent des oreillers à la fleur de houblon pour lutter contre les problèmes d'insomnie. On ne sait pas encore très bien comment ça marche du point de vue scientifique, mais un article disait qu'on pouvait renforcer l'efficacité sédative du houblon en le distillant pour en extraire une huile essentielle à laquelle on ajoute de la racine de valériane.

Voilà donc le fin mot de l'histoire : on a mis du houblon et de la valériane dans le matelas. Facile, pour qui peut aisément se procurer du houblon.

Devon Goulding, par exemple, notre barman de classe internationale.

Revenu d'outre-tombe pour se venger ?

Je l'ai tué, me rappelé-je. C'est la phrase du jour. J'ai tué Jacob. J'ai tué Devon. Et pourtant je suis encore là, kidnappée et séquestrée avec une compagne qui agonise.

Pour quelqu'un qui n'arrête pas de tuer des gens, on ne peut pas dire que j'obtienne beaucoup de résultats.

Cette idée me met en colère et me donne un coup de pied aux fesses.

Je laisse Stacey d'un côté du couloir, la tête sur le matelas imbibé de houblon, et je me mets sérieusement à chercher l'accès au grenier. Pièce par pièce, j'observe les panneaux du plafond.

Boston est connu pour ses maisons de trois niveaux, étroites et profondes, qui trouvent parfaitement leur place sur des parcelles rectangulaires tout en longueur. La disposition des pièces à cet étage, le couloir au milieu, les chambres de part et d'autre, correspond à ce type de construction. Si mon hypothèse est la bonne, le couloir devrait conduire à une pièce commune dont les bow-windows donneraient sur la rue, mais peut-être que cette partie de la maison a été murée. Quant à savoir à quel étage je me trouve, le plus élevé me paraîtrait le plus logique : c'est le plus isolé, pour que les cris ne dérangent personne.

Je passe de pièce en pièce, le nez en l'air.

Pas facile, dans les chambres. La peinture caoutchouteuse dissimule tout. J'ai moins l'impression de regarder un plafond que d'examiner une poêle en Téflon. Je ne vois rien. Je ressors dans le couloir, où le plâtre taché d'humidité se révèle tout aussi décevant.

Et Stacey qui n'arrête pas de gémir.

Je me frotte les tempes, la marée de stress et d'anxiété monte.

Je suis faite comme un rat. Nous sommes faites comme des rats. Quatre chambres et un couloir. Peu importe la taille de la cage. Le nombre de mètres carrés ne change pas grand-chose à l'affaire quand il n'y a pas d'issue.

Je devrais retourner à la fenêtre brisée. Finir d'enlever le verre. Frapper la planche en bois. Peut-être que je pourrais la décrocher.

Avec quoi ? Un matelas en guise de bélier ? Un ressort replié sur lui-même ? Un coude encore meurtri après ma dernière tentative ?

Réfléchir, réfléchir, réfléchir.

Mon appartement. Tout en haut d'un bâtiment sur trois niveaux. Où la trappe d'accès au grenier se trouve sur le palier, au-dessus des escaliers.

Et aussitôt mon cœur chavire. Parce que je suis relativement certaine de savoir où se trouvent les escaliers : de l'autre côté de la porte coupe-feu métallique.

Stacey tourne la tête d'un côté et de l'autre sur le matelas. Elle meurt de ma stupidité.

La fenêtre murée, on a dit.

Mais là j'entends un bruit. Et ce n'est ni le galop de mon cœur, ni la respiration laborieuse de Stacey.

Un grincement au bout du couloir. De l'autre côté de la porte. Un autre. Encore un autre.

On monte les escaliers.

44

D.D. atteignit le bout du couloir alors qu'Ethier s'y présentait, suivie d'une grande blonde aux cheveux bouffants vêtue d'une microjupe. D.D. s'arrêta net, la main sur la hanche, plus décontenancée que jamais.

La directrice la regarda d'un air interrogateur. « Larissa Roberts, dit-elle en présentant la barmaid. Je pense qu'il sera plus facile de discuter dans mon bureau. »

Elle passa à côté de D.D., puis de Keynes, qui était arrivé au milieu du couloir. Il échangea un regard avec D.D., et tous deux emboîtèrent le pas à la directrice et à son employée. Ni l'un ni l'autre ne dit un mot.

« Donc vous connaissiez Natalie Draga ? » dit finalement D.D. lorsqu'ils eurent tous regagné le tout petit bureau. Elle s'efforçait de rassembler ses esprits, ne sachant trop qui avoir le plus à l'œil : Jocelyne Ethier, qui avait de fortes chances d'être la mystérieuse fille de Jacob Ness, ou cette nouvelle venue, Larissa, qui s'était liée d'amitié avec la première victime.

Elle fit de son mieux pour partager son attention entre les deux et s'intéressa en particulier aux réactions d'Ethier à tout ce que Larissa disait.

« Natalie et moi étions amies, confirma celle-ci. On traînait ensemble, quoi. Mais Natalie ne se confiait pas beaucoup, niveau personnel. J'ai toujours eu l'impression que cette boîte n'était qu'un truc temporaire pour elle. Quand elle a arrêté de venir, ça ne m'a pas étonnée.

– Et où... traîniez-vous ensemble ? demanda Keynes.

– Ben, pendant le service, en salle de pause. Mais après le boulot, des fois on sortait, on allait boire un coup, tout ça.

– Vos endroits favoris ? demanda D.D.

– Le Birches. Le Hashtag. Il y a beaucoup de bars dans le coin. On variait.

– Devon vous accompagnait parfois ? » demanda D.D. sans quitter Ethier des yeux, déterminée à surprendre un signe de jalousie, de colère.

« C'est clair. Devon aimait bien Natalie. Ça sautait aux yeux. Évidemment, elle était magnifique. Mais elle pouvait être blessante, vous savez ? Elle jouait avec lui. Un coup, elle lui souriait, et la seconde d'après elle le cassait. Elle le traitait de toutou. Elle ne le prenait pas au sérieux. Alors que lui... je crois qu'il prenait cette histoire très au sérieux. Et plus elle l'envoyait paître, plus il s'accrochait.

– Il la voulait, mais ce n'était pas réciproque », conclut D.D., toujours un œil sur Ethier. La directrice avait l'air de s'ennuyer. Parce que les réponses de Larissa ne lui apprenaient rien ? Ou parce qu'elle était très douée pour masquer ses émotions ?

« Oh, je ne dirais pas ça. Il m'est arrivé deux ou trois fois de tomber sur eux dans la réserve. Natalie aimait bien le snober en public, mais derrière les portes closes, même le bodybuildé de service faisait l'affaire. »

Ethier avait tourné son attention vers son ordinateur, quelque chose à l'écran la chiffonnait. Jusque-là, les détails

456   L U M I È R E   N O I R E

de la liaison entre Devon Goulding et une autre femme ne semblaient présenter aucun intérêt pour elle.

« Combien de temps se sont-ils fréquentés ? demanda Keynes.

— Je ne sais pas très bien. Devon lui a couru après presque tout le temps qu'elle a travaillé ici, mais elle n'est pas restée très longtemps... Peut-être deux mois ? Comme je disais, elle était seulement de passage.

— Qu'est-ce qui avait amené Natalie à Boston ? demanda D.D.

— Besoin de changer d'air. Elle disait qu'elle en avait marre de la Floride. Je ne sais pas comment on peut en avoir marre du soleil et de la plage...

— La Floride ? Je croyais qu'elle venait de l'Alabama ? »

Larissa secoua la tête. « Je ne l'ai jamais entendue parler de l'Alabama. Elle avait bien un petit accent, mais pas de l'Alabama. Rien d'aussi frappant.

— C'est comme ça que vous l'avez connue ? demanda d'un seul coup D.D. en reportant son attention sur Ethier. Natalie était venue vous rejoindre, n'est-ce pas ? C'était pratique de vous demander de l'embaucher après avoir travaillé pour vous en Floride. »

Ethier quitta son écran des yeux, cligna des paupières. « Pardon ?

— La Floride. C'était là-bas que vous travailliez avant de vous installer ici. Pourquoi ne l'avoir jamais dit ?

— On ne m'a jamais posé la question.

— Qu'est-ce qui vous a amenée à Boston ?

— Une promotion. Ce poste est plus intéressant que le précédent.

— Est-ce que vous connaissez l'histoire de Flora Dane ? demanda Keynes, montant à son tour au créneau. Toute la presse en a parlé. Son retour dans le Maine. Le projet qu'elle avait, au moins au début, de reprendre ses études à Boston.

– Je ne vois pas du tout...

– Ça a dû vous rester en travers de la gorge, reprit D.D. pour ramener l'attention de la directrice sur elle et la désorienter. Elle tue votre père et tout le monde la salue comme une héroïne. Une fille forte et courageuse qui a réussi à s'en sortir.

– Mais de quoi vous parlez ? »

Larissa s'était faite toute petite sur sa chaise ; elle aurait manifestement voulu échapper à ce brusque changement de conversation, mais elle n'avait nulle part où aller.

« Quand avez-vous commencé à coucher avec Devon ? Un grand gaillard bien foutu. Ça devait être agréable de le mener par le bout du nez. Jusqu'au jour où Natalie est arrivée. Elle vous a volé son attention. C'est là que vous avez décidé qu'elle devait payer ? Et pour rendre votre vengeance encore plus douce, vous avez obligé Devon à vous aider.

– Attendez une seconde !

– Elle ne couchait pas avec Devon », intervint soudain Larissa.

D.D. et Keynes cessèrent l'offensive et regardèrent la barmaid. Celle-ci rougit et se mit à tripoter l'ourlet de sa jupe.

« Jocelyne n'est jamais sortie avec Devon, si c'est votre question. Elle sortait avec moi. Du moins, quand Natalie est arrivée, Jocelyne et moi, on était ensemble. C'est moi... » Elle s'interrompit, baissa les yeux. « C'est moi qui ai tout gâché. Pas Natalie. Pas Devon. Ils n'avaient rien à voir avec notre rupture. C'était de ma faute. Entièrement de ma faute. »

D.D. ne comprenait plus. Elle regarda la directrice, à présent rouge de honte.

« La direction n'est pas censée fréquenter le personnel, expliqua Ethier avec raideur. Si mes patrons l'apprenaient...

– Vous n'avez jamais eu de liaison avec Devon Goulding ?

– Inutile de vous dire qu'il n'était pas mon genre.

– Et Natalie Draga ?

– Un peu plus, évidemment, mais pour être franche, dit Ethier en lançant un regard à Larissa, je préfère les blondes.

– Quel âge avez-vous ? demanda Keynes.

– Trente-quatre ans.

– Et qui sont vos parents ?

– Roger et Denise Ethier. Ils habitent Tampa. Vous voulez les appeler ? »

D.D. regarda Keynes. « Je ne crois pas que ce soit elle.

– Non, convint-il.

– Et pourtant, toutes les routes mènent à ce bar. Les victimes, Devon Goulding. » Elle regarda Ethier, puis Larissa, en souhaitant de toutes ses forces qu'elles puissent l'aider. « Qu'est-ce que vous ne nous avez pas dit ? Pour Natalie, Stacey et Flora, qu'est-ce qu'on n'a pas encore compris ? »

45

Le tesson de verre. Je l'ai encore à la main. J'essuie ma paume sur ma jambe nue et j'affermis ma prise. J'observe la porte, calculant de quelle manière elle va s'ouvrir.

Les lumières. Je les ai allumées dans toutes les chambres pour mener mes recherches. Je vole d'un interrupteur à l'autre dans le couloir pour les éteindre avant qu'elles ne me trahissent.

Stacey marmonne, s'agite. Pas le temps de la cacher.

Mais peut-être que sa présence dans le couloir n'est pas un mal. Le bruit distraira notre geôlier. Pendant qu'il regardera dans le couloir pour essayer de comprendre ce qui se passe, qui pousse ces gémissements, je pourrai agir. Passer à l'attaque et m'échapper. Un plan qui en vaut un autre.

Je suis prête.

Je me concentre sur la porte, retiens mon souffle et tends l'oreille pour guetter d'autres bruits de pas. Mes efforts sont bientôt récompensés : une lame de parquet gémit juste de l'autre côté de la porte. Il est arrivé sur le palier.

Je m'accroupis, le tesson à la main, et ne quitte pas des yeux le bouton de porte à peine visible, un faible reflet d'argent dans le couloir replongé dans le noir.

La porte va s'ouvrir vers moi, vers le couloir. Plan A : faire un croche-pied à mon assaillant et m'engouffrer dans l'ouverture, tirer la porte derrière moi et le laisser aussi piégé que je le suis actuellement. À partir de ce moment-là, la voie sera dégagée pour descendre les escaliers et retrouver le monde libre, où je pourrai héler des secours.

Plan B : me battre comme une furie. J'ai l'effet de surprise, l'entraînement et un tesson de verre de mon côté. On a gagné des guerres avec moins que ça.

La porte frémit. J'entends le raclement métallique d'un verrou qui coulisse. Ce n'est plus fermé à clé. Et ensuite...

La poignée tourne. Je donnerais n'importe quoi pour être plus basse, plus petite, invisible dans le noir.

La porte pivote. Un centimètre, cinq, dix. Suffisamment pour que je puisse mettre un pied pour la bloquer.

Une silhouette se dessine dans l'embrasure. Et là...

Je bondis, serrant ma dague en verre contre moi pendant que je décoche un violent coup de pied. L'autre tombe avec un petit cri, non pas vers l'avant et dans le couloir comme je l'avais espéré, mais vers l'arrière et sur le palier, tout aussi sombre.

Pas le temps de réfléchir, pas le temps de changer de plan. La lourde porte en métal est déjà en train de se refermer quand je rentre le ventre pour me glisser dans l'ouverture. Un vide noir à ma gauche. Les escaliers, me dis-je en me tournant vers eux.

Quand une main se referme sur ma cheville.

Une voix de femme, railleuse : « Molly ! Ça faisait longtemps. »

Stacey Summers disait vrai depuis le début : à l'extérieur de nos chambres, c'est dix fois pire.

« Parlez-nous de Natalie Draga, demanda D.D. Elle a été la première victime, celle dont Devon a gardé le plus de photos. Vous étiez amies, dit-elle en se tournant vers Larissa. Que devrions-nous savoir à son sujet ?

– Je ne sais pas. Elle était jolie. Mais elle avait un côté sombre. Son humour pouvait être vexant. Franchement, je crois que Devon aimait ça chez elle. Elle faisait partie de ces femmes avec qui on ne sait jamais sur quel pied danser, même quand on sort avec elles. Elle pouvait lui dire des trucs horribles et la minute d'après lui sauter au cou.

– Elle parlait de sa vie personnelle ? De l'époque où elle vivait en Floride ?

– Non.

– De sa mère, son père, ses frères et sœurs, sa famille ?

– Jamais.

– J'ai son dossier, intervint Ethier. Mais pour être honnête, il ne contient pas grand-chose non plus. »

D.D. prit la chemise sur le bureau et découvrit à l'intérieur le formulaire officiel, une fiche de renseignements personnels et un chèque daté de neuf mois plus tôt. Natalie Draga avait bel et bien quitté son travail un jour pour ne plus jamais revenir.

Comme la directrice le leur avait indiqué, la fiche de renseignements ne contenait que de maigres informations. En haut de la page, le nom de Natalie, une écriture toute en boucles. Ensuite, nom de la personne à contacter en cas d'urgence : la ligne était vide. Suivaient un numéro de téléphone qui, d'après Ethier, n'était plus attribué, et une adresse que D.D. ne tarda pas à identifier comme étant celle de la Chambre des représentants du Massachusetts à Boston. Elle lança un regard à Ethier, qui déclina toute responsabilité.

« Nous sommes seulement tenus de demander ces informations à nos employés, pas de les vérifier. Dans le coin, beaucoup de gens sont nouveaux en ville ou seulement de passage. Du moment qu'ils prennent leur poste à l'heure et qu'ils travaillent dur, ça me suffit. »

D.D. revint au dossier, le haut du formulaire où Natalie avait griffonné son nom : Natalie Molly Draga. Ce deuxième prénom, Molly, lui disait quelque chose. Elle l'avait entendu récemment. Pendant quelle conversation ?

Le souvenir lui revint. Et aussitôt son regard se tourna vers Keynes.

« Molly. C'est le nom que Jacob Ness donnait à Flora, dit-elle.

– Sachant que Jacob avait été en prison pour avoir violé une enfant de quatorze ans, Mahlia, que ses proches appelaient Molly. » Keynes lui prit le dossier. « Il se peut qu'elle ait eu un enfant. En tout cas, elle aurait eu une bonne raison de ne pas inscrire le nom de Jacob sur le certificat de naissance. »

D.D. prit son téléphone pour appeler Phil, son expert en consultation de bases de données. Keynes donna le nom complet de Mahlia. Phil consulta les fichiers des hôpitaux en Floride et rappela D.D. au bout de quelques minutes.

« Mahlia Dragone. Elle a donné naissance à une fille la même année que l'agression sexuelle. Oh, et tu sais quoi : un an plus tard, j'ai la trace d'un changement de patronyme, son nom de famille est devenu Draga. Sa mère en a fait autant. Combien tu paries que toute la famille cherchait à prendre un nouveau départ ? »

Après que Mahlia avait donné naissance à l'enfant de Jacob Ness. Qui aujourd'hui devait être une trentenaire manipulatrice. La digne fille de son père, qui s'était récemment installée à Boston pour chasser à son tour.

D.D. se tourna vers Larissa.

« Dites-nous. Tout de suite. Où vit Natalie ?

– Je ne sais pas. Je n'y ai jamais…

– Elle a bien dû dire quelque chose. Allez. Réfléchissez. Où Natalie allait-elle quand vous aviez fini de "traîner" ensemble ?

– Prendre le métro. Attendez ! Je peux vous donner la ligne. Je sais dans quelle direction elle allait ! »

46

Je ne pense plus. J'agis. J'entends sa voix, la voix de Lindy, pour la première fois depuis des années, et ça déclenche aussitôt un raz-de-marée d'émotions – horreur, colère, culpabilité, terreur. Il ne faut pas que j'y pense. Je donne un grand coup de pied qui l'atteint sur le côté de la tête.

Sa main se desserre autour de ma cheville.

Je fuis.

Pas de pensée. Juste une panique aveugle. Je dévale les escaliers, le cœur affolé, le sang battant dans mes veines. Dans un coin de ma tête, une voix intérieure me hurle de m'arrêter. De l'affronter. De me battre. C'est le moment dont j'ai rêvé. Que j'ai même imaginé pendant chacun de mes cours d'autodéfense et de tir sur cible.

Enfin un nouveau duel avec Lindy. Sauf que cette fois-ci, je faisais ce qu'il fallait. Je ne lâchais pas le couteau de cuisine. Je n'étais pas plaquée au sol pendant qu'elle, à cheval sur ma poitrine, décrivait les sévices qu'elle allait m'infliger.

Non, dans mes rêves les plus fous, je terrassais la bête immonde. Comme j'aurais dû le faire des années plus tôt.

Il me reste des promesses à tenir.

Mais la vérité, c'est qu'au bout de cinq ans de préparation, je ne suis toujours pas allée en Floride pour retrouver Lindy. Parce qu'elle me terrorise encore.

Son rire descend jusqu'à moi au moment où je tourne sur le premier palier au triple galop. Sous ma main, la rampe en bois a du jeu, elle aurait bien besoin d'être réparée. Une vieille maison : j'avais raison sur ce point.

Il faut que je trouve la sortie. Que je rejoigne le rez-de-chaussée, que je prenne la grande porte et que je m'enfuie dans la nuit.

Laissant derrière moi Stacey Summers avec la fille adorée de Jacob, sa complice préférée.

J'arrive en bas. Plus d'escalier. Juste un carré sombre. Sans lumière, difficile de me repérer. J'imagine qu'il s'agit d'un petit vestibule, un peu comme celui de mon immeuble. Mes yeux s'habituent à l'obscurité et je vois une porte ouverte à ma droite, qui donne sur les ombres plus claires d'autres pièces. Et une autre ouverture à ma gauche, qui mène encore à un couloir. Je ne comprends plus. J'imaginais un plan de maison classique à Boston. Dans ce cas, les escaliers auraient dû être à une extrémité du bâtiment, pas au milieu. Ce n'est sans doute pas une construction de ce genre. Autrement dit, je n'ai en fait aucune idée de l'endroit où je me trouve ni de l'emplacement de la porte d'entrée.

Aller au plus logique. Les portes extérieures donnent généralement sur les escaliers, donc il devrait y avoir une sortie pile en face de moi. Autant commencer par là.

Je m'avance, les bras tendus, et cherche à tâtons une poignée. Derrière moi, j'entends l'escalier craquer, Lindy commence sa descente.

Allez, allez, allez. Il doit bien y avoir une porte. Une issue quelconque. Pitié !

Je sens des panneaux de bois sous mes doigts et, à ma gauche, le fin volume d'un gond. Mes mains se déportent aussitôt vers la droite et, attention, mesdames et messieurs : une poignée. Je l'ai trouvée ! Je tourne, je tire et...

Rien. La porte ne s'ouvre pas. Ne bouge pas d'un millimètre.

Fermée à clé.

Mes doigts explorent rapidement autour de la poignée, cherchent des loquets à ouvrir, des verrous à tirer. J'en trouve un, puis deux.

De nouveau je tourne la poignée, de nouveau je tire.

La porte bouge, vibre sur ses gonds. Mais ne s'ouvre pas. Il reste un loquet, un verrou, une chaîne, quelque chose que je n'ai pas encore repéré.

Me souvenant des portes à l'étage, je cherche tout en haut, en tendant le bras. Et je les trouve : deux autres verrous fermés à double tour en haut du montant.

Un gémissement m'échappe.

Les escaliers grincent derrière moi.

Je n'ai plus le temps.

Elle arrive.

Elle est là.

« J'ai une ligne de métro », annonça D.D. à Neil au téléphone. Ethier et Larissa avaient quitté le bureau pour laisser à D.D. et Keynes la place de travailler. Elle donna l'information à Neil, entendit le grattement du crayon sur le papier pendant qu'il prenait des notes. « Croise ça avec nos autres paramètres, les destinations fréquentes de Goulding dans son GPS et sors-moi l'adresse.

– Ça ne m'aide pas.

– Comment ça, ça ne t'aide pas ?

– Mais rien n'a de sens ! » Son rouquin préféré semblait exaspéré. « Ça fait dix fois que je repasse la liste des destinations fréquentes. Aucune ne correspond à ce qu'on cherche, avec ou sans ligne de métro dans l'équation.

– Mais ça n'a pas de sens.

– C'est bien ce que je te disais !

– Il a pourtant dû prendre sa voiture. » Elle s'arrêta et refit pas à pas leur raisonnement. En face d'elle, Keynes hochait la tête d'un air encourageant. « La nuit où Goulding a enlevé Flora, il l'a assommée et il l'a mise dans sa voiture pour la ramener chez lui, on est d'accord ?

– Il l'a assommée, souligna Neil. Donc, elle ne sait pas comment il l'a emmenée chez lui, elle était inconsciente.

– Mais tu vois ce trajet dans son GPS, non ? Ça doit être le dernier.

– Attends. D'accord, vendredi soir. La voiture est allée du centre-ville à son domicile.

– Le kidnapping de Flora. Pour lequel, forcément, il s'est servi de sa propre voiture. On ne peut pas emmener une fille inconsciente dans le métro ou la balancer dans un taxi. Donc, il est obligé de prendre sa voiture au moins pour la première partie de l'enlèvement.

– D'accord, convint Neil.

– Parkings publics », dit Keynes tout bas en face d'elle.

D.D. approuva et répéta ces mots dans le téléphone. « Si Devon passe son temps à aller à droite ou à gauche, il doit avoir besoin de se garer. Est-ce qu'il aurait des abonnements à des parkings, des cartes de membre, je ne sais pas ? »

Un temps. Elle entendit Neil parler à quelqu'un à l'autre bout du fil, sans doute Carol.

« Pas de paiement mensuel à un parking, répondit-il bientôt.

– Ah bon ? Mais ça n'a...

– Pas de sens ? »

Neil et elle soupirèrent en chœur. Ils étaient à deux doigts de trouver, D.D. le sentait. Un dernier chaînon, une dernière déduction et ils pourraient... Flora et Stacey Summers étaient à la merci de la fille de Jacob Ness. D.D. en avait le frisson rien que d'y penser.

« Oh. Oh-oh, dit brusquement Neil.

– Quoi ?

– Carol vient d'avoir une bonne idée : peut-être que notre endroit est lié à un autre.

– Comment ça ?

– L'adresse, peut-être qu'elle correspond aussi à autre chose. Par exemple, on ne remarquerait pas qu'il va au Tonic, n'est-ce pas ? Parce que c'est son lieu de travail, c'est logique qu'il y aille.

– Il n'a pas séquestré trois femmes dans un night-club », dit D.D. en levant malgré elle les yeux vers le plafond noir.

Elle secoua la tête : elle était ridicule. Ils étaient venus en pleine journée, quand la boîte, une fois les lumières noires éteintes, était une coquille fatiguée mais où l'on s'activait beaucoup. Avec le nombre de personnes qui allaient et venaient à toute heure, pour le ménage, l'approvisionnement, la mise en place, il n'y avait aucune chance que trois captives passent inaperçues.

« Donc, pas son lieu de travail, dit Neil, mais une autre destination logique qui n'attirerait l'attention de personne. »

D.D. trouva : « La salle de sport. Il passe sa vie à faire de la musculation. Et la plupart de ces immenses clubs ouverts vingt-quatre heures sur vingt-quatre...

– ... se trouvent à South Boston, sur la côte, se souvint Neil. Là où, sous prétexte de rénovation urbaine, on démolit la moitié des bâtiments pendant qu'on reconstruit l'autre. J'ai une adresse pour le club de sport. Et, tiens-toi bien, Carol dit que ça se trouve juste à côté d'immeubles à l'abandon qui doivent être détruits. »

Il donna l'adresse.

« Merci, Neil, dit D.D. avant d'ajouter, de bon cœur : merci à toi aussi, Carol. »

Elle raccrocha et partit avec Keynes.

47

« Depuis le temps que je te cherchais », dit Lindy d'une voix moqueuse en traversant le palier à pas de loup et en franchissant la porte de droite pour me suivre à travers le bâtiment.

J'ai commencé par fuir. Je me suis arrachée à la porte verrouillée pour me ruer dans la pièce d'à côté. Je crois que je suis dans un salon. Je distingue tout juste la forme d'un canapé, une table, des chaises. Peut-être un appartement en rez-de-chaussée, tout en longueur. J'essaie d'imaginer un plan pour m'orienter à mesure que je m'enfonce dans l'obscurité. Ces fenêtres aussi doivent être bouchées avec des planches. C'est la seule manière d'expliquer ce noir quasi total.

Je passe une deuxième porte, qui donne sur un autre couloir sombre. Je m'arrête de l'autre côté, dos au mur. J'ai encore mon tesson de verre à la main. Je le serre contre moi et j'essaie de contrôler ma respiration paniquée avant que le bruit ne me trahisse.

Il serait temps de me reprendre. De me ressaisir. Je ne suis plus la petite souris terrifiée de Jacob.

Je suis une femme qui a encore des promesses à tenir.

« J'ai appris ce qui s'était passé le dernier jour avec mon père », dit Lindy. Sa voix vient de derrière moi, de la première pièce, je crois, près du canapé. « Une balle en pleine tête. Est-ce qu'il t'a suppliée de le faire ? Je sais qu'il ne voulait pas retourner en prison s'il se faisait prendre. »

Je ne réponds pas. J'inspire et j'expire profondément.

Je ne suis pas fatiguée. Je n'ai pas faim. Pas froid.

Je vais bien.

« J'ai eu peur, au début. J'ai pensé que j'allais peut-être être recherchée par la police. Alors j'ai disparu un moment. J'ai été au Texas, en Alabama, en Californie. J'ai vu du pays. Je me disais que Jacob aurait trouvé ça bien. »

Sa voix est plus proche.

Inspirer profondément. Expirer profondément. Je peux le faire.

« Mais tu ne leur as pas parlé de moi, hein, Flora ? Tu as gardé pour toi tout ce que nous avions fait ensemble. Notre petit secret à nous. »

Je ferme les yeux et je me mords la lèvre pour étouffer le gémissement qui monte de ma gorge. Elle a raison. Je n'ai rien dit, jamais dévoilé ce morceau du puzzle. La honte ? Le sentiment d'horreur ? Je ne sais pas. Mais tous les survivants ont leurs secrets. Des choses qu'ils ne peuvent pas dire tout haut parce que ça donnerait trop de réalité à ce qui s'est passé, non seulement aux yeux des autres, mais surtout aux leurs.

Samuel se doutait de quelque chose. Pendant nos premières séances, il me balançait des appâts sous le nez. Mais je n'ai jamais mordu.

Personne n'a envie d'être un monstre.

Et a fortiori, personne n'a envie d'en parler après coup.

« J'ai pensé que j'allais te ficher la paix », continue Lindy. Elle est partie vers la gauche. Au lieu de continuer tout droit, elle a tourné vers la cuisine et rôde autour de la table et des chaises.

« Mais je ne pouvais pas. Te voir encore vivante et en pleine forme alors que Jacob… J'imagine que tu ne peux pas comprendre, mais tu es bien placée pour savoir qu'on était très proches, Jacob et moi. Personne ne m'a connue comme lui. Et personne ne l'acceptait comme moi. Il était mon père et j'étais sa Lindy – c'était un petit nom qu'il m'avait donné la première fois qu'il m'avait vue. Natalie, c'était le prénom choisi par ma mère. Mais Lindy… J'étais à lui. Et toi, petite salope, tu n'avais aucun droit de me le prendre. »

Sa voix est si proche, presque à mon oreille. Lindy est juste derrière moi. De l'autre côté du mur. Ne plus respirer. Je retiens l'air, je le garde dans mes poumons, prie pour ne pas faire de bruit.

« L'an dernier, j'ai décidé qu'il était temps de passer aux choses sérieuses et je me suis lancée à ta recherche. J'ai fait un saut à la ferme de ta mère. Facile de la retrouver, avec Internet. Est-ce qu'elle te l'a dit ? Qu'une vieille amie était passée ? Mais elle sait tenir sa langue, ta mère. J'ai eu beau essayer, elle n'a pas voulu répondre à la moindre question sur toi. Tout ce que j'ai pu obtenir, c'était que tu vivais à Boston. Alors j'ai décidé de m'y installer aussi. Pourquoi pas ? Ça faisait un changement de décor sympa pour une fille du Sud comme moi. J'ai trouvé du boulot, j'ai fait mon trou en continuant à te chercher, et là…

« J'ai rencontré Devon. Qui ne savait même pas quel genre d'homme il était. Mais moi, je l'ai su. J'ai tout de suite vu clair en lui. Ensuite, ç'a été un jeu d'enfant de l'embarquer dans l'aventure. J'ai aménagé la maison, je l'ai laissé faire de moi la première occupante. Et puis je l'ai envoyé chercher d'autres camarades de jeu. Parce qu'une fille comme moi a certains appétits. Mais je ne t'apprends rien. »

Je suis prise de tremblements. Une réaction que je déteste. Primaire. Viscérale. Mais plus Lindy parle, plus tout ça me revient. Les nuits d'épouvante. Les bruits, le goût de la bile.

Je ne vais pas bien, je ne vais pas bien, je ne vais pas bien.

Je suis de nouveau Molly et je ne vais jamais y arriver.

« Lui aussi, tu l'as tué, pas vrai ? Je suis allée chez Devon samedi matin. Il n'était pas passé après le boulot, il ne m'avait pas appelée. Je savais qu'il commençait à avoir la bougeotte. Je lui avais dit qu'il fallait qu'il se tienne à carreau après s'être laissé surprendre par une caméra de surveillance. Du travail de débutant ! Il fallait qu'on serre la bride, qu'on file droit. Mais c'est le problème avec les chiens dressés : parfois ils tirent sur la laisse. Alors je suis allée chez Devon pour voir ce qu'il fabriquait, et qu'est-ce que j'ai découvert ? Des voitures de police, la maison bouclée... Toi. À l'arrière de la voiture de patrouille, le visage couvert de saletés. Et j'ai su ce que tu m'avais pris. Encore une fois.

« Tu croyais vraiment que j'allais te laisser t'en tirer comme ça ? Une deuxième fois ? Que je ne te suivrais pas chez toi ? Que je n'attendrais pas sur l'escalier de secours que tes proprios s'en aillent pour descendre crocheter leur porte et leur piquer le passe-partout ? Et quand tout a été tranquille, j'ai ouvert ta porte et je suis entrée direct chez toi. Un petit cocktail au chloroforme pour t'envoyer dans les vapes ; vite, une injection de sédatif pour finir de t'assommer, et le tour était joué. J'ai remis les clés chez tes proprios et je t'ai descendue en moins de deux à mon taxi. Je suis taxi de nuit. Le boulot idéal pour se faire un peu de fric et parcourir la ville pour repérer les bons plans.

« Et puis personne ne remarque les chauffeurs de taxi. Personne ne s'étonne même d'en voir un charger une femme à moitié inconsciente et qui ne tient pas sur ses jambes. La pauvre chérie a trop bu : heureusement qu'un taxi la raccompagne.

« Et maintenant, tout est exactement comme papa l'aurait voulu : on se retrouve toutes les deux, sauf que cette fois-ci, c'est moi qui tiens le pistolet et toi qui ne partiras jamais.

« Tu m'appartiens. Tu m'appartiendras toujours », murmure Lindy. Elle s'avance sur le pas de la porte, juste à côté de moi. Pas besoin de lumière pour savoir qu'elle sourit.

Fini de réfléchir. De s'organiser. De se préparer.

Elle m'a peut-être trouvée la première, mais je savais que ce jour viendrait.

Je lui taillade le visage avec mon morceau de verre déchiqueté.

Elle pousse un cri.

Je repars en courant dans le couloir.

D.D. prit le volant. À vol d'oiseau, il n'y avait pas loin de la boîte de nuit à South Boston. Elle fila dans les petites rues sinueuses, grilla quantité de feux rouges, vira sur les chapeaux de roues et chassa de l'arrière, tous gyrophares allumés. Keynes se cramponna à la poignée spécial chauffard au-dessus de la portière, mais ne dit rien.

Elle retrouva de mémoire le chemin des immeubles en question. Fut un temps, sous le règne de Whitey Bulger, où ce quartier de Boston était le territoire des Irlandais et se caractérisait par ses gangs, son trafic de drogue et sa pauvreté. Mais les années 1990 avaient vu la fin de l'encadrement des loyers ; beaucoup de familles modestes avaient été chassées du secteur, qui s'était embourgeoisé pratiquement du jour au lendemain en raison de la forte demande de terrains en bord de mer. Mais l'amélioration était passée par une longue étape de démolition, qui n'était pas encore arrivée à son terme : derrière un grillage métallique, au moins une parcelle d'anciens logements collectifs attendait encore de connaître le sort qui lui serait réservé.

D.D. tomba d'abord sur le grillage, elle le longea pour trouver un portail et découvrit deux voitures de patrouille déjà garées devant. Lorsqu'elle se rangea, un agent regarda dans sa direction et leva une chaîne devant ses phares pour lui montrer que le cadenas avait disparu.

Ils n'étaient pas les premiers à entrer.

D.D. éteignit ses phares, et Keynes et elle descendirent de voiture pour rejoindre les agents. Elle entendit le hurlement de sirènes au loin : d'autres unités qui répondaient à son appel. Pas idéal, ça.

À l'heure qu'il était, Natalie Draga était terrée dans ces immeubles avec au moins deux victimes de kidnapping. Si la police débarquait avec ses gros sabots, elle risquait de prendre peur et eux risquaient de se retrouver avec une prise d'otages, voire pire.

Il fallait lui tomber dessus par surprise. Comme lors de l'assaut mené par les brigades d'intervention contre Jacob Ness, qui ne s'était douté de rien jusqu'au moment où la première bombe lacrymogène avait brisé la fenêtre de sa chambre.

D.D. prit sa radio, passa le message. Trente secondes plus tard, les sirènes se taisaient d'un seul coup et il ne restait que le bruit des moteurs. Voilà qui était mieux.

Elle rassembla les quatre agents. L'un d'eux signala avoir vu un taxi abandonné au bout de la rue. À part ça, tout semblait tranquille et ils n'avaient vu personne entrer.

D.D. hocha la tête. La résidence déserte était immense. Six ou sept grands immeubles de brique, tous avec des fenêtres murées et des façades qui s'effritaient. Dieu savait ce qu'il en était de la solidité structurelle des bâtiments, sans parler de tout ce qu'ils allaient peut-être trouver à l'intérieur : squatters, toxicomanes, rongeurs de toutes tailles. Il allait falloir être prudent.

« On va travailler par équipes de deux. On commence par le périmètre et on progresse vers le milieu. Un quadrillage classique. On cherche de la lumière au bord d'une fenêtre, des traces de pas dans la poussière, des portes ouvertes récemment, des serrures forcées, ce genre de choses. N'y allez pas seul. Une simple reconnaissance. Nous avons au moins deux personnes séquestrées à l'intérieur et un suspect qui n'a rien à perdre. Il faut d'abord qu'on maîtrise la situation, pas que ça dérape. »

Les agents hochèrent la tête, allumèrent des lampes torches et se préparèrent à entrer.

D.D. retourna à son véhicule avec Keynes. « Vous voulez attendre dans la voiture ? lui demanda-t-elle à voix basse.

– Non.

– Vous avez un gilet pare-balles ?

– J'espérais que vous en auriez un à me prêter. »

Elle réfléchit. « Vous avez une formation de terrain ?

– Oui.

– Parce que, heu... » Elle eut du mal à prononcer ces mots : « Je suis en restriction d'aptitude. Je ne porte pas d'arme. Mais je peux tirer. Enfin, je veux dire, je me suis entraînée. La position classique à deux mains est encore un peu difficile à cause de mon épaule, mais droit devant, ça va. Vraiment. »

Il avait compris où elle voulait en venir. « J'ai un pistolet, dit-il. Un .38.

– Vous me l'échangeriez contre mon fusil ?

– Ça me paraît bien. »

Elle ouvrit son coffre, où elle conservait du matériel en cas d'intervention, notamment deux gilets pare-balles et un coffre de rangement d'armes.

« Si je résume, dit Keynes sur un ton badin tout en s'équipant, une enquêtrice blessée et un psy du FBI.

– La meilleure équipe d'intervention qu'on ait jamais vue.

– On a intérêt à ne pas se planter, parce que l'enquête administrative nous fera regretter de ne pas être morts. »

D.D. sourit, fit semblant de ne pas voir que ses mains tremblaient. Qu'avait dit Phil déjà, qu'il fallait qu'elle fasse davantage confiance à son équipe ? Eh bien, elle avait communiqué. Et elle n'y allait pas seule. Elle avait des agents à l'avant, un agent fédéral à ses côtés et des renforts en chemin.

Elle apprenait, elle s'adaptait.

Tout de même, en empoignant le .38 de Keynes, une arme qui lui était auparavant si familière…

Elle revit le visage de Jack, celui d'Alex, et se promit de rentrer au plus vite les retrouver.

Puis elle suivit Keynes dans la résidence à l'abandon.

48

La première balle passe au-dessus de mon épaule. D'instinct, j'esquive et je vire à droite alors que du plâtre gicle à ma gauche. Une deuxième balle, une troisième, une quatrième.

Lindy tire en rigolant. Peut-être même qu'elle ne vise pas, elle s'amuse de me voir zigzaguer, sursauter, me baisser. Je résiste à l'envie de regarder par-dessus mon épaule pour savoir à quel point la mort est proche et je fonce, pieds nus, dans le couloir semé de débris.

En stage d'autodéfense, un professeur nous a conseillé la fuite si jamais notre agresseur avait une arme à feu. Apparemment, il est étonnamment difficile de toucher une cible mouvante. Du moins, vos chances de survie seront plus grandes si vous fuyez un tireur à toutes jambes que si, par exemple, vous montez dans sa voiture et qu'il vous emmène dans un coin perdu où il pourra faire exactement ce qu'il voudra.

Alors je pique un sprint. Ma respiration s'accélère. Coudes au corps, tête rentrée dans les épaules, j'essaie de me faire plus petite. Mon pied rencontre un objet tranchant, puis un autre qui le transperce. Pas le temps de m'arrêter pour retirer les éclats de bois ou, pire, les morceaux de verre. Je continue ma course et passe d'une zone du bâtiment plus ou moins civilisée à une sorte de chantier, où l'odeur de poussière et d'abandon est plus prononcée. Il fait trop sombre dans le couloir pour que je voie où je vais ou pour que j'adapte ma trajectoire de manière à éviter les débris les plus blessants.

Encore des coups de feu.

Je cours de plus belle.

Une porte sur la droite. Je m'y engouffre sans réfléchir, n'importe quoi pour sortir de sa ligne de mire. C'est seulement après coup que me vient l'idée qu'il pourrait s'agir d'une chambre ou, pire, d'une salle de bains, bref d'une pièce sans issue où je serais acculée.

Mais en l'occurrence, on dirait encore une pièce commune. J'ai abandonné la théorie qui voudrait que je sois dans une maison traditionnelle de Boston. Le bâtiment est trop grand. Trop de couloirs, trop de pièces. Mais ce n'est pas un entrepôt ni un bâtiment commercial, les pièces sont trop petites. Un foyer d'accueil, peut-être ? Désaffecté, en cours de rénovation, je ne sais pas.

Je devrais m'arrêter, essayer de me repérer, mais je n'arrive plus à raisonner. Je cours dans des couloirs et je me jette dans des bas-côtés sombres comme une biche aux abois.

Je suis peut-être en train de pleurer, ce qui serait idiot. La dernière chose dont j'ai besoin à l'heure qu'il est, c'est de faire du bruit inutilement.

Je m'engouffre dans une autre embrasure de porte, marche sur un objet tranchant et le sens s'enfoncer profondément dans ma plante de pied. C'est plus fort que moi : je m'arrête net, sautille à cloche-pied, me mords la joue pour retenir un cri.

Et, à la réflexion, je me plaque dos au mur et j'essaie de me tenir le plus immobile possible.

Respirer. Réfléchir. Respirer.

Je ne peux pas continuer à courir comme une dératée dans un labyrinthe d'objets blessants et de pièces inconnues en attendant d'être acculée, prise pour cible, abattue. Il me faut une stratégie. Qui tienne la route face à une folle meurtrière armée d'un pistolet.

Une femme qui attend depuis cinq ans de me faire la peau.

Même si, pour être honnête, c'est réciproque.

Je suis à bout de souffle. Je m'oblige à respirer profondément et j'essaie de calmer mon cœur qui bat à cent à l'heure pour pouvoir guetter des bruits de pas.

Et je me concentre.

Lindy. Elle est là. À Boston. Elle m'a traquée. Elle est allée à la ferme de ma mère. Elle m'a découverte chez Devon Goulding. Et elle m'a suivie jusqu'à mon appartement fermé à double tour, où elle est entrée en se servant du passe-partout de mes propriétaires. Bien vue, la combine. Je n'avais jamais réalisé que, même si je multipliais les verrous, mes propriétaires resteraient le maillon faible. Mais c'est certain. À l'âge qu'ils ont, ils oublient même une fois sur deux de fermer leur porte. Et dès lors qu'elle avait leurs clés...

Lindy. Dans mon appartement. Lindy qui m'a amenée ici pour terminer ce que Jacob avait commencé.

Qu'elle crève. Cette pensée sans nuance, ce désir franc et impérieux, me ramène à la situation, m'aide à calmer ma respiration.

Je l'ai haïe du jour où j'ai vu Jacob la regarder. Du jour où je l'ai vue se jeter à son cou pour l'accueillir. Où ils ont discuté sur ce canapé, leurs têtes proches à se toucher.

Et ensuite elle m'a obligée à sortir, à aborder cette femme dans le bar.

Je ne repense jamais à cette nuit-là, ni à aucune de celles qui ont suivi. Je ne parle pas d'elle, de Jacob, de ce qu'ils m'ont fait faire. Non, je garde ces souvenirs pour mes cauchemars dont, après toutes ces années, je me réveille encore en hurlant.

Jacob m'a obligée à faire rouler les cadavres depuis son camion jusqu'aux herbes hautes des marécages le long de la route. Et ensuite il m'a obligée à regarder jusqu'à ce que les alligators découvrent ces festins inattendus.

Il ne disait jamais rien. Mais il me regardait avec des yeux qui me confirmaient qu'un jour je connaîtrais le même sort. Sauf que ce serait Lindy qui ferait rouler mon corps hors du camion et qu'elle battrait des mains de jubilation quand nos amies les bêtes viendraient chercher leur pitance.

Lindy. Ici, à Boston.

Lindy. Quelque part dans le noir derrière moi.

Quand je me suis inscrite à mon premier stage d'autodéfense, je suis sûre que ma mère a pensé que c'était d'autres Jacob que je m'entraînais à dégommer. Je ne l'ai jamais détrompée. Je ne lui ai jamais dit que chaque fois que je parais et décochais un coup, c'était une adversaire à peine plus âgée que moi et d'une beauté stupéfiante que je voyais dans ma tête. Et quand j'ai eu ma première arme à feu en main, c'est son visage que j'ai imaginé comme cible.

Ça fait maintenant cinq ans que je m'entraîne à tuer Lindy. Chaque fois que je partais en mission, je me disais même que si j'arrivais à mener celle-là à bien, ça voudrait peut-être dire que j'étais prête pour la Floride. Mais je ne m'y suis jamais vraiment résolue. J'avais toujours une chose de plus à faire ici, et puis après, bien sûr, il y a eu Stacey Summers. Je ne pouvais quand même pas l'abandonner.

Et voilà le résultat : je n'ai plus besoin de retrouver Lindy, c'est elle qui m'a retrouvée.

Et je suis de nouveau une chiffe molle tremblante. Elle a un pistolet, j'ai un bout de verre déchiqueté. Elle est... Lindy. Et moi, je suis... je ne suis pas Molly, me rappelé-je. Pas Molly, pas Molly, pas Molly.

Mais mon vieux sentiment d'impuissance me rattrape.

Il me faut un plan. Tuer Lindy, terrasser le dragon, et peut-être qu'alors enfin je pourrai rentrer chez moi.

Et ramener Stacey Summers par la même occasion.

Je ne pense plus à la chambre de motel. Ni à ce dernier jour, au poids du pistolet de Jacob dans ma main, à l'écho de ma promesse dans son oreille ou à la sensation poisseuse de sa cervelle dans mes cheveux.

J'imagine ma mère. À l'expression qu'elle avait dans ma cuisine l'autre matin. Fière et résignée, tendre et réservée. La mère qui m'aime encore, même si elle sait que sa fille n'est jamais réellement revenue.

Je veux rentrer, maintenant. Je veux la prendre dans mes bras. Ma mère et ses chemises à carreaux ridicules. Je veux la serrer contre moi et, même si ça ne me fait plus le même effet qu'avant, je veux apprécier l'effet que ça fait aujourd'hui.

Je ne veux plus survivre.

Je veux vivre.

Voilà, je les entends : des bruits de pas. On s'avance lentement, furtivement, dans le couloir derrière moi. Lindy approche. Sans doute le pistolet devant elle, le doigt sur la détente.

Ressources ? J'ai un morceau de verre coupant, déjà ensanglanté. J'ai des coudes, des genoux et un excellent coup de pied. En regardant autour de moi la pièce plongée dans l'obscurité, je ne vois pas de meubles, mais des monceaux de déchets divers. Ça pourrait être intéressant. Après tout, les poubelles m'ont déjà sauvé la vie une fois. Je me redresse et me prépare à fouiller les tas.

Je suis en pleine possession de mes moyens.

Je ne suis pas fatiguée, je n'ai pas faim, pas froid, pas mal. Je vais bien.

Et je m'apprête à faire ce que je fais le mieux : tout ce qu'il faudra pour survivre.

D.D. s'arrêta net, la main sur le bras de Keynes, et se tourna vers la source du bruit.

« Là-bas, murmura-t-elle en entendant claquer un nouveau coup de feu. Une fusillade.

– Le deuxième bâtiment à droite », répondit Keynes.

Elle éclaira le bâtiment avec sa lampe torche, un immeuble imposant en briques décolorées. Elle ne voyait aucun rai de lumière au bord des planches qui fermaient les fenêtres, mais juste au moment où elle allait se tourner vers le bâtiment suivant, trois nouvelles détonations se firent entendre coup sur coup.

« C'est celui-là », confirma-t-elle.

Elle affermit sa prise sur le .38, et ils commencèrent leur approche.

49

Vous avez déjà entendu un maître en arts martiaux se vanter de connaître dix manières de tuer quelqu'un avec une paille en plastique – douze en comptant l'emballage en papier ?

D'après mon instructeur, il y a beaucoup d'exagération là-dedans. À quoi bon être un maître en quoi que ce soit si on ne peut pas s'en servir pour faire très, très peur ?

Mais c'est vrai qu'une paille peut être une arme efficace. J'en ai trouvé une dans le tas de déchets le plus proche de moi. Je l'ai pliée en deux et coincée entre l'index et le majeur de ma main gauche. Une fois pliée, elle est suffisamment acérée et rigide pour faire une arme perforante tout à fait respectable. Si vous atteignez votre adversaire à l'œil ou si, mieux encore, vous frappez violemment l'os hyoïde à l'avant de la gorge, vous pouvez salement l'amocher.

Je suis sur le point de découvrir exactement à quel point. Lindy approche à pas de loup du bout du couloir, si proche que j'entends sa respiration.

Je l'imagine souriante, heureuse d'être de nouveau en chasse.

Je n'ai jamais vraiment compris la nature de la relation qui l'unissait à Jacob. Il l'aimait. Ça se voyait à l'œil nu. Mais Lindy ?

Elle était excitée de le retrouver. Mais est-ce que c'était de l'amour ? Je ne sais pas. Je me représente Lindy comme une panthère noire et racée qui rôde dans la nuit, attirée par l'odeur du sang. Une telle créature peut-elle réellement aimer ?

Je crois qu'elle aimait le fait que Jacob la mettait sur un piédestal. Le sentiment de toute-puissance que ça lui donnait. Quand il était là, chasser était deux fois plus amusant.

J'imagine que c'était la même chose avec le barman body-buildé. Devon Goulding. L'homme que j'ai regardé brûler vif.

À ce souvenir, je me sens toute-puissante.

Personne n'a envie d'être un monstre.

Et pourtant, regardez où on en est.

Je m'attends à ce que Lindy avance l'arme en avant. Le pistolet apparaîtra le premier, suivi de son bras. Et pendant ce moment de vulnérabilité, je l'attaquerai avec le tesson de verre, en visant le poignet, le dos de sa main. Une profonde entaille, elle lâchera son pistolet par réflexe et nous serons de nouveau sur un pied d'égalité.

Mais non, elle est trop intelligente pour ça.

Quand elle apparaît enfin à côté de moi sur le pas de la porte, c'est les coudes collés au corps, l'arme sur la poitrine. Un mur humain, qui ne présente que le côté de son épaule à mes coups. Même si je la frappais avec mon bout de verre, ce ne serait rien de sérieux.

Je retiens mon souffle, espère qu'elle fera un pas de plus dans la pièce. À ce moment-là, je pourrai lui donner un coup de pied dans le côté du genou.

Je ne suis pas fatiguée, je n'ai pas faim, pas froid, pas mal.

Je suis dans un état second.

Celui où je peux tuer un autre être humain sans le moindre état d'âme.

À ce moment-là, je me dis qu'il serait préférable que ma mère ne me touche plus jamais. Parce que la fille qui lui manque est une jeune fille heureuse qui aime les renards. Et que je suis devenue quelqu'un d'autre.

Quelque chose d'autre.

Lindy entre dans la pièce.

Je lance mon pied juste au moment où elle se tourne vers moi, ses dents comme un éclair blanc dans la nuit. Déjà elle pointe le pistolet : elle savait exactement où je l'attendais et ce que je m'apprêtais à faire.

Mais ce qu'aucune de nous deux n'avait prévu, c'est que mon coup de pied dans le vide me fasse perdre l'équilibre, basculer et m'écraser sur elle.

Nous tombons par terre et j'éprouve une étrange sensation de déjà-vu.

Nous sommes dans sa petite maison sordide. J'ai le couteau de cuisine.

Le pistolet, le pistolet. Elle le tient toujours, coincé entre nous deux. Pointé vers elle, pointé vers moi ? Ni l'une ni l'autre ne peut le savoir. Je ne peux pas me permettre de rouler sur le côté, ça lui donnerait la place de viser. Mais enchevêtrées comme nous le sommes, je ne peux pas la frapper efficacement. Alors nous luttons corps à corps, elle déterminée à ne pas lâcher le pistolet, moi déterminée à ne pas perdre mon morceau de verre ni ma paille.

Je sens une odeur de sang. Sa joue balafrée. Mes pieds en charpie.

Puis une douleur aiguë me transperce. Lindy me mord l'oreille, elle la broie, la tire, la déchire. En réaction, je replie mon poignet droit et je lui racle le côté avec le tesson de verre, que je tourne cruellement.

Ni l'une ni l'autre ne gémit, ne hurle ni ne crie. Nous sommes concentrées. C'est du sérieux.

Mais, un instant, je crois entendre du bruit au loin.

Elle me mord de nouveau. Me mâche, me dévore l'oreille, Mike Tyson réincarné en femme. Je ne peux pas me permettre de m'occuper de ses dents. C'est le pistolet, le problème. Il faut que je le lui enlève.

Nous roulons sur le sol poussiéreux. J'essaie de lever la main gauche. J'ai toujours la paille coincée entre les doigts et je la frappe à la gorge avec autant de force que possible. Mais nous sommes trop proches l'une de l'autre. Une fois de plus, j'attaque avec mon arme improvisée. Même si je ne peux pas prendre d'élan pour donner de l'impact à mes coups, je peux l'enfoncer, appuyer, griffer, labourer. Lindy gargouille quand la paille s'enfonce dans sa trachée au point de lui couper la respiration. J'appuie de plus belle, décidée à profiter de mon avantage.

Elle rentre ses deux mains entre nous pour me repousser violemment. Je tombe sur le côté et me rends compte aussitôt qu'il faut que je bouge, vite, vite, vite. Pour peu qu'elle se redresse, une simple pression sur la détente…

D'un mouvement vif, je lui déchire le bras avec mon tesson de verre, jusqu'au dos de la main.

Une lutte à mort pour le couteau…

Elle sursaute, frémit. Je la taillade, encore et encore, et mes doigts deviennent glissants de sang.

Alors elle rit. À en perdre haleine. Elle exulte. Parce que c'est ce qu'elle aime, ce qu'elle veut. Pour elle, il n'y a pas de douleur, rien que du plaisir.

Je ne suis que la Flora 2.0.

Tandis qu'elle… elle…

Elle est pire que Jacob. Pire qu'aucun d'entre nous. Le monstre qui fait peur aux autres monstres.

Elle va attraper le couteau de cuisine. Elle va me le planter dans le cœur, mais seulement après s'être amusée. Ensuite ils jetteront mon cadavre aux alligators. On ne me retrouvera jamais. Jacob ira kidnapper une autre fille et tout recommencera depuis le début.

Stacey Summers, évanouie à l'étage et qui a cruellement besoin de secours.

Ma mère, certainement dans ma cuisine à l'heure qu'il est, à faire des montagnes de gâteaux en attendant une fois de plus d'avoir des nouvelles de sa fille.

Je ne veux pas plus mourir dans cette maison que je ne voulais mourir dans une caisse en forme de cercueil. J'accepte le fait que je ne suis pas quelqu'un de bien, quelqu'un de gai. Je comprends que je ne trouverai pas la paix en marchant dans les bois de mon enfance. Je me rends compte que je ne sais plus rendre ses étreintes à ma mère.

Mais tout au fond de moi, je crois encore qu'un jour je pourrai redevenir la personne que j'étais. Que même si je suis devenue un monstre, je pourrai un jour faire le trajet inverse et être la jeune femme qui manque à ma mère et à mon frère.

Qu'un jour, je pourrai me retrouver.

Des bruits. Au loin. Le cri des planches de contreplaqué qu'on arrache, des pas lourds, une course. À côté de moi, Lindy se fige, tend aussi l'oreille. Ses coups de feu ont donné l'alerte. On vient. Sans doute la police, une brigade d'intervention avec des gaz lacrymogènes. Si seulement j'arrive à gagner du temps, ils me sauveront une nouvelle fois.

Sauf que...

Lindy se retourne vers moi. Je la regarde dans les yeux.

Et nous savons toutes les deux ce qui doit se passer.

Parce que cette histoire ne regarde pas les autres. C'est entre elle et moi que ça se joue.

Je la taillade avec le tesson de verre.

Son bras remonte, absorbe le coup pour pointer l'arme sur moi.

J'enchaîne avec mon poing gauche, la paille toujours serrée entre les doigts, et je lui en donne un grand coup sur le côté de la gorge.

Elle hoquette, étouffe. Le temps s'arrête.

« Je lui ai dit que je te tuerais, murmuré-je. Le dernier jour. Il avait le visage ruisselant de larmes et de morve. Je lui ai dit que tu serais ma prochaine victime. »

Elle ouvre la bouche et je pense qu'elle va encore rire.

Mais au lieu de ça, elle tire.

J'entends le bruit comme s'il venait de très, très loin. Je sens l'impact, une explosion de douleur.

Je bascule sous la violence du choc. Je tombe en arrière.

Pile au moment où deux faisceaux de lumière se précipitent dans la pièce.

« Police ! Lâchez votre arme ! »

Avec mes oreilles qui bourdonnent, j'ai du mal à entendre les mots, mais je crois reconnaître la voix : l'enquêtrice de samedi matin. Celle qui ne m'aime pas.

J'essaie de crier un avertissement : Lindy est armée et plus que capable de tuer à nouveau.

Mais en fin de compte, la policière n'a pas besoin de conseils. Lindy se tourne vers les lumières. Elle émet comme un sifflement, sans doute ce qu'elle peut faire de plus proche d'un rire, mais au moment où elle lève son arme, l'enquêtrice ouvre le feu.

Je regarde Lindy s'effondrer à côté de moi. Je me dis qu'il devrait y avoir des alligators. Ils devraient venir et emporter son cadavre pour qu'on ne le retrouve jamais.

Samuel arrive et se penche sur moi avec inquiétude.

« Tiens bon, Flora. Les secours sont en route. Tiens bon. »

Je murmure : « Stacey Summers. Là-haut. Aidez-la. »

Et les alligators arrivent pour de vrai. Mais c'est moi qu'ils emportent.

50

Assis par terre dans son jean hors de prix, Keynes tenait la main de Flora pendant que D.D. appelait les secours et des renforts pour fouiller la résidence.

Il leur fallut un bon quart d'heure pour les rejoindre dans cet espace immense. Devon Goulding et Natalie Draga s'étaient aménagé un petit nid d'amour au milieu du bâtiment à l'abandon. D.D. découvrit une cuisine dont la plomberie avait été trafiquée (un robinet avait été branché sur le tuyau en toute illégalité) et tout un stock de victuailles et autres bouteilles d'alcool manifestement chapardées au Tonic. Même chose dans la salle de bains, qui, bingo, contenait d'innombrables flacons de gel capillaire à paillettes.

L'équipe se dispersa pour chercher pièce par pièce, niveau par niveau, jusqu'à ce qu'enfin un agent découvre Stacey Summers dans un couloir de l'étage supérieur, manifestement dans un état critique. Nouvelle demande de secours, Flora et elle furent évacuées en urgence vers les hôpitaux les plus proches.

Keynes s'éloigna pour appeler la mère de Flora avec son portable, pendant que D.D. passait enfin ce coup de fil au milieu de la nuit que les Summers attendait depuis trois mois.

Ensuite elle fit les cent pas.

Keynes n'avait pas tort : l'enquête administrative sur les événements de cette nuit n'allait pas être de la tarte. D.D. était tenue de rester sur les lieux pour répondre aux premières questions d'enquêteurs indépendants concernant son usage de la force. Comme elle était en restriction d'aptitude et n'avait même pas le droit de porter une arme, son cas serait examiné de très près et lui vaudrait peut-être des sanctions disciplinaires.

Peut-être aussi que Phil allait encore lui passer un savon. Parce qu'elle s'était montrée imprudente. Qu'elle n'avait pas fait confiance à son équipe. Qu'elle était une nouvelle fois entrée dans un bâtiment plongé dans le noir, et peu importe qu'elle ait eu raison ou pas.

Elle aurait dû se sentir inquiète. Stressée. Penaude ?

Mais non.

Elle avait demandé des renforts. Elle avait coordonné une équipe d'agents qui l'avait appuyée. Elle avait agi dans le but de maîtriser la situation et non d'aller à l'affrontement, ainsi qu'il seyait à une superviseuse. Mais quand cette situation avait dégénéré au point d'exiger une réaction immédiate...

Elle s'était acquittée de son devoir comme on lui avait appris à le faire. Faisant fi de son épaule blessée et de ses limites physiques, elle avait supprimé la menace manifeste et sauvé la vie d'une victime.

Elle se sentait... forte. Compétente. Autonome.

Bref, pour la première fois depuis des mois, elle se sentait enfin elle-même.

Elle appela chez elle. Il était trois heures du matin, mais Alex avait l'habitude de ces conversations à des heures indues. À vrai dire, elle avait besoin d'entendre sa voix. Après une nuit pareille, elle avait envie de le sentir proche d'elle.

« Je vais bien, dit-elle tout de suite.

– Tant mieux. Tu es où ?

– Je l'ai tuée. La fille de Jacob. Natalie. J'ai tiré et je l'ai tuée dans l'exercice de mes fonctions. »

Un temps de silence. « Je suis désolé.

– Moi aussi. Elle me menaçait avec un pistolet, je n'avais pas le choix.

– Tu avais une arme ? » Alex ne perdait jamais le nord.

« J'en avais emprunté une avant d'entrer dans le bâtiment. On avait entendu des coups de feu. On a pris nos dispositions avant d'entrer. »

Il ne répondit rien parce que avoir pris ses dispositions et avoir le droit d'intervenir étaient deux choses différentes, et elle le savait parfaitement.

« J'ai eu peur, murmura-t-elle. Ça ne m'était jamais arrivé, avant. Les interventions faisaient juste partie du boulot. Mais cette fois-ci… je ne pensais qu'à cette connerie d'épaule. Est-ce que je saurais viser assez vite, est-ce que j'aurais la force… J'ai fait ce que j'avais à faire, mais j'ai eu peur.

– Cal Horgan… ?

– Ça, je vais encore l'entendre…

– À juste titre ?

– Je ne veux pas avoir peur. Et rester assise derrière un bureau me donne l'impression de me planquer. Être en restriction d'aptitude, c'est de la lâcheté. Je veux qu'on me rende mon poste. Je veux redevenir l'enquêtrice que j'étais.

– Chérie, ta blessure…

– J'ai fait ce que j'avais à faire. Un suspect a pointé une arme sur moi, c'était une question de vie ou de mort et j'ai réagi de manière adéquate en situation de stress. Je ne veux plus avoir peur, Alex, et je ne veux plus être enchaînée à un bureau.

– Donc, tu m'appelles pour me dire que je ne peux pas sortir le papier bulle pour t'emballer et te garder à l'abri avec moi toute ta vie ?

– Je vais être soumise à une enquête disciplinaire.

– Il y a des chances.

– Je vais avoir besoin de ton soutien.

– Tu l'as.

– Et puis… je veux réussir mon examen médical. Je veux avoir le feu vert pour reprendre le service normal.

– Et est-ce que j'ai le droit d'avoir peur, moi ? Parce que cet appel pour me dire que ma femme s'est retrouvée sous la menace d'une arme, ce n'est pas le genre de conversation que je préfère avoir au milieu de la nuit.

– Je veux redevenir l'enquêtrice que j'étais.

– D.D., je suis tombé amoureux de l'enquêtrice que tu étais. Et je l'ai épousée. Tu n'as pas à changer pour moi, ni pour Jack. On te connaît.

– Merci.

– Tu pleures ?

– Les enquêtrices ne pleurent jamais.

– Mais les superviseuses en restriction d'aptitude…

– Ça se pourrait.

– Merci d'être encore en vie.

– Merci d'être là pour moi.

– Tu as retrouvé les disparues ?

– Oui, Stacey Summers et Flora Dane.

– Formidable ! Elles vont bien ? »

D.D. lui dit la vérité : « On ne sait pas encore. »

Je me réveille sous des lumières vives. Un faux plafond blanc tout là-haut, un drap rêche serré sur ma poitrine, la rambarde métallique du lit dans mon champ de vision. En tournant la tête, je découvre Samuel effondré sur un fauteuil, la tête entre les mains. Pas de costume aujourd'hui, mais une chemise noir de jais et un jean foncé qui seraient plus à leur place dans une boîte de nuit que dans une chambre d'hôpital.

Ma mère est dans l'avion, me dis-je, avant de me corriger : je ne suis pas en Géorgie, mais à Boston. Et ce n'est pas à Jacob que je viens d'échapper, mais à sa fille. Pendant quelques instants... tant d'idées se bousculent dans ma tête. Tant de souvenirs, d'émotions. Je ne sais plus où s'arrête le passé et où commence le présent. Je ne sais plus très bien qui j'étais et qui je pourrais devenir un jour.

Je suis dans des limbes.

Il y a pire, comme sensation : toutes les promesses d'un nouveau départ sans se donner la peine d'essayer de les accomplir.

J'ai mal à l'épaule. Le cerveau embrumé. La bouche sèche.

Lindy avec son pistolet. Moi avec mon tesson de verre et ma paille en plastique. Elle a tiré. La policière aussi. Et nous sommes tombées.

Elle est morte. Je n'ai pas besoin de poser la question pour le savoir. Lindy est forcément morte. C'est la seule manière d'expliquer que je sois encore en vie.

Je m'en suis sortie. Je suis libre.

Et cette seule idée me fait rire, même si le son qui sort de ma gorge n'est pas vraiment gai.

Samuel apparaît immédiatement à mon chevet. Il me propose de l'eau, me reborde, aux petits soins. Je ne vois pas encore ma mère, mais elle doit être quelque part dans l'hôpital. Même si elle me déteste, si elle a le cœur brisé, si elle est furieuse, bouleversée, elle n'est pas du genre à reculer devant l'adversité. J'imagine que je tiens ça d'elle.

Je ris encore. Ou je pleure. Je suis là, mais qui suis-je ? Une tueuse ? Une jeune femme qui n'est à l'aise que dans le noir ?

Une jeune femme qui n'a plus de promesses à tenir. Mais qui est-elle exactement ?

J'aimerais pouvoir me décaper le cerveau, me rincer les yeux à l'eau de Javel, prendre tout mon corps et le vider. Plus de souvenirs de caisse en forme de cercueil, de Jacob aux dents jaunes, ni de l'odeur de la chair humaine qui s'enflamme.

Je renoncerais à tout. Je ne me souviendrais de rien. Je ne saurais rien.

Je ne serais qu'une petite fille qui gambade dans les forêts du Maine et chaparde des morceaux de fromage pour les renards.

Samuel me tient la main, la gauche, parce que mon épaule droite est prise dans d'épais bandages.

« Tu vas t'en sortir, dit-il. Tu es forte. Tu peux y arriver. Tu es une survivante.

– Stacey Summers ? demandé-je dans un souffle.

– Grâce à toi, nous l'avons retrouvée et emmenée à temps à l'hôpital. Tu as réussi, Flora. Tu as réussi. »

Je souris, mais là encore, ce n'est pas très gai. Parce que je sais mieux que personne que cet instant précis est le seul qui sera facile pour Stacey. Cette seconde où elle se réveille, enfin libre, et trouve ses parents à son chevet. Ils vont pleurer, elle va pleurer, et tout le monde sera soulagé. Leur rêve le plus fou se sera réalisé.

Mais les moments qui suivront ? Demain, et le lendemain, et le jour d'après ?

Elle aura besoin d'aide, me dis-je.

Et à ce moment-là...

Elle l'aura. De moi, de Samuel, de ma mère. Nous avons tous commencé ce voyage ensemble, chacun à notre manière.

J'aimerais le finir. Si Stacey le veut bien, je serai là pour elle. J'ai suffisamment lutté seule dans le noir. Ça pourrait être sympa d'essayer de trouver la lumière à deux.

C'est seulement du regard que je pose la question suivante à Samuel ; je ne peux pas prononcer ces mots à voix haute.

« Elle est morte là-bas, me répond-il simplement. Il semblerait que Devon Goulding et elle aient kidnappé au moins trois filles. Kristy Kilker est morte. Mais Stacey Summers et toi, vous vous en êtes sorties.

– Je ne savais même pas que Lindy était à Boston, dis-je tout bas. Je suis sortie au Tonic vendredi soir parce que les amis de Stacey m'avaient dit qu'il leur arrivait d'y aller. Lindy... la fille de Jacob. Je ne savais pas qu'elle était à Boston. Ça ne m'a même pas effleurée.

– Tu l'avais rencontrée quand tu étais avec Jacob. »

Je comprends la question sous-entendue derrière cette phrase : Pourquoi n'ai-je jamais parlé d'elle ? Pourquoi n'ai-je pas alerté les autorités ? Je lui dis la vérité : « Personne n'a envie d'être un monstre.

– Tu n'es pas un monstre, Flora, tu es une survivante.

– Ça ne suffit pas. On croit que si, mais non.

– Tu as sauvé une vie.

– J'ai tué un homme. » À ces seuls mots, je sens les ténèbres m'envahir de nouveau. « Je l'ai regardé brûler et je m'en fichais. J'étais seule dans le vide. Je suis toujours seule dans le vide !

– Alors fais un autre choix, Flora. Personne n'a dit que la vie serait facile. Il faudra encore te lever tous les matins. Et prendre des décisions. Cinq ans plus tard, on se retrouve au même point. Tu veux vraiment continuer à faire les mêmes choix ? »

Je n'ai pas de réponse. Il m'a déjà dit des choses semblables. D'abord, on survit. Ensuite, il faut réussir à ne plus
se sentir une victime.

Ça a l'air simple. Et pourtant...

Ma mère arrive, elle hésite sur le pas de la porte, engluée
dans sa propre sensation de déjà-vu.

Un visage triste et déterminé. Son affreuse chemise à carreaux.

Le renard niché au creux de sa gorge.

Il y a tant de choses que je devrais lui dire. Tant d'excuses
à présenter. Je voudrais bien que ce soit aussi simple que
dans la bouche de Samuel. Je voudrais le dénouement de
conte de fées que Stacey Summers mérite aussi certainement.

Je veux dire la vérité, en espérant qu'elle me libérera. Je
retire ma main à Samuel pour la tendre à ma mère.

« Je suis désolée.

– Tu n'as pas à l'être...

– Je te rendais responsable. Inconsciemment. Mais tu voulais tellement que je rentre à la maison. Je te voyais aux
informations supplier pour me revoir saine et sauve. Alors j'ai
survécu pour toi. Même les jours où le contraire aurait été
préférable. Même quand je voulais abandonner. J'ai survécu
parce que je ne voulais pas te laisser tomber. »

Elle ne dit rien, mais je lis sur son visage qu'elle le savait
déjà. Elle lance un regard à Samuel. C'est un sujet dont ils
ont déjà discuté. Ils ont compris, même si je ne m'en étais
pas rendu compte.

« Jacob avait une fille. Ils m'ont obligée à les accompagner
dans des bars. Ils m'ont obligée à choisir des femmes qu'ils
assassineraient. Trois fois. Trois femmes sont mortes à cause de
moi. Je ne peux pas changer ça, dis-je avec franchise. Même
maintenant, Stacey Summers, ça ne compense pas.

– Tu n'as rien à compenser. Ces crimes sont les leurs.

– J'ai regardé un homme brûler vif. C'est mon crime.

– Flora... je ne sais pas ce que tu attends de moi. Je suis ta mère et je t'aime. Même maintenant, même après ce que tu viens de dire. Je suis ta mère et je t'aime.

– Moi, je ne sais pas qui je suis.

– Personne ne le sait. Chacun passe sa vie à le découvrir, même ceux qui n'ont pas été kidnappés.

– Jacob me manque encore. Et c'est mal. C'est tordu. Je le déteste d'être à l'intérieur de ma tête.

– Alors accueille-le. Remercie-le de t'avoir rendue forte. Remercie-le d'être mort pour que tu puisses rentrer chez toi. Un homme comme lui est sans défense devant la gratitude, Flora. Accueille-le et il partira de lui-même.

– C'est des conneries New Age, tout ça.

– C'est une méthode simple pour tourner le dos à la haine. Tôt ou tard, il faut y renoncer pour recommencer à vivre.

– Est-ce que tu le détestes, toi ?

– La police pensait que Jacob te tuerait pendant l'assaut. Leurs meilleurs experts prédisaient qu'il t'abattrait avant de retourner l'arme contre lui. J'ai choisi d'être reconnaissante qu'il ne l'ait pas fait. »

Je réfléchis à ces paroles. Il faut un certain type de courage pour défier un adversaire armé. Et un autre pour recommencer à vivre.

Je dis : « Ça, c'est Flora. Tout ça, c'est Flora qui se réveille enfin. »

Ma mère me prend dans ses bras. De quoi faire mal à mon épaule bandée. De quoi me terroriser des pieds à la tête.

Mais je lui rends son étreinte. Je me concentre sur le toucher, l'odeur, la sensation complète. Ma mère. Ses bras. Notre étreinte. Après quatre cent soixante-douze jours. Après cinq longues années.

Ça, c'est Flora qui rentre enfin chez elle, me dis-je, et je serre ma mère de toutes mes forces.

REMERCIEMENTS

Ce livre trouve son origine dans un article que j'ai lu sur Internet au sujet du service d'assistance aux victimes du FBI. Je n'avais jamais entendu parler des victimologues et j'ai tout de suite été captivée par l'idée que les victimes et leurs familles ont besoin de soutien, y compris après ce que nous considérons généralement comme un dénouement heureux. Comme peut en attester Flora, le sauvetage n'est pas seulement la fin d'une épreuve, mais aussi le début d'une autre. Tous mes remerciements vont au responsable des relations publiques du FBI, qui m'a organisé une entrevue avec deux spécialistes des victimes, ainsi qu'à tous ceux qui m'ont donné de leur temps et fait profiter de leur expertise. L'investissement personnel du docteur Samuel Keynes dans la vie de Flora et Rosa passe la norme, naturellement, et j'espère que vous me pardonnerez cette licence fictionnelle. Comme d'habitude, toutes les éventuelles inexactitudes sont de moi.

Merci également à Wayne Rock, ancien enquêteur de la police de Boston, pour avoir remis D.D. au travail ! Comme je ne pouvais pas la laisser sur la touche, j'ai demandé conseil à Wayne. Et quand il m'a parlé de la restriction d'aptitude, ça m'a paru un tel supplice pour un agent du tempérament de D.D. que je n'ai pas pu résister. Merci, Wayne !

L'agent spécial Nidia Gamba m'a renseignée sur les détails de la traque pour localiser l'odieux Jacob Ness. Je la considère comme une Kimberly Quincy en chair et en os, mais encore meilleure. Merci d'avoir pris le temps de m'aider à coincer ma bande de méchants imaginaires et merci encore davantage de mettre les vrais méchants hors d'état de nuire.

Mon enquêteur de quartier préféré, le lieutenant Michael Santuccio, m'a aussi sauvé la mise en répondant à mon texto affolé : *Vite, il faut que je kidnappe quelqu'un, comment tu ferais ?* Cependant que ma pharmacienne préférée, Margaret Charpentier, trouvait l'idée du matelas assaisonné au houblon et à la valériane. Comme l'explique Flora, même si le houblon est utilisé comme soporifique depuis le Moyen Âge, son efficacité n'a pas encore été vraiment démontrée par la science. Mais dans le cadre d'une fiction, pourquoi pas ?

L'équipe de D.D. doit son nouveau membre, Carol Manley, au fils de Carol, David Martin, qui a fait un don très généreux à la Conway Area Humane Society pour que le nom de sa mère apparaisse dans un roman. J'espère que vous avez tous les deux apprécié, notamment le passage où hommage est rendu au chien de Carol, Harley.

Félicitations à Kristy Kilker, lauréate du tirage au sort *Kill a Friend, Maim a Buddy*, ce qui lui a valu une fin en beauté. De son côté, Jocelyne Ethier a décroché le droit d'être une patronne de night-club un peu louche en remportant le tirage au sort international *Kill a Friend, Maim a Mate*. Merci à toutes les deux d'avoir participé à ce concours aussi unique qu'amusant.

Merci à ma grande amie Lisa Mac pour une nouvelle information lumineuse sur le travail de la police scientifique, cette fois-ci concernant l'intérêt des traces de paillettes. Elle m'a donné un bon coup de pouce au moment où j'en avais le plus besoin. Oui, je te dois encore un dîner. Ou peut-être une année entière de repas, au point où on en est.

Le docteur C.J. Lyons, également auteur de polars de son état, m'a fourni d'intéressants détails médicaux sur les conséquences de la sous-alimentation. Merci !

Enfin, comme tous les écrivains, j'ai une dette immense envers ma famille, qui est bien obligée de me supporter quand je grince des dents, quand je parle toute seule à des gens qui n'existent pas et que je voue régulièrement mon roman aux gémonies. Ma fille, bien dressée depuis le temps, a passé ma semaine de charrette à faire des cookies et à me ravitailler. Elle est vraiment chouette.

La survie n'est pas une destination, c'est un voyage. Ce livre est dédié aux survivants du monde entier.

DU MÊME AUTEUR

Aux Éditions Albin Michel

DISPARUE, 2008.

SAUVER SA PEAU, 2009.

LA MAISON D'À CÔTÉ, 2010.

DERNIERS ADIEUX, 2011.

LES MORSURES DU PASSÉ, 2012.

PREUVES D'AMOUR, 2013.

ARRÊTEZ-MOI, 2014

FAMILLE PARFAITE, 2015.

LE SAUT DE L'ANGE, 2017.

Composition Nord Compo
Impression en décembre 2017
Éditions Albin Michel
22, rue Huyghens, 75014 Paris
www.albin.michel.fr

ISBN : 978-2-226-39193-3
N° d'édition : 22343/01
Dépôt légal : janvier 2018
Imprimé au Canada chez Marquis imprimeur inc.